C000148493

1 MONTH OF
FREE
READING

at

www.ForgottenBooks.com

By purchasing this book you are eligible for one month membership to ForgottenBooks.com, giving you unlimited access to our entire collection of over 1,000,000 titles via our web site and mobile apps.

To claim your free month visit:

www.forgottenbooks.com/free1043688

* Offer is valid for 45 days from date of purchase. Terms and conditions apply.

ISBN 978-0-364-63172-0
PIBN 11043688

This book is a reproduction of an important historical work. Forgotten Books uses
state-of-the-art technology to digitally reconstruct the work, preserving the original format
whilst repairing imperfections present in the aged copy. In rare cases, an imperfection in
the original, such as a blemish or missing page, may be replicated in our edition. We do,
however, repair the vast majority of imperfections successfully; any imperfections that
remain are intentionally left to preserve the state of such historical works.

Forgotten Books is a registered trademark of FB &c Ltd.
Copyright © 2018 FB &c Ltd.
FB &c Ltd, Dalton House, 60 Windsor Avenue, London, SW19 2RR.
Company number 08720141. Registered in England and Wales.

For support please visit www.forgottenbooks.com

Musikalische

Stationen.

(Der „Modernen Oper" II. Theil.)

Von

Eduard Hanslick.

Fünftes Tausend.

Berlin.

Allgemeiner Verein für Deutsche Literatur.

1885.

Mus 242.7.12

HARVARD COLLEGE LIBRARY
FROM
THE BEQUEST OF
EVERT JANSEN WENDELL
1918

Alle Rechte vorbehalten.

Meiner geliebten Frau

Sophie Hanslick.

Wien, 11 September 1879.

Ed. H.

Inhaltsverzeichniss.

Italien.

Frankreich.
Musikalische Briefe aus Paris.

Deutschland.

I.

Italien.

——————— ✦ ✦ ———————

E. Hanslick, Musikalische Stationen.

I.

Verdi's Requiem.

Viermal — im Juni 1875 — dirigirte Verdi sein Requiem in Wien, jedesmal siegend über die Ungunst heißer Sommerzeit und hoher Eintrittspreise. Das Publicum empfing das Werk mit ungewöhnlicher Wärme; unsere feinsten Kenner und Liebhaber, worunter ein stattliches Contingent geschworner Verdi = Gegner, stimmten rückhaltlos in den allgemeinen Beifall. Verdi, schon im Opernfach so schlecht angeschrieben in deutschen Landen, mußte als Kirchen=Componist auf schneidigste Opposition gefaßt sein, umsomehr, als es ja zu den Lieblingspassionen teutonischer Kritik gehört, dem Publicum seine Freuden nachträglich durch ein gnadenloses Mäkeln an Nebendingen und Kleinigkeiten zu verleiden. In unserer Zeit der lauen Achtungserfolge ist aber ein rechter Herzenserfolg so selten, daß auch der Kritiker ihn gerne mitfeiern mag, sollten auch einige Ungehörigkeiten bei dem Fest unterlaufen und etliche Enthusiasten allzu schwärmerisch toastiren. Verdi's Requiem ist ein schönes, tüchtiges Werk, vor Allem merkwürdig als Markstein in der Entwicklungsgeschichte Verdi's. Mag man es nun höher oder tiefer stellen, der Ausruf „das hätten wir von

Verdi nie erwartet!" wird nirgends ausbleiben. In diesem Sinne bildet das Requiem ein Seitenstück zu „Aïda", die mir gleichwol in Erfindung und Ausführung viel bedeutender erscheint. Wie weit entfernt ist dieses Requiem von „Ernani" oder „Trovatore!" Und doch ist es unverkennbar Verdi, gehört ihm ganz und vollständig an. Das Studium älterer römischer Kirchenmusik und deutscher Meister leuchtet hindurch, aber nur als Schimmer, nicht als Vorbild.

Freilich, das muß gleich hier gesagt sein, — das Theater hat diesen Componisten nöthiger und lieber als die Kirche. Verdi ist geborener Theater-Componist; wenn er in einem Requiem beweist, was er auf fremdem Boden vermag, so bleibt er doch weit stärker auf seinem eigenen. Er kann auch im Requiem den dramatischen Componisten nicht verleugnen; Trauer und Bitte, Entsetzen und hoffende Zuversicht, sie sprechen hier eine leidenschaftlichere und indviduellere Sprache, als wir sie in der Kirche zu hören gewohnt sind.

Die „Kirchlichkeit" des Verdi'schen Requiems ist es zunächst, was Anfechtung erfährt. Und doch gibt es wenig Forderungen, über welche zu richten so bedenklich, so unsicher wäre, wie diese. Die subjective Religiosität des Künstlers muß man von vornherein aus dem Spiele lassen; die Kritik ist keine Inquisition. Zudem bietet die Gläubigkeit des Tondichters keineswegs Gewähr für die religiöse Würde seines Werkes und umgekehrt. Kann man die Frömmigkeit Haydn's und Mozart's anzweifeln? Gewiß nicht. Und dennoch dünkt uns ein großer Theil ihrer Kirchen-musik sehr, sehr weltlich. Verglichen mit dem Jahrmarktsjubel in so manchem „Gloria", mit den Opernschnörkeln in so manchem „Benedictus" und „Agnus" dieser Meister, klingt Verdi's Requiem noch heilig. Aehnlich verhält es sich mit der Kirchenmusik vieler berühmter älterer Italiener, deren „Classicität" auf Treu und Glauben angenommen und mit jedem Decennium weniger geprüft, weitergegeben wird. Pergolese, Lotti, Jomelli,

Salieri und so viele andere Celebritäten Italiens, deren großes
Talent und deren Kunstfertigkeit wir hochschätzen — was für
zopfigen Zierrath und weichliche Opernmelodien haben sie nicht
bona fide in ihre Kirchen-Compositionen aufgenommen! Wir
müßten, um auf die ungetrübte, unverweltlichte Reinheit katho-
lischer Kirchenmusik gelangen, bis auf Palestrina zurückgehen,
oder vielmehr — da ja auch Palestrina vom streng kirchlichen
Standpunkt manchen Vorwurf erfahren — bis auf den nackten
gregorianischen Kirchengesang. Die Hauptsache bleibt, daß der
Componist mit der Ehrfurcht vor seiner Aufgabe die Treue
gegen sich selbst bewahre. Dieses Zeugniß der Ehrlichkeit muß
man Verdi zugestehen; kein Satz seines Requiems, der leicht-
fertig, erlogen oder frivol wäre. Er verfährt ungleich ernster,
strenger, als Rossini in seinem „Stabat mater", so wenig die
Verwandtschaft dieser zwei Werke zu leugnen ist. Beide Tondichter haben sich eben bis in ihre alten Tage ausschließlich im
Opernstil bewegt; daß Rossini's eigentliches Feld stets die
komische Oper gewesen, Verdi's hingegen die ernste, pathetische,
gedeiht dem Letzteren zum Vortheil in seinem Requiem. An
süßem Reiz der Melodieen ist Rossini's „Stabat" dem Verdi'-
schen Requiem überlegen, wenn man diesen Ausdruck gebrauchen
darf, wo eigentlich von einem Unterliegen zu sprechen wäre.
Verdi hat, an die bessere neapolitanische Kirchenmusik anknüpfend,
weder die reicheren Kunstmittel seiner Zeit, noch das lebhaftere
Feuer seines Naturells verleugnet; er hat, wie so mancher
fromme Maler, auf dem Heiligenbild sein eigenes Porträt angebracht. Auch die religiöse Andacht wechselt in ihrem Ausdruck; sie hat ihre Länder, ihre Zeiten. Was in Verdi's
Requiem zu leidenschaftlich, zu sinnlich erscheinen mag, ist eben
aus der Gefühlsweise seines Volkes heraus empfunden, und der
Italiener hat doch ein gutes Recht, zu fragen, ob er denn mit
dem lieben Gott nicht Italienisch reden dürfe?

Spricht aus einem modernen Kirchenstück ehrliche Ueber-

zeugung und ernste Schönheit, dann mögen wir uns zufrieden
geben; die Frage nach der specifisch kirchlichen Qualification
wird täglich immer bedenklicher und haltloser. Es ist Zeit, sich
einmal darüber klar zu werden. Angesichts von geistlichen
Compositionen denken wir heutzutage doch vor Allem an das
Kunstwerk; was die Kirche als solche daran zu loben oder
zu tadeln findet, ist uns sehr gleichgiltig. Das Interesse der
Kirche wird immer auf die Unterordnung des künstlerischen
Ausdrucks unter den dogmatischen abzielen und von dem Künst-
er verlangen, daß er durch die selbstständige Schönheit seines
Werkes nicht die Aufmerksamkeit der Gemeinde allzusehr ablenke
von dem kirchlichen Vorgang. Wir Kinder der Zeit erblicken
hingegen in dem Stabat mater, dem Requiem, selbst im Meßtext eine Dichtung, allerdings eine durch Inhalt und Tradition
geheiligte Dichtung, welche der Componist als Stoff für seine
Kunst verwendet. Was er daraus schafft, gilt uns für ein
Werk freier Kunst, welches das Recht seiner Existenz in sich
selbst, in seiner künstlerischen Größe und Schönheit trägt, nicht
in seiner kirchlichen Zweckmäßigkeit. Wir denken mit Einem
Worte bei solchen Schöpfungen unserer modernen Meister an
den Musiksaal, nicht an die Kirche und diese Meister denken
ebenso. Das war ganz anders in früheren Zeiten. Haydn
und Mozart kam es niemals in den Sinn, daß ihre Messen
anderswo als im Gotteshause aufzuführen seien. Sie schrieben
ihre Kirchenmusik für den Gebrauch der Kirche. Erst Beethoven, mit dem auch auf diesem Punkte eine neue Zeit her-
einbricht, hat — 1824 — drei Sätze seiner „Missa solennis"
zuerst im Kärntnerthor-Theater in Wien aufführen lassen. Er hatte
zwar die Messe, wie bekannt, ursprünglich für eine große kirchliche Feier bestimmt, aber der musikalische Reichthum der Composition wuchs ihm so mächtig über den kirchlichen Rahmen
hinaus, daß er damit selbst seine Zuflucht zum Concertsaal nahm.
Und so wie Beethoven's Festmesse, haben auch die leicht auf-

zuzählenden Kirchen-Compositionen, welche wir von namhaften
modernen Meistern besitzen, ihre Heimat im Concertsaal gefunden: Rossini's „Stabat", Liszt's „Graner Messe", die
Requiems von R. Schumann, Brahms, Lachner und
Verdi.   Auf zwanzig Concert-Productionen dieser Werke
kommt vielleicht Eine Kirchenaufführung, und diese gilt dann
ausdrücklich als Concert in der Kirche, das sich zunächst an die
Musikfreunde wendet, nicht an die Beter.   In dem Maße als
die Kirche ihre führende Macht im Leben eingebüßt und ihre
Autorität auf einen immer kleineren Kreis von Geistern ein-
geschränkt hat, entwickelte sich auch in den Künstlern, vielleicht
halb unbewußt, die Ueberzeugung, daß sie mit ihren geistlichen
Compositionen die ästhetische Andacht, nicht die kirchliche
erwecken wollen.   Die Kirche, die sich der Tonkunst als wichtigsten Cultusmittels jederzeit bedient hat, konnte es natürlich
nur zufrieden sein, daß ihre Gläubigen ästhetische und kirchliche
Andacht verwechselten.   Aber die Kunst arbeitete immer spär-
licher für die Kirche.   Die Zeit ist vorüber, da jeder große
Componist der Kirche bedurfte, um für voll zu gelten.   Heute
täuscht man sich nicht mehr darüber, daß weder die Kirche für
ihre gottesdienstlichen Zwecke genialer Tondichter bedarf, noch
umgekehrt.   Man gesteht sich ein, daß für die Kirche das Alte
ausreicht und das praktisch Tüchtige, ja Gewöhnliche oder
Alltägliche ihr denselben, wo nicht besseren Dienst leiste, als
Neues.   Speciell für die Kirche und nur für die Kirche componirt heutzutage der musikalische Lehr- und Nährstand, die
Chorregenten, Domcapellmeister und sonstigen halbgeistlichen
Musikbeamten, deren kleines Talent die große Oeffentlichkeit
nicht verträgt.   Unsere ersten Tondichter componiren wol hin
und wieder ein Stück aus der Kirche, aber im Grunde nicht
für die Kirche.
    Auch Verdi hat sein Requiem, nachdem es einmal zu Ehren
des berühmten Dichters der „Promessi sposi", Allessandro

Manzoni, im Mailänder Dome seine Schuldigkeit gethan,
auf Reisen genommen, um es in den Concertsälen von Paris,
London und Wien derjenigen Gemeinde vorzuführen, welcher es
in Wahrheit gewidmet war: der musikalischen. Die besten
Partien des Werkes sind jene, in welchen Verdi seinem Gefühl
und Talent am wenigsten Zwang auferlegt hat; am schwächsten
gerieth alles dasjenige, was sich der strengen Observanz gewisser
kirchlicher Traditionen anbequemt: das Contrapunktische und vor
Allem die Fugen. Es standen ihrer ursprünglich drei in dem
Requiem; die erste, auf die Worte „Liber scriptus", hat der
Componist, sehr zum Vortheil des Ganzen, nachträglich cassirt
und durch ein sehr wirksames Solo für Mezzosopran ersetzt.
Die zwei anderen Fugen: „Sanctius", doppelchörig, und „Libera
me" (Schlußfuge), stechen von den übrigen Sätzen des Requiems
schon durch die sehr unbedeutende, wohlfeile Erfindung ihrer
Themen ab, sodann durch das Steife und Trockene der Aus=
führung. Sie kommen nie in einen frischen, freien Fluß, er=
reichen nirgends einen mächtigen Höhenpunkt. Es ist kein
Wunder, wenn ein italienischer Operncomponist, der bis zu sei=
nem sechzigsten Jahre an keine Fuge gedacht, solcher Aufgabe
gegenüber einige Aengstlichkeit empfindet und etwa von vier zu
vier Tacten in seinem Schema nachsieht, „was jetzt kommt".
Etwas von solchem Zwang athmen die meisten modernen Fugen
im Gegensatz zu jenen von Bach und Händel, welche fast immer
schon in der Erfindung der Themen eine geniale Freiheit offen=
baren und in der Durchführung eine überzeugende Gewalt und
Natürlichkeit. Jenen Meistern war der fugirte Styl eine voll=
kommen natürliche Sprache (ähnlich wie manchen älteren Dich=
tern und Dichterschulen die schwierigsten antiken Versmaße), sie
konnten mit souveräner Freiheit darin denken und dichten. Wer
von Haus aus polyphon denkt und erfindet, hat gut fugiren.
Später ist die Fuge immer mehr zum bloßen Formalismus ein=
geschrumpft, aber ihn auszufüllen gilt in der Kirchenmusik noch

immer als unerläßliche Pflicht des Componisten. An sich hat
die Fugenform nicht das Mindeste zu schaffen mit dem Ausdruck religiöser Andacht (wie das Jahn in seiner Mozart-Bio-
graphie sehr hübsch ausgeführt hat), trotzdem machen unsere
Componisten keine Kirchenmusik ohne Fuge; das klingt oft recht
widerwillig, wie ein Citat aus Cicero: De officiis. Selbst
Mendelssohn, der die Künste gelehrter Musik mit größerer
Meisterschaft, jedenfalls mit mehr Klarheit und Anmuth hand-
habte, als die meisten Modernen, scheint immer etwas von dem
specifischen Gewichte seines Talentes zu verlieren, wenn er ausgeführte Fugen schreibt. Ueber seine fünfstimmige B-dur-Fuge
im „Paulus" äußerte Mendelssohn selbst zu M. Hauptmann,
er habe sie geschrieben, „weil die Leute in Oratorien immer
eine ordentliche Fuge hören wollen und glauben, der Componist
könne es nicht, wenn er keine bringt". Aus ähnlichem Grunde
hat sicherlich Verdi die Fugen in seinem Requiem geschrieben,
nur sind sie nicht so gut ausgefallen wie die Mendelssohn'schen.
Diese kleinen Sandstrecken in Verdi's Requiem liegen glücklicherweise inmitten eines blühenden Gartens. Gleich der A-moll-
Satz zu Anfang (Requiem aeternam) ist ungemein schön in
dem Ausdrucke ruhiger, gefaßter Trauer, und wie ein milder
Sonnenstrahl fällt das A-dur-Motiv „et lux" ein. Das
„Dies irae", effectvoll mit ziemlich grellen Farben gemalt, erinnert an die bekannten Fresken im Campo Santo zu Pisa,
welche alle Schrecken des jüngsten Gerichtes, des Fegefeuers und
der Hölle mit so erbarmungsloser Anschaulichkeit darstellen. Das
„Tuba mirum" durch einander antwortende, an die vier Ecken
des Orchesters postirte Trompeten- und Posaunenrufe zu ver-
sinnlichen, ist eine Idee, die Verdi dem Requiem von Berlioz
verdankt. Ihm gebührt jedoch das Verdienst, sie nicht nur
selbstständig behandelt, sondern durch maßvolle Reducirung erst
möglich gemacht zu haben; denn Berlioz' Requiem verwendet
zu diesem Effecte vier verschiedene Orchester von Blech-Instru-

menten und acht Paar Pauken! Von dem rollenden Donner
des „Rex tremendae majestatis" hebt sich die innig flehende
Melodie „Salve me" ungemein schön ab; es folgt das durch
den bezaubernden Zusammenklang der beiden Frauenstimmen so
einschmeichelnde Duo „Recordare", ein Strom von Wohllaut,
wenn auch knapp an dem Gestade der Oper fließend — dann
schlagen wieder die Flammen des „Dies irae" lodernd in die
Höhe. Ein Tenorsolo in Es=dur („Qui Mariam absolvisti")
erinnert durch seinen Wechsel zwischen der großen und über=
mäßigen Quinte in der Begleitung an ähnliche Wendungen in
der „Aïda"; dieser unschuldige Anklang ist aber auch die ein=
zige Reminiscenz an jene Oper, die mir in Verdi's Requiem
auffiel. Beide Werke stehen so selbstständig und eigenthümlich
neben einander, wie es eben zwei Compositionen desselben Autors
vermögen. Es sei noch das vierstimmige Offertorium „Domine
Jesu", mit dem einfachen und doch rhythmisch so belebenden
Mittelsatze „Quam olim Abrahae", als ein Satz von schön
gegliederter Architektur und ungemeinem Klangzauber hervor=
gehoben; dann das „Agnus Dei", dessen etwas psalmodische
Sopran=Melodie durch das Mitsingen der Altstimme in der
tieferen Octave ein sehr stimmungsvolles Halbdunkel gewinnt;
endlich das rührende, sanfte Ausklingen des ganzen Werkes auf
die immer leiser hingehauchten Worte „Libera me!"

Verdi's Requiem enthält neben großen Schönheiten auch
manche schwache Stelle, sogar einiges Unschöne (wie die mit
sonderbarer Absichtlichkeit angebrachten Parallel=Quinten in dem
Baßsolo „Confutatis"); allein der überwiegend günstige Ein=
druck des Ganzen trägt darüber hinweg. Dieses Requiem bleibt
doch ein echtes und schönes Stück italienischer Kunst. In der
Physiologie dieser Kunst und im Charakter des Katholicismus
ist ein gewisses Ueberwiegen der Sinnlichkeit und des glänzenden
südlichen Pathos begründet. Genug, daß in Verdi's Requiem
nicht, wie in so vielen, mitunter hochgefeierten italienischen

Kirchenmusiken, der Geist in der Fülle blühenden Fleisches erstickt. Italien darf sich dieses Werkes rühmen und wir uns dessen aufrichtig mitfreuen, ohne darum in Uebertreibungen zu verfallen, wie die, es sei dieses Requiem „die bedeutendste Ton-dichtung dieses Jahrhunderts". Nicht einmal die bedeutendste Kirchenmusik dieses Decenniums! Denn so kindisch wird wol Niemand sein, Verdi's Manzoni-Messe mit dem „Deutschen Requiem" von Brahms auf eine Höhe zu stellen. Zum Glücke nöthigt uns nichts zu solcher Vergleichung, und wir können jedem in seinem eigenen Stile ehrlich und bedeutend Schaffenden seine Ehre geben. — *)

---

*) Ich kann mir nicht versagen, hier die treffenden Worte zu citiren, mit welchen Ferdinand Hiller seine Kritik des Verdi'schen Requiems schließt:

„Man wird," sagt Hiller, „auch nach dem Clavier-Auszug keinen Augenblick im Zweifel darüber bleiben, daß Verdi sein Orchester zur vollsten Wirkung bringt, es auch an modernen, pikanten, aparten, glän-zenden Instrumental-Effecten in diesem Requiem nicht fehlen lassen wird. Aber ebensowenig bleibt man darüber im Unklaren, daß der italienische Meister vor Allem seinen Singstimmen das in den Mund legt, was er zu sagen hat und zu sagen weiß. Sie singen — es sind tönende Seelen — keine Zwittergestalten zwischen musikalisch und unmusikalisch Redenden, die sich in Acht zu nehmen haben, nicht einem Horn oder einer Bratsche ins Gehege zu kommen. Mit der ganzen Herrlichkeit, die der göttlichen Menschenstimme innewohnt, treten sie auf. Freilich verlangt Verdi Sänger — und zwar in der vollsten Bedeutung — keine Stimmen ohne Schule — keine Virtuosen ohne Stimme — keine Declamatoren ohne Beides. Und das ist das Wohlthuendste in diesem Werke, daß es eine lebendige Protestation ist gegen den immer mehr um sich greifenden Unsinn einer Vocalmusik, in welcher die Dienenden zu den Herrschern gemacht werden, in welcher der aus der Tiefe Brust und der Seele sich aus-singende Mensch nur elende Worte klar machen soll, statt sein innerstes Herz erklingen zu lassen, ein Unsinn, der Unsinn ist und bleibt, wenn er auch noch so genial gehandhabt und noch so fanatisch beklatscht wird und der, ehe man sich's versieht, zurückgelegt werden wird in die colossale Rumpelkammer ästhetischer, philosophischer, poetischer und prosaischer

Mit Verdi selbst war ein Gesangsquartett nach Wien
gekommen, das einen Strom von Wohllaut in das Requiem
ergoß und in Ausführung dieses Werkes bereits europäische
Berühmtheit erlangt hat. Es sind dies die Sängerinnen Stolz
und Waldmann (beide Oesterreicherinnen), die Sänger Masini und Medini; im Ensemble sind sie Ein Herz und Eine
Kehle. Nur in einem Punkte fand ich deren Leistungen nicht
vorwurfsfrei: ihr Vortrag war häufig zu theatralisch. Gewisse
Schluchzer, Bebungen und leidenschaftliche Accente passen (selbst
im Concertsaale) nicht für kirchliche Musik, nicht zu dem Texte
des Requiems. Wenn eine Sängerin Jesum Christum anruft,
so darf man nicht meinen, sie schmachte nach ihrem Geliebten.
Ich erinnere nur an das herzbrechend sentimentale Schluchzen,
mit welchem Fräulein Waldmann die einfachen Worte:
„Liber scriptus proferetur" vortrug. Auch der Tenorist Masini gefiel sich einigemale in dem unvermittelten Aufsetzen eines
Pianissimo auf ein Forte u. dgl. Man wird vielleicht ein-
wenden, daß Verdi's Musik dazu verleite; dann wäre es
Pflicht der Sänger, durch strengeren Vortrag die Melodie zu
festigen, anstatt sie durch theatralische Sentimentalität noch zu
lockern und zu verweltlichen.

Irrthümer, zu welchen auch eine so aufgeklärte Zeit wie die unsere ihr
Contingent zu liefern nicht ermangelt."

II.

Adelina Patti.

I.

Ich nehme Abschied von Ihnen, für lange, vielleicht für immer, denn vom nächsten Winter an will ich nicht mehr in Europa singen. Ich gehe nach Amerika, wohin ich lange gesollt und wo ich auch meine schönsten Jugenderinnerungen finde." So sprach Adelina Patti, als ich nach Beendigung ihres Wiener Gastspiels, Anfangs Mai 1877, ihr Abieu sagte.

„Ihre Kindheit in Amerika" — fragte ich — „war sie glücklich?"

„O ja," seufzte sie, „glücklicher als mein jetziges Leben."

„Ueber Ihre erste Jugendzeit habe ich so Verschiedenartiges gehört und gelesen, — erzählen Sie mir doch im Zusammenhang davon!"

„Herzlich gern," willfahrte die Sängerin mit freundlicher Lebhaftigkeit, und drückte sich fester in ihre Causeuse, „ich will Ihnen erzählen, was ich weiß, und unterbrechen Sie mich mit Fragen, wann Sie wollen."

Ich nickte und installirte mich bequem, um die Patti anstatt singen, sprechen zu hören.

„Daß ich leider schon eine bejahrte Frau bin," begann sie, „das wissen Sie, — was nützt es, meinen Geburtstag, den 19. Februar 1843, zu verleugnen? Ich bin ein Theaterkind, habe also, wie Soldatenkinder, keine eigentliche Heimat. Mein Vater war ein Sizilianer, meine Mutter eine Römerin; in Madrid, wo Beide während der italienischen Stagione sangen, kam ich zur Welt, in Newyork ward ich erzogen. Ich lernte von allen Sprachen zuerst das Englische, dann erst Italienisch, endlich Französisch und Spanisch. Sehr jung kam ich nach Amerika, wohin meine Eltern mit einem italienischen Impresario übersiedelten. Mein Vater Salvatore Patti —" (ich sehe ihn noch vor mir, schaltete ich ein, den großen, stattlichen Mann mit weißgelocktem Haar und schwarzen Augen, der als stiller, freundlicher Präses Ihres kleinen Familientisches die Suppe austheilte —) „er war ein guter Sänger (Tenorist), ein beliebtes Mitglied, meine Mutter war mehr als das, eine große Künstlerin. Ihren Ruf erlangte sie als Signora Barilli — der Name ihres ersten Mannes — in Italien. Vom Publicum ausgezeichnet, machte sie sogar die Grisi eifersüchtig, die, einmal von ihr verdunkelt, nicht wieder in derselben Stadt mit meiner Mutter auftreten wollte. Unsere ganze Familie war musikalisch, mein Stiefbruder, Barilli, ein tüchtiger Sänger, gab mir den ersten Gesangsunterricht und zwar ganz systematisch, nicht spielend oder sprungweise."

„So ist nicht, wie man überall meint, Ihr Schwager Moritz Strakosch Ihr erster und einziger Lehrer gewesen?"

„Keineswegs. Strakosch, ein Oesterreicher aus einem kleinen mährischen Städtchen, kam erst später als junger Clavierspieler nach Newyork und . heirathete meine ältere Schwester Amalie, welche damals eine der schönsten Mezzosopranstimmen besaß, sie aber leider bald einbüßte. Mir hat er eigentlich nur die Rosina im „Barbier" einstudirt und später, als ich in Europa als fertige Sängerin reiste, meine Rollen mit mir wiederholt. Doch kehren wir zu jenen Kindertagen zurück. Musikalisches Gehör, Anlage und Lust zum Singen zeigten sich außerordentlich früh in mir entwickelt, deshalb erhielt ich schon als kleines Kind Gesangsunterricht von meinem Stiefbruder, Clavierunterricht von meiner Schwester Carlotta Patti. Carlotta, die Sie ja kennen, bildete sich zur Claviervirtuosin aus; daß sie eine Stimme habe, und zwar eine noch höher reichende, als ich, entdeckte man erst später, und erst meine Erfolge als Sängerin veranlaßten sie, nachher dieselbe Carrière zu ergreifen, freilich nur im Concertsaal, da sie, seit früher Jugend hinkend, für die Bühne untauglich war. So lebten wir denn, drei Schwestern und ein junger, kürzlich verheiratheter Bruder, Carlo Patti, in Newyork bei den Eltern in bester Harmonie und sorgenfrei beisammen. Als ein kleines Kind war ich schon von einer rasenden Musik und Theaterlust besessen. Ich saß jeden Abend, so oft die Mutter auftrat, in der Oper; jede Melodie, jede Bewegung prägte sich mir unvergeßlich ein. Wenn ich dann, nach Hause gekommen, zu Bett gebracht war, stand ich heimlich wieder auf und spielte beim Schein des Nachtlämpchens alle die Scenen, die ich im Theater gesehen, für mich nach. Ein rothgefütterter Mantel meines Vaters, ein alter Federhut der Mutter dienten mir als vielgestaltiges Costüm, und so agirte, tanzte, zwitscherte ich — barfuß, aber romantisch drapirt — alle Opern durch."

„Also nur der Applaus und die Kränze fehlten Ihnen damals noch?"

„O nein, auch die fehlten nicht, denn ich spielte selbst zugleich mein Publicum, applaudirte und warf mir Blumensträuße, die ich aus zusammengeknitterten großen Zeitungsblättern nicht übel fabricirte. Da traf uns ein harter Schlag. Der Impresario machte Bankerott und verschwand ohne Zahlung der rückständigen Gagen, die Truppe zerstreute sich, und aus war's mit der italienischen Oper. Die Eltern sahen sich ohne Erwerb, wir waren eine zahlreiche Familie, und so stellten sich

raſch Noth und Sorge ein. Mein Vater trug ein Stück nach
dem andern in's Leihhaus und wußte manchen Tag nicht, wovon
wir am nächſten leben würden. Ich aber verſtand wenig von
alledem und ſang darauf los von Früh bis Abend. Da wurde
der Vater aufmerkſam und gerieth auf den Einfall, ich könnte
mit meinem hellen Kinderſtimmchen die Familie aus dem ſchlimm=
ſten Drangſal retten. Und gottlob, ich rettete ſie auch. Ich
mußte, ſieben Jahre alt, als Concertſängerin auftreten und
that es mit der ganzen Luſt und Unbefangenheit des Kindes.
Man ſtellte mich im Concertſaal auf einen Tiſch neben das
Clavier, damit die Zuhörer das kleine Püppchen auch ſehen
könnten, und es gab Zulauf und Beifall in Fülle. Und wiſſen
Sie, was ich ſang? Das iſt das Merkwürdigſte: lauter Bra=
vourarien, zuerſt „Una voce poco fai“ aus dem „Barbier“,
mit denſelben Verzierungen, genau wie ich die Arie heute ſinge,
dann ähnliche Coloraturſtücke mehr. Ich hatte die Freude, zu
ſehen, wie nun die verpfändeten Kleider und Precioſen eins
nach dem andern zurückwanderten und ruhiges Behagen wieder
einkehrte in unſer Haus. So vergingen einige Jahre, während
welcher ich fleißig ſang und mit Carlotta ſpielte.“

„Können Sie ſonſt noch etwas?“ erlaubte ich mir da=
zwiſchen zu fragen.

„O ja, ich kann Kleider machen und war in allen Hand=
arbeiten geübt. Die Mutter beſtand darauf, denn, ſagte ſie,
die Stimme iſt leicht verloren und die Opernbühne das un=
ſicherſte Brod. Mittlerweile war Strakoſch mein Schwager ge=
worden und in Compagnie mit B. Ullmann Impreſario der
italieniſchen Oper in Newyork. Meine Theaterpaſſion und
mein Talent hatten ſtark zugenommen — ein halbwüchſiges
Mädchen, wollte ich nun nicht länger warten mit dem Auftreten
in einer Oper. Ullmann wehrte ſich anfangs dagegen, eine
Anfängerin wie mich gleich in einer Hauptrolle (denn von
zweiten Partieen wollte ich nichts wiſſen) in Newyork auftreten

zu laſſen. Ich war erſt fünfzehn Jahre alt, auch der Figur nach noch ein Kind" (— „viel kleiner als jetzt werden Sie auch nicht geweſen ſein," bemerkte ich ſpöttiſch —), „ſchon gut, ich war wirklich viel kleiner und ſchmächtiger, hatte aber bereits mehrere Rollen vollkommen inne und keine Ahnung von Lampenfieber. Strakoſch, der großes Vertrauen in mich ſetzte, mußte die Bedenken Ullmann's zu beſchwichtigen und ſo betrat ich denn 1859 zum erſten Mal die Bühne als „Lucia bi Lammermoor". Roſina im „Barbier" und die Sonnambula folgten unmittelbar darauf mit gleich günſtigem Erfolg. Das nächſte Jahr verbrachte ich auf Gaſtſpielreiſen in Boſton, Philadelphia und andern großen Städten der Union. In Europa begann ich meine Thätigkeit am Coventgarden = Theater in London. Das Uebrige wiſſen Sie, — hat ſich doch mein Leben ſeit 14 Jahren zum großen Theil unter Ihren Augen abgeſpielt." —

II.

Habe ich mich getäuſcht, wenn ich vorſtehende Erzählung der Sängerin für intereſſant genug hielt zur Mittheilung? Es thäte mir leid, denn ich habe vor, noch ein Weilchen von der Patti zu ſprechen. Adelina Patti hat ſchon durch ihren unangefochtenen Ruhm als erſte Geſangskünſtlerin der Gegenwart, durch ihre ſeit ſo vielen Jahren ſich gleichbleibenden, ja ſteigenden Erfolge Anſpruch auf eingehendere Betrachtung. W. Heinſe, der enthuſiaſtiſche Verehrer der italieniſchen Kunſt, äußert einmal in ſeiner Hildegard von Hohenthal: „Die Italiener haben Recht, daß ſie einer Gabrieli, einem Marcheſi fünf und zehn Mal mehr dafür geben, in einer Oper zu ſingen, als einem Sarti oder Paßſiello, die ganze Muſik dafür zu ſetzen. Die vortrefflichſten Noten ſind dürres Gerippe, wenn ihre Melodieen nicht durch ſolche Stimmen ſchön und lebendig in die Seele gezaubert werden." Dieſer Ausſpruch, ſehr bedenklich, wenn er dazu verleitet, den ausführenden Künſtler über den

schaffenden zu setzen, findet doch speciell im Wesen der italienischen Oper starke Rechtfertigungsgründe. Ich mußte oft daran
denken, wenn mich die Patti in Opern, denen ich sonst weit aus
dem Wege gehe, entzückt hat. Reproducirende Künstler, dramatische zumal, in welchen eine außerordentliche Naturbegabung
sich mit vollendeter Kunst vereint, vermögen uns, fast unabhängig vom Componisten, autokratisch Genüsse ganz eigener Art
zu bieten; sie können Künstler, Poeten von Gottes Gnaden sein
in Werken, wo der Autor es nicht gewesen. Wenn wir heutzutage noch Opern besuchen, die (wie Linda, Sonnambula, die
Puritaner ꝛc.) einen wahren Heiligenschein von Langeweile weithin
verbreiten, so thun wir es nicht, um die Composition, sondern
um die Patti zu hören. Ihr Talent, ihre Stimme ist es,
welche diese leer und kraftlos gewordenen Melodieen mit neuem
Leben erfüllt. Nur zu schnell entschwindet uns das Bild solcher
mit dem letzten Ton verrauschender Gesangsleistungen, die man
nicht zu Hause, wie eine Partitur nachlesen kann. Die Charakteristik großer Sänger und Sängerinnen sollte man festzuhalten versuchen, so lange sie in voller Frische vor uns stehen.
Im persönlichen Verkehr mit Adelina Patti drängten sich mir
manche Beobachtungen auf, die, wie ich glaube, einen weiteren
Kreis von Musikfreunden interessiren und die eigene Erzählung
der Sängerin illustrirend ergänzen dürften. Wie weit das natürliche Talent reicht, wo die Mühe des Lernens, das Verdienst
des Unterrichts anhebt, das läßt sich vom Parquet aus allein
nicht beurtheilen, sondern nur aus dem Studirzimmer des
Sängers oder der Sängerin. Und hier habe ich in Adelina
Patti eine so vollkommene, so feine musikalische Organisation
kennen gelernt, wie bei keiner andern Sängerin, — ich darf
wol sagen: ein musikalisches Genie.

Drei Kräfte verlieh ihr die Natur in ungewöhnlichem
Grade: Feinheit des Gehörs, Schnelligkeit des Auffassens und
Erlernens, endlich eine unbeugsame Treue des Gedächtnisses.

Die unfehlbare Reinheit der Intonation ist bekannt. Aber wie fest in ihr die Vorstellung des richtigen Intervalls mit dem immer willfährigen Werkzeug, der Kehle, verwachsen und von jedem Hülfsmittel unabhängig ist, das möge ein Beispiel aus jüngster Zeit darthun. Man gab in Wien zum Benefize der Patti den „Faust" von Gounod. Nach der „Schmuckarie" im dritten Akt erhebt sich ein minutenlanger Applaus, dem eine vollständige, lange Ovationsscene folgt: Kränze fliegen aus den Logen herab, Riesenbouquets, ja ganze Blumenkörbe steigen aus dem Orchester zu ihr empor, das Alles wird unter zahllosen Verbeugungen in Empfang genommen und endlich, als der Spektakel schon zu verlöschen scheint, ertönen immer mehr und mehr Rufe nach dem da Capo der Arie. Die Patti setzt, ohne dem Orchester ein Zeichen zu geben, den Triller auf h ein, von welchem das Thema wie an einem Band in die Sext hinaufflattert, — das Orchester fällt im nächsten Takt ein und — sie stimmen haarscharf zusammen. Die geräuschvolle, ermüdende Unterbrechung durch eine Viertelstunde konnte die Patti nicht irre machen in dem freien Anschlagen des richtigen Tones. Es ist begreiflich, daß das Falschsingen Anderer ihr peinliche Qualen bereitet; ungemein nachsichtig in Beurtheilung ihrer Kunstgenossen, hat sie gegen mich niemals einen andern Tadel geäußert, als über häufiges Distoniren, wie es leider im Wiener Hofoperntheater nicht selten vorkommt.

An's Wunderbare grenzt das Gedächtniß der Patti. Eine neue Rolle lernt sie vollständig, indem sie sie zwei bis drei Mal leise durchsingt, und was sie einmal gelernt und öffentlich gesungen hat, das vergißt sie niemals wieder. Ich überzeugte mich oft, daß sie von den Opern, die sie häufig gesungen, weder ihren Gesangspart, noch den Clavierauszug in Wien mit hatte. Von allen ihren Rollen hat sie in der letzten Stagione in Wien die einzige „Semiramide" vor der Vorstellung wieder durchgelesen, weil sie diese Oper selten und seit zwei

Jahren gar nicht mehr gesungen hatte. In der letzten Auf=
führung von „Don Pasquale" besuchte ich die Patti nach dem
ersten Akt in ihrer Garderobe. Mitten in der Conversation
verlangt sie plötzlich, man möchte ihr einen Clavierauszug der
Oper herbeischaffen. Sie schlägt eine Stelle des zweiten Aktes
auf, singt leise zwei Takte und legt das Buch, in der ange=
fangenen Conversation ununterbrochen fortfahrend, bei Seite.
„Was war das?" fragte ich. „Nichts; ich kenne die Oper,
in der ich vor einem Jahre zuletzt aufgetreten, vollständig aus=
wendig, aber vorgestern habe ich, wie Sie wissen, die Linda
gesungen, und da fiel mir eben ein, daß eine Stelle der Linda
genau so anfängt, wie ein Satz im zweiten Finale des „Don
Pasquale"; ich wollte nur der Möglichkeit vorbeugen, etwa in
ein anderes Motiv zu gerathen." Dies ist der einzige Fall
einer momentanen Unsicherheit ihres Gedächtnisses, von dem ich
weiß; er scheint mir eben so sehr für dieses Gedächtniß selbst,
als für die musikalische Geistesgegenwart der Sängerin zu
sprechen. Nach zehn Jahren sang mir die Patti eine Mazurka
von Strauß vor, die ich ihr im Jahre 1863 manchmal auf
ihren Wunsch gespielt und die sie seitdem nicht wieder gehört
hatte. Ihr seit frühester Kindheit so virtuos geübtes Instru=
ment, das sie mit einer instinktiven Sicherheit behandelt, wie wir
Anderen die gewöhnlichsten Handlangungen, bedarf kaum mehr der
Exercitien. Die Patti übt täglich eine halbe Stunde Solfeggien,
meist mezza voce; die Rollen selbst wiederholt sie nicht. Nie
übt sie eine Miene, eine Geste vor dem Spiegel — „daraus
holt man sich blos Grimassen" (singeries) meint sie.

III.

Zu Anfang des Jahres 1863 kam Adelina Patti zum
ersten Male nach Wien, gastirte mit ihrer Operngesellschaft im
Carltheater und blieb bis Anfangs Mai. Nach ihrer persön=
lichen Bekanntschaft gelüstete mich wenig, da sie für unfreundlich

galt, doch fügte ich mich wiederholtem Zureden ihres Schwagers
Strakosch und folgte ihm eines Vormittags zu ihr. Ich sehe
sie noch vor mir, die kleine, blasse, schmächtige Gestalt, in roth-
wollenem „Garibaldihemdchen", das Haar schlicht gescheitelt, wie
sie, ihr Hündchen Cora streichelnd, im Lehnstuhl am Fenster
kauert. Beinahe trotzig nickt sie mit dem Köpfchen, Cora erhebt
einen bellenden Protest. Ich stand bald auf gutem Fuße mit
Beiden, mit dem Hündchen, weil ich ihm schmeichelte, mit
Adelinen, weil ich es nicht that. Sie hatte — mit ihrem
Vater, ihrem Schwager und ihrer treuen Gesellschafterin Louise —
eine kleine Privatwohnung neben der Kapuzinerkirche, in der
engen Klostergasse, gemiethet und lebte in diesem ersten Jahre
äußerst einfach und zurückgezogen. Von Besuchen, Soiréen und
Courmachen war sie keine Freundin, was mit dem Geschmacke
ihres sie sorgsam hütenden Schwagers Strakosch sehr überein-
stimmte. Es kamen außer mir wenig Leute ins Haus, hin und
wieder der Impresario und Kapellmeister der italienischen Oper
und die Familie des mit Strakosch verschwägerten Bankiers
F i s ch o f. Adelina war ein halb schüchternes, halb unbändiges
Naturkind, so recht was die Franzosen mit „sauvage" bezeichnen,
gutmüthig und heftig, zu plötzlichen, schnell verrauchenden Zorn-
ausbrüchen geneigt, die sich meistens gegen ihren stets sanft
begütigenden Schwager Moritz entluden. Sie hatte noch nicht
gelernt, sich Zwang anzuthun, liebenswürdig und gesprächig zu
sein mit Leuten, die ihr gleichgiltig oder gar antipathisch waren, —
eine Kunst, die sie sich in späteren Jahren bewunderungswürdig
angeeignet hat. Von ihrer Gutmüthigkeit hat sie auch heute als
französische grande dame nichts eingebüßt, aber das amerikanische
Naturkind von 1863 erschien mir doch noch interessanter und
herzgewinnender. Wenn ich hin und wieder gerade in ihre sehr
wechselnde Speisestunde einfiel, mußte ich, ohne Widerrede, mich
zu ihnen setzen. Einfacher, bürgerlicher hat kaum jemals eine
„Diva" gespeist. Nach Tische spielte ich ihr regelmäßig einige

Walzer von Strauß und Lanner vor, die sie leidenschaftlich gern
hörte, dann schob sie, tanzlustig geworden, schnell Tisch und
Stühle bei Seite, Strakosch (ein trefflicher Walzerspieler) mußte
ans Piano und wir tanzten als einziges, aber um so vergnüg=
teres Paar das Zimmer auf und nieder. Da war es mitunter
hochkomisch, wenn der um Adelinens Stimme besorgte Schwager
während des Spielens flehentlich bat, wir möchten aufhören.
„For Lords sake, um Gotteswillen, tanze nicht, Lina, Du
mußt heute Abend singen!" „Das ist meine Sorge", rief sie
lachend, hieß ihn weiterspielen und drehte sich in kindlichem
Frohmuth weiter. Wie oft hat sie sich später dieser heiteren,
friedlichen Tage erinnert!

Auch ihr merkwürdiges Sprachtalent sollte ich da kennen
lernen. Ich sagte eines Tages etwas, das ich von ihr nicht
verstanden wissen wollte, auf Deutsch zu Strakosch. Da fing
sie in komischem Zorn an, plötzlich deutsch zu radebrechen. Sie
hatte Alles verstanden, obwol sie erst seit vier Wochen in Wien
lebte. Bishin hatte sie kein deutsches Wort vernommen oder
gelesen. Sie sprach damals zu Hause immer Englisch, das sie
als ihre eigentliche Muttersprache bezeichnet, beherrschte aber das
Italienische und Französische eben so vollkommen. So schwer
das Deutsche für Ausländer ist, das musikalisch geschulte Ohr
scheint mir doch auch den Klang dieser und anderer fremden
Sprachen leichter zu fassen und nachzubilden. Ich habe diese
Wahrnehmung wiederholt gemacht, so bei der liebenswürdigen
Desirée Artôt, die, ohne ein deutsches Wort zu kennen,
nach Wien kam und bereits in der nächsten Stagione sich nicht
übel verständlich machte.

Musik und Theater füllten damals allein das ganze Thun
und Denken der jungen Sängerin aus. Ihr Wesen erschien als
die genaueste, naturnothwendige Fortsetzung jener frühen Kinder=
spiele, von denen sie uns erzählte und die zugleich Traum und
Vorschule ihrer künstlerischen Zukunft waren. Solche energische

Einseitigkeit trägt ihre sichere Frucht, aber auch ihre Nachtheile. Ich habe bei Adelina niemals das mindeste Interesse für die höheren Fragen der Menschheit, für Wissenschaft, Politik, Religion wahrgenommen, nicht einmal für schöne Literatur. Ein Buch war allzeit das seltenste Möbel in ihrer Wohnung. Wir Schulmeister können aber nun einmal von dem Wunsche nicht lassen, solche reizende Persönchen auch ein bischen literarisch zu machen, und so drang ich denn in jenem ersten Jahr in Adelina, sie möchte doch etwas lesen. Nun, einen hübschen englischen Roman wolle sie sich allenfalls gefallen lassen. Ich brachte ihr einen der späteren Romane von Boz, welcher durch seine glückliche Mischung von Komischem und Rührendem mir gerade recht passend schien. Das Buch beginnt mit der Erzählung von einer bejahrten Frau, welche einst an ihrem Hochzeitstag von ihrem Bräutigam verlassen und darüber geisteskrank geworden war; sie zieht nun immer wieder ihr vergilbtes Brautkleid an, setzt sich vor die halb versteinerte Hochzeitstorte und wartet auf den Geliebten. Als ich nach einigen Tagen Adelina fragte, wie ihr der Roman gefiele, erwiderte sie aufgeregt, sie habe das Buch angefangen, wolle es aber durchaus nicht weiter lesen. „Das sind lauter Lügen, lauter Lügen, die man mir nicht weiß machen wird; daß eine Frau von ihrem alten Brautkleid und ihrer alten Hochzeitstorte sich nicht trennen will, das ist nicht wahr, das ist nicht möglich, und ich bin kein Kind, dem man solche Sachen zu lesen gibt, — merken Sie sich's nur, ich bin kein Kind mehr!" Die Naivetät dieses Standpunktes war mir höchst interessant, aber, so reizend sich das auch ansah, es hielt mich von jedem weiteren literarischen Versuche ab. Vielleicht hat der Zeitverlauf auch hierin ihren Horizont erweitert, — ich weiß es nicht. —

Das Repertoire der Patti bestand damals noch durchweg aus heiteren oder halb-ernsten Rollen („di mezzo carattere",). Noch jetzt, da ihre Stimme und ihr dramatisches Talent sich so

ansehnlich vergrößert und vertieft haben, scheint mir die Patti
am vollkommensten in Partien wie Zerlina im „Don Juan",
Norina in „Don Pasquale", Rosina im „Barbier". Sie ver=
schmelzen eben am natürlichsten mit der künstlerischen Indivi=
dualität und der äußeren Erscheinung der Sängerin, Momente,
deren ungemeine Wichtigkeit von der Kritik nicht immer genügend
anerkannt wird.   Damals (1863) sang sie diese heiteren Rollen,
wenn auch nicht besser, doch mit noch mehr Lust und jugend=
lichem Uebermuth, als heute, wo ihre volle Sympathie nur aus=
geprägt dramatischen Rollen gehört, auch das Leben sie selbst
ernster gemacht hat.   Die Neigung für das tragische Fach zuckte
damals schon mächtig in der jungen Patti, aber man vertröstete
sie damit weislich auf später.   Sie hörte es nicht gerne, wenn
man Rollen, wie die obgenannten, als ihre eigentliche Domäne
bezeichnete und erwiderte mir einmal mit aufgeworfenem Köpf=
chen: „Ich bin keine Buffa!"   Selbst nach der Vorstellung des
„Don Juan" äußerte sie, über mein Lob ihrer Zerlina hinweg=
schlüpfend: „Ich möchte lieber die Donna Anna singen, und
ich werde sie auch noch singen."

Ihre erste Rolle in Wien war Bellini's „Sonnambula".
Um diesen ersten Eindruck getreulich wiederzugeben, erlaube ich
mir eine Stelle aus meiner damaligen Besprechung zu citiren:
„Wenn man Gesang, Spiel und Persönlichkeit der Patti als
Totalität zusammenfaßt, muß man gestehen, kaum einer reizen=
deren Erscheinung auf der Bühne begegnet zu sein.   Wir haben
größere Gesangskünstlerinnen gehört und blendendere Stimmen;
wir erinnern uns geistreicherer Darstellerinnen und schönerer
Frauen.   Allein der Zauber der Patti besteht darin, uns sofort
auch jede Rivalin vergessen zu machen.   Was sie gibt, ist so
ganz ihr eigen, so harmonisch und liebenswürdig, daß man sich
rasch fesseln, ja mit Vergnügen auch ein klein wenig blenden
läßt.   Wenn das zarte Mädchen kleinen Schritts auf die Bühne
gehüpft kommt, ihr kindliches, von unbefangener Fröhlichkeit

überquellendes Gesichtchen lächelnd neigt, und dann wieder mit ihren großen glänzenden Rehaugen so gutmüthig klug ins Publikum schaut, — da hat sie auch schon die Herzen gewonnen. Nun beginnt sie zu singen, zu spielen und Auge und Ohr sagen gerne Ja zu dem voreiligen Urtheil, das das Herz gesprochen. Welch jugendfrische Stimme, die in dem weiten Umfang vom C bis zum dreigestrichenen F sich mühelos und ausgeglichen bewegt! Dieser silberhelle, ächte Sopran klingt namentlich in der Höhe ungemein klar und distinct, die Mittellage hat einen kleinen Anflug von Schärfe, der aber mehr den Eindruck herber Morgen= frische macht; der Tiefe fehlt es noch an Kraft. Hervorragend durch Weichheit oder Wärme ist die Stimme nicht, auch kann man deren Kraft nur im Verhältniß zu dem zarten Körper der Sängerin überraschend nennen. Einer großen Steigerung und höchster dramatischer Wirkung scheint dies Organ kaum fähig, wird aber weislich nie bis an die Grenzen dessen geführt, was die Künstlerin vollständig bewältigt. Ihre Bravour ist sehr bedeutend, noch glänzender in Sprüngen und Staccatos, als in gebundenen Passagen. Ueber dem Allen aber liegt ein unend= licher Liebreiz." Der Verfasser dieser gewiß sehr maßvoll lobenden Kritik wurde damals von einem pattifeindlichen Theil der Wiener Journalistik als Enthusiast angefochten. Einige Journale hätten damals die Patti gerne als eine Modesache hingestellt, von der in einigen Jahren Niemand mehr sprechen würde. Die Zeit hat das Gegentheil schlagend bewiesen.

Angefochten wurde in jenem ersten Jahr insbesondere ihre „Lucia". Auch mich entzückte diese Rolle nicht in dem Maße, wie ihre Rosina oder Norina. Wer die Patti auch nur ge= sehen hat, konnte nicht zweifeln, daß sie mehr für das muntere, naive Fach, als für das Tragische und Heroische geschaffen sei. Was ist denn aber an dieser Donizetti'schen Lucia Heroisches oder Hochdramatisches? Lucia ist ein liebliches, schwaches, etwas verzärteltes Geschöpf, das im ersten Act ihrem Geliebten Alles

verspricht, im zweiten ihrem Bruder nichts abschlagen kann und
so für den dritten Act nichts Anderes übrig hat, als ihr bischen Verstand zu verlieren. Adelina Patti spielt die Lucia
nicht im „großen Stil", aber der „große Stil" steckt auch
nirgends in der Lucia. Was man an dieser Sängerin als
Mangel an Größe gerügt hat, fällt beinahe zusammen mit ihrer
körperlichen Kleinheit. Dies zarte Figürchen kann unmöglich
imposant einherschreiten; diese Arme können nicht in weiten
Bogen ausgreifen und plastische Studien zur Niobe ausführen.
Mit einem Wort, die Patti ist durch ihre Erscheinung gehindert,
die Lucia aus der Donizetti'schen Sphäre in eine höhere, ge-
waltigere zu erheben. Von den Sängerinnen, die mir zu hören
vergönnt war, hat dies auch keine vermocht, und — was die
Hauptsache bleibt — mit größerer Meisterschaft hat auch keine
die Rolle gesungen. Das Vollendetste und Entzückendste waren
jedoch die heiteren Partien der Patti: vor Allem die Zerlina
im „Don Juan". Die Patti gab uns das wahrhafte Ideal
der Zerlina. Natürlicher und liebenswürdiger kann Mozart in
seinen holdesten Träumen dies Phantasiegebilde nicht gesehen
haben, in das er nach Oulibischeffs artiger Bemerkung sich
selbst verliebt zu haben schien, wie Pygmalion in seine Statue.
Die Zerlina der Patti wirkt wie eine schöne Naturerscheinung,
so in sich vollendet, unbewußt und unerklärlich. Sie läßt sich
nicht nachahmen, selbst mit den höchsten Mitteln der Kunst nicht.
Das höchste und entscheidendste Kunstmittel, das die Patti für
diese Rolle mitbringt, das einzige beinahe, was sie anwendet, ist
die Natur. Die ganze Leistung durchweht der angeborene
Frohsinn einer reingestimmten Seele, die natürlichste, dabei indi-
viduellste Anmuth. Die meisten Zerlinen verfallen entweder in
falsche Empfindsamkeit oder in bewußte Koketterie. Die Zerlina
der Patti streift weder an das eine, noch an das andere. Ein
fröhliches Blut, etwas unbesonnen und eitel, aber durchweg
harmlos und unerfahren, tritt sie Don Juan entgegen. Mit

der Neugier überraschter kindlicher Eitelkeit, nicht mit dem wider-
lichen Verständniß der Koketterie hört sie die Betheuerungen dieses
schmucken faux-bonhomme. Aus ihrem köstlichen „Andiam!"
klingt weder eine angebliche Leidenschaft für Don Juan, noch
entgegenkommende Lüsternheit, sondern nichts als die unüber-
legte Bereitwilligkeit eines geschmeichelten Bauermädchens, das
sich, sobald es die Gefahr erkannt hat, sogleich mit dem Instinct
der Unschuld wieder zurechtfindet. Die Patti hat mehr durch
genialen Instinct als auf dem Wege der Reflexion das Bedenkliche in der Zerlina nicht nur besiegt, sondern den schönen Schein
hervorgezaubert, als wäre Bedenkliches gar nicht vorhanden.
Kaum brauche ich beizufügen, daß sie die Zerlina nicht nur vollständig in Mozarts Geist, sondern auch buchstäblich getreu singt.

Durch dieselben Vorzüge und überdies noch durch die Entfaltung blendender Gesangsvirtuosität glänzt die Patti als
Rosina in Rossini's „Barbier", als Norina in Donizetti's
graziöser Oper „Don Pasquale". Vermochten wir die Klagen
der Sonnambula, der Lucia noch wärmer, noch tiefer aus
dem Herzen heraufgeholt denken, — die Rosina, die Norina
können wir uns graziöser, glänzender, natürlicher nicht vorstellen.
Der Gesang so hell, stark und morgenfrisch wie Lerchenschlag,
das Spiel durchweht von köstlicher Laune und von anmuthigstem
Realismus. In Rossini's „Barbier" ließ sich vielleicht am
besten die erstaunliche Technik der Patti studiren. Sie ist gegenwärtig die einzige, die letzte Sängerin, welche noch vollständig
die Traditionen des Rossini'schen Gesangsstils besitzt. Sie hat
dies auch in der letzten neuen Rolle bewährt, die sie in Wien
gesungen (1877) in Rossini's „Semiramide". Gewiß vermag
auch die Gesangskunst der Patti dieses rettungslos verblichene
Werk nur zu einem Scheinleben zu erwecken, dennoch freuten
wir uns des kaum wiederkehrenden Erlebnisses, die, unsrer
Generation nur dem Namen nach bekannte Oper von der einzigen Sängerin zu hören, die heutzutage noch im Stande ist,

sie mit vollendeter Meisterschaft zu singen. Der Doyen der
europäischen Musikkritiker, W. von Lenz in Petersburg, nennt
sie den „Paganini der Vocalvirtuosität," nicht blos seiner Bravour wegen, sondern weil von allen großen Violinisten „keiner
so unkörperlich, so absolut und identisch mit seinen Saiten das
Instrument je angegriffen. Wenn Paganini anfing, schien er,
sozusagen, fortzufahren." Paganini habe ich selbst nicht mehr
gehört, aber an der Patti ist mir sofort auch der eigenthümliche,
nur bei großen Instrumentalvirtuosen beobachtete Stimmansatz
aufgefallen, da sie gleich die erste Note mit der Sicherheit und
absolut richtigen Intonation anschlägt, welche die meisten Sängerinnen erst im Verlauf der Cantilene erreichen.

    Im Frühjahr 1863 verließ die Patti Wien, das sie nicht
früher als 1872 wiedersehen sollte. Vor ihrer Abreise erlebte
sie noch einen kleinen Schrecken, der erst in London auf sonderbare Weise enden sollte. Adelina erblickte eines Abends im
Theater einen jungen Mann, der sie unverwandt anstarrte. „Er
ist wieder da", flüsterte sie ängstlich ihrem Schwager Strakosch
zu. Der elegante Jüngling war ein belgischer Baron B., welcher
der Patti überallhin nachreiste, vor ihren Fenstern promenirte,
an ihrem Theaterwagen lauerte und in zahlreichen verliebten
Briefchen um die Erlaubniß flehte, sie besuchen zu dürfen. Die
Briefe wurden nie beantwortet, Adelina lebte wie gesagt sehr
eingezogen und machte sich über schwärmerische Verehrer gern
lustig. Mit dem Ernst einer Herzensneigung unbekannt und zu
kindischem Schabernack geneigt, mag sie einmal aus Spaß mit
dem seufzenden Ritter Toggenburg kokettirt, vielleicht ihm gar
angedeutet haben, sie sei bewacht und verhindert, Jemanden zu
empfangen. Der verliebte Baron setzte sich nun in den Kopf,
Adelina schmachte in fürchterlicher Gefangenschaft unter der Ob-
hut ihres Vaters und Schwagers, aus welcher er sie um jeden
Preis befreien müsse. Er folgt ihr von Wien nach London und
setzt dort eine gerichtliche Klage gegen Strakosch und den alten

Patti ins Werk, welche nach seiner Angabe die Aermste gefangen
halten, übel behandeln und sogar darben laffen. Da der Baron
selbst minderjährig, also nicht berechtigt war, als Kläger vor
Gericht aufzutreten, stellte er einen Mr. M. auf, welcher als
„next friend" der Patti in ihrem Namen klagen mußte. Es
war eine kurze, aber merkwürdige Verhandlung vor dem Ge=
richtshof, ein juristisches Unicum. „Adelina Juana Maria Patti,
ein Kind unter zwanzig Jahren", erschien mit den beiden Ge=
klagten Salvatore Patti und Moritz Strakosch. Das mir vor=
liegende Protokoll dieser Verhandlung vom 12. Mai 1863, das
mir Adelina nebst ihrem „Affidavit" (beschworene Aussage)
aus London schickte, führt zuerst die schrecklichen Anklagen auf.
Hierauf beschwor Adelina, daß sie ihren angeblichen „nächsten
Freund", den Kläger, niemals zuvor gesehen, noch seinen Namen
je gehört, daß die Klage gegen ihr Wissen und Willen ange=
bracht sei, und sie von ihrem Vater und Schwager stets auf
das Liebevollste, allen ihren Wünschen gemäß, behandelt werde.
So endete diese drollige Verhandlung mit schmählichster Nieder=
lage des ritterlichen Barons von der Mancha und seines majoren=
nen Sancho Pansa, welche Beide nie wieder von sich hören ließen.

IV.

Ich sah die Patti erst im Frühjahr 1867 in Paris wieder.
Auf der Bühne hörte ich keine neue Rolle von ihr, das Reper=
toire der „Opéra italien" war das abgespielteste von der Welt, —
drängten sich doch die Zuschauer massenhaft zu den alten Opern,
wenn nur die Patti sang. Neu hingegen erschien mir der
sociale Fortschritt Adelina's im Vergleich zu ihrem bescheidenen
Leben in der „Klostergasse". Eine elegante Wohnung in der
„Avenue de l'Impératrice", Besuche in Fülle, sogar einige
glänzende Soiréen, in welchen ich eine Auswahl von Berühmt=
heiten antraf. Ich machte da unter Anderen die Bekanntschaft
des genialen Jllustrators Gustave Doré und des berühmten

Sportsmanns und Vortänzers am Napoleon'schen Hofe, Marquis de Caux. Beide Herren brannten lichterloh für Adelina. Diese behandelte Beide gleich freundlich, ohne einen von ihnen auszuzeichnen, oder an eine Verbindung mit ihnen zu denken. Die beharrlichen Bemühungen des Marquis siegten schließlich doch, wie bekannt, und im nächsten Jahre, 1868, wurde das Paar in London getraut.

Wer Adelina je mit dem Marquis verkehren gesehen, — vor wie nach der Hochzeit — der war sich darüber klar, daß sie ihn nicht aus Liebe geheirathet. Sie kannte nicht die Liebe, „die große Passion", und so glaubte sie füglich, ohne dieses ihr unbekannte Element einen Mann heirathen zu können, den sie für einen „accomplished gentleman" hielt und als ihren enthu= siastischen Verehrer kannte. Die aristokratischen Kreise waren ihr, die man als eine Königin behandelte, freilich auch offen gestanden, bevor sie „Marquise" geworden, doch mochten der Titel und die hohen Verbindungen ihres Bewerbers ihrem kin= dischen Sinne immerhin schmeicheln.

V.

Im Frühling 1872 kam Adelina, nach neunjähriger Ab= wesenheit, wieder nach Wien, zum ersten Mal in Begleitung ihres Gatten, und gastirte mit ihrer Gesellschaft im Theater an der Wien. Seitdem ist sie alljährlich wiedergekehrt, hat vor drei Jahren in dem neuerbauten Hause der „Komischen Oper", in den beiden letzten Jahren im kaiserlichen Hofoperntheater ge= sungen. Jedesmal erschien uns der oft gehörte Liebling wie eine holde Neuigkeit und brachte uns Kritiker in immer größere Verlegenheit, was sich noch Neues sagen ließe über diese in sich vollkommene Erscheinung. Diese längere zweite Periode ihrer Wirksamkeit, von 1872 bis 1877, läßt sich füglich in Einem Zusammenhange besprechen. Zu den Opern, die sie bereits früher hier gesungen, kommen neu hinzu: „Trovatore" und

„Rigoletto" von Verdi, „Dinorah" und die „Hugenotten"
von Meyerbeer, „Julia" und „Margarethe" von Gounod,
„Linda di Chamounix" von Donizetti, die „Puritaner"
von Bellini, „Martha" von Flotow, „Semiramide" von
Rossini*). Das Wiedersehen der Patti nach so vielen Jahren
war ein künstlerisch sehr erfreuliches. Die Huldigungen, welche
sie seither in ganz Europa empfangen, vermochten sie nicht zu
blenden, sie hat sich selbst nicht für eine unfehlbare „Diva"
gehalten, sondern an ihrer künstlerischen Vervollkommnung redlich
gearbeitet. Der ganze Blüthenzauber ihres Naturells war ihr
treu geblieben, neben demselben reifte mittlerweile ihre Kunst zu
prachtvoller Frucht. Mußten wir im Jahre 1863 die Enthusiasten noch davor warnen, für ein Phänomen an vollendeter
Gesangskunst zu halten, was in seiner Totalität allerdings ein
Phänomen war, — jetzt mußten wir die Patti als die größte
Gesangskünstlerin anerkennen. Jener unwiderstehliche Reiz,
welcher das erste Auftreten Adelina's so eigenthümlich umgeben
hatte, ihre reine Freude am Singen und Darstellen, er war
ihr mit den Jugendjahren nicht abhanden gekommen. Eine
gottbegnadete Natur durch ihre Begabung, ist die Patti zugleich
eine der glücklichsten durch ihre unversiegbare Freude an ihrem
Beruf. Diese Eigenschaft geht nicht immer Hand in Hand mit
dem Erfolge. Carlotta Patti ersehnt den Tag, an welchem sie
nicht mehr zu singen nöthig haben wird. Ihrer Schwester
Adelina ist Singen und Spielen Lebensbedürfniß, und solche
leidenschaftliche Künstlernaturen gewinnen bald einen magnetischen

---

*) Viele Rollen ihres reichen Repertoires, in welchen die Patti in
London und Petersburg glänzt, haben wir in Wien leider niemals von
ihr gehört: die „Regimentstochter" und den „Liebestrank" von Donizetti,
den „Nordstern" von Meyerbeer; „La gazza ladra" und „Cenerentola"
von Rossini, die „Krondiamanten" von Auber, „Aida" von Verdi,
„Figaro's Hochzeit" (Susanna) von Mozart, „Il matrimonio segretto"
von Cimarosa u. A.

Rapport zum Publikum. Wir fanden nun an der Patti nicht blos das musikalische Talent noch gewachsen, sondern auch das dramatische. Die Auffassung erschien vertieft, die Darstellung verfeinert, ihr immer aufmerksames stummes Spiel musterhaft. Eine so ausdrucksvolle, fein ausgemalte Darstellung, wie ihr stummer Abschied von Alfred (2. Akt der „Traviata") war der Patti 1863 noch unerreichbar. Dabei hatte die Stimme selbst auffallend gewonnen; man freute sich der größeren Fülle und Schönheit der tiefen Töne, welche, neun Jahre früher noch unreif klingend, jetzt an die dunkle Tonfarbe einer Cremoneser Viola mahnen.

Von ihren neuen Rollen erreichte die Leonore in Verdi's „Trovatore" beinahe die höchste Wirkung. Bewunderungswürdig ist ihr Vortrag der beiden Arien, welche bekanntlich nach einem üppigen, ausdrucksvollen Andante in ein triviales Allegro über= gehen. Die langsamen Sätze singt die Patti breit und aus= drucksvoll; in den Allegros hilft sie durch zweierlei über das Bedenkliche der Composition hinweg. Zuerst durch eine blen= dende Virtuosität, welche den Componisten in tiefen Schatten rückt. Man muß hier das silberhelle Schmettern dieser unfehl= baren Stimme gehört haben, welche mit den erstaunlichsten Schwierigkeiten spielt und die entlegensten Intonationen, die höchsten Noten mit einer Sicherheit anschlägt wie die Tasten eines Claviers. Sodann weiß sie durch die Art der musika= lischen Phrasirung, durch Miene und Geberde das Gemeine dieser Allegro=Motive zu mildern und bis zu einem gewissen Grade zu adeln. Die meisten Sängerinnen verbreiten mit ihrem „Ich lächle unter Thrä=ä=ä=ä=nen, der Tod ist mir die höchste Lust" unbezwingliche Heiterkeit, weil sie eben in ihrer Ton= bildung und Mimik nur die Farbe herausfordernder Lustigkeit für diese Melodieen finden. Aber in solcher Situation, wie die Leonorens im zweiten und vollends im vierten Akt, lacht man nicht, wenn man eine dramatische Künstlerin ist, mag der Com=

ponist hingeschrieben haben, was er wolle. Es ist nicht Alles, aber doch viel, was an solcher Stelle ein Blick, eine Geberde vermag. Freilich läßt sich das nicht von jeder Sängerin aneignen, so wenig, wie das scharfgeschnittene, marmorblasse Antlitz mit den zwei schwarzen Flammen, die mit jedem Aufschwung der Melodie zu wachsen scheinen. An diese Rolle reiht sich ebenbürtig die „Traviata". Mir erscheint sie noch überzeugender und ansprechender, insofern nämlich die Rolle sammt der ganzen Oper an Natürlichkeit, Empfindung und musikalischem Reiz über dem „Trovatore" steht. Ueber die Stillosigkeit und Gewaltsamkeit des „Trovatore" hinaus bedeutet die „Traviata" jedenfalls einen Fortschritt Verdi's, sowie auch ihre Herkunft aus einem wirksamen, geschickt angelegten Theaterstück ihr dramatisch zum Vortheil gedeiht. Personen und Handlung der „Traviata" entwickeln sich vor unsern Augen, sind verständlich und erzwingen mehr oder minder unsere Theilnahme, während die Charaktere und Situationen im „Trovatore" wie aus der Pistole geschossen, als brennendes Werg auf die Scene fliegen, und obendrein die Vorhandlung so unverständlich ist, daß selten ein Zuschauer dahinter kommt, welcher von den beiden jungen Herren das gestohlene und verbrannte, und welcher das nicht gestohlene und nicht verbrannte Kind sei. — Einen Fehler hat die Violetta der Patti, — einen Fehler, den wir lieber rühmen als tadeln möchten — sie ist keine „Traviata", keine „Cameliendame". Der prickelnde haut-goût der Demimonde, welchen Desirée Artôt, die geistreiche Französin, dieser Figur mit so viel Eleganz zu verleihen mußte, fehlt gänzlich bei der Patti. Wenn diese in der ersten Scene mit kindlicher Fröhlichkeit eintritt, so scheinen die Camelien an ihrer Brust sich in Lilien zu verwandeln. Ihr Vortrag der ersten Arie gleicht einem Blüthenregen, und im letzten Akt findet sie die rührendsten Töne. So verschiedenartige Schattirungen des Piano bis zum ersterbenden Pianissimo, wie in dieser Sterbescene,

— so merkwürdige Uebergänge vom mezza-voce zum Fortissimo wie in ihrem Duett mit Alfred haben wir noch nie zuvor gehört.

Was mich einzig und allein ein wenig störte in dieser Scene, ist das zwei bis drei Mal angebrachte Husten, womit die Patti, wie alle Sängerinnen dieser Partie, die Lungensucht glauben charakterisiren zu müssen. Es nützt absolut nichts, ihnen das Widersinnige und Unästhetische dieser „Nüance“ zu erklären, und daß eine Lungensüchtige nicht zugleich mit voller Stimme singen könne; weshalb es denn hinreicht, Violetta als eine Todtkranke vorzustellen, ohne die Pathologie der bestimmten Krankheit. Die Patti folgte diesem Rath ein einziges Mal, während ihres ersten Gastspiels, gleich in der nächsten Vorstellung hustete sie wieder und thut es heute noch etwas stärker. Es hält eben sehr schwer, ihr irgend etwas einzureden, was nicht aus ihrem eignen Kopf und Willen kommt.

Eine neue Rolle, mit der uns die Patti überraschte, war „Dinorah“, — vielleicht ihre vollendetste Leistung. Ich habe gelegentlich der Analyse dieser Meyerbeer'schen Spätfrucht in meiner „Modernen Oper“ auch die Darstellung der Titelrolle durch die Patti charakterisirt und kann mich darauf berufen. „Dinorah“ war mir immer widerwärtig gewesen, trotz ihrer feinen, geistreichen musikalischen Details, — fast so widerwärtig wie vordem die „Traviata“, die ich zum ersten Mal in sehr roher, schlechter Aufführung kennen gelernt. Ich gestehe, daß die Patti mir das Anhören, ja das wiederholte Anhören beider Opern zu einem recht vergnügten, ja so lange sie auf der Bühne ist, zu einem sehr genußreichen, gemacht hat. Es liegt in einer vollendeten Reproduction oft eine größere Macht, als man vorher selbst für möglich gehalten hätte.

Es folgten nun zuletzt zwei Rollen der Patti, die ich nicht in gleichem Maße rühmen kann, wie die genannten: Valentine in den „Hugenotten“ und Gretchen in Gounods

„Fauſt". Adelina ſingt beide mit leidenſchaftlicher Vorliebe, ·
ohne ſich dabei der Grenzen ihres dramatiſchen Talents und
der widerſtrebenden Eigenthümlichkeiten ihrer Individualität klar
bewußt zu ſein. Einen Uebergang zu dieſen beiden tragiſchen
Rollen bildet ſchon die Julia in Gounods „Romeo und Julia".
Aber in dieſer Rolle bringt ſie im erſten Akt ein ſo vollendetes
Meiſterſtück und noch im zweiten ſo viel des Anmuthigen und
Schönen, daß man dann die nicht ausreichende Tiefe und Lei-
denſchaftlichkeit in der zweiten Hälfte der Oper leichter hinzu-
nehmen geneigt iſt. Als Julia hat die Patti für's erſte, was
den meiſten Darſtellerinnen dieſer anſpruchsvollen Partie fehlt:
die Glaubwürdigkeit der äußeren Erſcheinung. Und nun ihr
Geſang! Ihr Vortrag der Walzer=Arie im erſten Akt iſt für
ſich ein kleines Wunder: vollendete Geſangskunſt, gepaart mit
dem reinſten Geſchmack und der lieblichſten Natürlichkeit. Die
Patti ſingt das Stück, welches faſt alle Sängerinnen einen Ton
tiefer transponiren, in der Originaltonart G-dur; die Leichtigkeit, mit der ihre helle Silberſtimme die hohe Lage beherrſcht
und die immer wiederkehrenden a, h, c anſchlägt, erfreut und
erfriſcht wie ein fröhlicher Morgen. Immer ſtreng im Takte,
geſtaltet ſie doch innerhalb deſſelben den Rhythmus mit indi-
vidueller Freiheit, nichts wird geſchleppt, noch gejagt und doch
Alles bis in die leiſeſten Tonſchwingungen belebt. Mit wie
feinem muſikaliſchem Gefühl bringt ſie gleich anfangs die drei
Mal wiederholten Vorſchläge des Themas, nicht ſcharf und ge-
ſchnellt, ſondern als ruhig=bewegten Hauch — und ſpäter die
auf= und niederſteigende chromatiſche Scala, nicht etwa als geſungenen Sturmwind, ſondern mit unvergleichlicher Ruhe und
Reinheit, jede Tonſtufe wie in Marmor meißelnd! Ein eben-
bürtiges Seitenſtück zu ihrem Schattenwalzer in „Dinorah";
hier wie dort die ſchärfſte Beſtimmtheit der Zeichnung und darüber der lieblichſte Duft und Farbenſchmelz ausgegoſſen. Von
beiden Tanzweiſen weiß ſie jeden trivialen Beiſchmack zu tilgen

3*

und erhebt zu reiner Schönheit, was sonst im besten Fall ein
gelungenes Bravourkunststück bleibt. — Ein anderes Seitenstück
dazu ist der Walzer von Venzano, den die Patti in Donizetti's „Linda" einlegt, in welchem sie einen Triller von sieb-
zehn Takten in Einem Athem singt, lächelnd, als wäre es
Kinderspiel! Ein viertes Pendant endlich die im Walzertempo
gehaltene Arie der Mireille in Gounods gleichnamiger (in
Wien sanft durchgefallener) Oper. Die blitzschnellen hohen
Staccatos, die sie am Schluß, vollkommen im Strom des
Rhythmus, einfügt, bezeichnen den Gipfel absoluter Gesangsvirtuosität.

Als reine Gesangsleistung ist auch die Valentine (in
den „Hugenotten") vollendet, ist es doch immer die Patti,
welche singt. Aber eine gewisse Anstrengung, ihrer Stimme
die höchste Kraft abzugewinnen, ein Uebereifer in dem Streben
nach äußerster Energie des dramatischen Ausdrucks beeinträch-
tigt hier gerade den eigenthümlichen Reiz dieser Sängerin. Die
Patti ist eine vorwiegend musikalische Natur; die Schau-
spielerin, obwol alle italienischen Rivalinnen überwiegend, steht
in zweiter Linie. Es fehlt zwar ihren Rollen niemals das
dramatische Leben und die Charakteristik; dieser gestattet sie aber
keinen Schritt über die Grenzen des musikalischen Wohllauts
hinaus. Letzterer ist mehr oder minder immer geopfert, wo der
„dramatische Ausdruck" überspannt wird. Unsere berühmten
deutschen Sängerinnen und die unberühmten Alle wissen das
ebenso gut, kehren aber trotzdem das Verhältniß um und opfern
willig musikalische Form und Schönheit der zugespitzten „dramatischen" Charakteristik. — Die Patti ist ferner die ideale Verkörperung der italienischen Musik, nicht die der französischen
oder deutschen, deren oft verschwimmende, dämmernde Gestal-
tungen keineswegs immer die Tageshelle und Klarheit des italienischen Himmels vertragen. In der Valentine herrscht das
Hochdramatische, das Starke und Gewaltsame mit jener Schärfe

vor, welche die französische Große Oper charakterisirt. Gerade
den höchsten, eigenthümlichsten Vorzügen der Patti eröffnet die
Valentine keinen Spielraum, weit mehr würde dies die Rolle
der Königin thun. Sachen, die nur sie oder die Niemand so
vollendet machen könnte wie sie, kommen in der Valentine nicht
vor. Hingegen fordert die Rolle von der Sängerin eine Reihe
von Effecten, die geradezu auf die Wucht der Stimme, auf
anhaltend starke und breite Tonbildung gestellt sind. Um diese
Effecte zu erreichen, muß die Patti ihre ganze Kraft aufbieten.
Die Energie, mit welcher sie solche Hindernisse besiegt, verdient
Bewunderung; aber während wir diese Bewunderung durch
lauten Applaus manifestiren, suchen wir damit zugleich ein Bedauern in uns zu überlärmen, daß diese süße Stimme und
diese holde Kunst ohne Noth derlei Gefahren aufsuche. Nicht
blos der stimmliche Kraftaufwand, auch die bis zum Zerreißen
angespannte dramatische Leidenschaft der Rolle widerstrebt der
harmonischen Natur der Patti. Zwar spielt sie die Rolle mit
großer Lebendigkeit und charakteristischem Detail, aber gerade die
Anstrengung, sich in Ton und Mimik unausgesetzt auf dem
schwindelndsten Höhenpunkt der Leidenschaft zu erhalten, läßt
argwöhnen, es sei dieser übermäßige Seelensturm mehr an-
empfunden, als wahrhaft erlebt und gefühlt. Die einzelnen
rührenden, schmerzlich = bewegten Scenen in der Traviata, Linda,
Dinorah sind doch etwas anderes. Diese Charaktere gehen
von Lust zu Leid über, Violetta sogar zum Sterben; dem tragischen Heroismus jedoch, dem unausgesetzten Kampf der Valentine, stehen jene duldenden Charaktere fern. „La Traviata"
verhält sich zu den „Hugenotten" wie ein Conversationsstück
zur historischen Tragödie. Die Kunst der Patti weiß auch
letzterer nahe zu kommen, aber die Natur hat sie nicht dafür
geschaffen. Adelina Patti, die noch vor wenigen Jahren sich
auf die opera-buffa und semi-seria beschränkte, hat energisch
die Grenzen ihrer Kunst erweitert und ist darob zu loben, wie

jeder Künstler, der nicht stille steht, dessen Streben nicht in der
Bequemlichkeit des Besitzes und den Wogen des Erfolges er=
lischt. Trotzdem werden wir die Patti jederzeit im Anmuthigen,
das ja den Ernst und die Empfindung nicht ausschließt, zu=
höchst stellen.

Auch das Gretchen der Patti befriedigt weniger als ihre
anderen Rollen. Gesungen war Alles wunderbar schön, der
schlichte Vortrag des „König von Thule", der glänzende der
„Schmuckarie" von Niemandem zu übertreffen. Aber es stand
immer die Patti vor uns, nicht das Gretchen. Es wäre kurz=
sichtig, dies der Künstlerin schlechtweg zur Last zu legen und
etwa als eine Lücke ihrer Kunst auffassen zu wollen, was im
natürlichen Zusammenhang mit ihrer Persönlichkeit und ihrer
nationalen Empfindungsweise steht. Die schwarzen Haare meine
ich nicht, da wäre ja mit einer blonden Perrücke allem Uebel
abgeholfen, allein die scharfgeschnittenen Züge der Patti arbeiten
fast immer in einer leidenschaftlichen Bewegung, welche dem
Bilde unseres deutschen Gretchens widerspricht. Schon bei dem
geringsten Ausdruck von Schmerz bekommt ihr Gesicht etwas
Heftiges, Aufgeregtes, bei gesteigerter Leidenschaft fast etwas
Wildes. Die weitgeöffneten glühenden Augen, das lauernd
vorgebeugte Haupt, die leicht herabgezogenen Mundwinkel, ein
vollkommenes Bild südlich aufflammender Leidenschaft, — aber
der Gegensatz zu dem stillen, tiefen Gemüthsleben Gretchens.
Der Ausdruck ruhiger, seelenvoller Innigkeit und halb ver=
schlossener Empfindung ist ihr nicht gegeben. Wie in der ita=
lienischen Musik, so dringt bei ihr jede Erregung gleich auf die
Oberfläche, wird plastisch und taghell. Auch darin gleicht sie,
die ächte Italienerin, der Musik ihrer Heimath, daß beide das
einfach Rührende nur selten und ausnahmsweise bringen. Kein
Zweifel, daß die Valentine der Lucca, das Gretchen der Nils=
son diese Leistungen der Patti übertreffen, weil da nicht blos
die Kunst, sondern zugleich die ganze Individualität der Sän=

gerinnen mit dem dargestellten Charakter zusammenfallen. In allen anderen Aufgaben, welche diese Grenze nicht berühren, bleibt uns die Patti ein unerreichbares Muster und eine un- nachahmliche Natur.

VI.

Im Jahre 1877 kam die Patti, wie im Vorjahre, An- fangs März — unmittelbar nach ihrem Petersburger Gast- spiel — nach Wien. Aber diesmal ohne den Marquis. Es war in Petersburg zwischen Beiden zu heftigen Auftritten ge- kommen, die ihren letzten Anlaß in de Caux' Eifersucht gegen den Tenoristen Nicolini hatten, und die gerichtliche Scheidung von dem Marquis veranlaßten.

Adelina Patti lebte in Wien während ihres, diesen Ereig- nissen nachfolgenden Gastspieles in strengster Zurückgezogenheit, zeigte sich weder im Theater noch sonst an einem öffentlichen Orte. Auf der Bühne unverändert heiter und rührig, erschien sie mir jetzt daheim nicht mehr in dem alten Frohsinn; wie zwischen zwei trüben Schatten stand sie nachdenklich zwischen den letzten schlimmen Erlebnissen und einer ungewissen Zukunft. Das Wiener Publicum ließ sie das Odium nicht empfinden, das eheliche Zerwürfnisse stets auf die Frau werfen; es igno- rirte die „Marquise" und feierte aus vollem Herzen und aus vollen Kehlen Adelina Patti.

Von den beiden Tenoristen, mit denen Adelina Patti zuletzt in Wien abwechselnd sang, war nicht der ihr nahestehende Ni- colini, sondern der jüngere Masini Liebling des Publicums. Ueber diesen Sänger, dessen schnelle Berühmtheit von Verdi's Requiem datirt, dürften einige Worte hier gestattet sein. Der Klang seiner Stimme, süß und kräftig zugleich, jugendfrisch ohne einen Rest von Unreife, entzückt augenblicklich. Wie einst Fraschini, dem er freilich an Kraft nachsteht, so hat Masini mit den ersten drei Tönen seine Hörer gefangen. Aber ein

dramatischer Sänger ist er noch weniger, als Fraschini es war.
Nicht nur seine Haltung und seine Gesichtsmuskeln bleiben
steif, unbeweglich und gleichgiltig, selbst sein Blick weiß nichts
von dem, was er uns vorsingt. Sein Auftreten als Alfredo
im ersten Akt der „Traviata" war das personificirte Phlegma;
er trank Champagner und sang Mandelmilch. Besser gefiel er
uns im zweiten Akte und noch besser als Herzog in „Rigoletto",
obgleich er auch da unter dem Nullpunkt schauspielerischer Anforderungen stand. Als Fernando in Donizetti's „Favorita"
entzückte Masini durch Schmelz und weichen Wohllaut. Von
einer dramatischen Auffassung dieser Rolle, die dem Darsteller
große und lohnende Aufgaben stellt (man denke an Roger),
war aber bei Masini nicht die Rede. Wenn er wenigstens
den alleräußerlichsten Formen einer Darstellung nachkäme! Masini
spielt den Fernando wie ein Ballettänzer, wohlgemerkt wie ein
Ballettänzer mit einer Gelenksentzündung, welche ihm die gewohnten telegraphischen Armbewegungen nur halb zu machen
gestattet. Noch merkwürdiger als seine dürftige Action ist das
gänzliche Fehlen jeglichen Gesichtsausdrucks. Es lastet auf
Masini's jugendlichem und feingeschnittenem Antlitz eine versteinerte Melancholie, wie man sie oft an einfachen Naturmenschen beobachten kann, die fortwährend an alles Unglück der
Welt zu denken scheinen, während sie thatsächlich an gar nichts
denken. Wenn Fernando freudestrahlend nach seiner Vermählung
aus der Capelle tritt mit dem Allegro: „Ah, mes seigneurs,
partagez ma joie!" zeigt Masini ein Trauergesicht und dazu
eine Adagio-Haltung, als sollte er zur Hinrichtung abgeführt
werden. Es ist einfach komisch, und darin liegt wieder das
Gute, das wir aus jedem Uebel ziehen sollen. Denn ernstlich
ärgern kann man sich nicht über solche absolute Harmlosigkeit.
Masini macht uns den Eindruck, als sei er während der Todten-
messe von Verdi in einen Zauberschlaf versenkt worden und
spiele nun im Traume Opernpartien. Aber dem Zauber seiner

Stimme entrinnt man nicht, umsomehr, als es keineswegs die blos elementare Macht des Organs, sondern gleichzeitig die gute Schulung desselben ist, Methode und Geschmack des Vortragenden, was sich Anerkennung erzwingt. Nur einige affectirte Manieren — Gesangskoketterien, die zum größeren Theile nicht einmal ihm, sondern dem italienischen Gesammt-Tenoristenthume angehören — stören uns in Masini's Vortrag: das plötzliche Ansetzen eines Pianissimo an das Forte und Fortissimo (es verräth immer eine kühle, nüchterne Seele); dann das unleidliche Dehnen des Ritardandos und Aushalten der vorletzten Note, um mit dem Pianissimo und der Länge des Athems zu prunken, und was solcher süßer Effectchen mehr sind, deren stereotype Wiederkehr man in jeder Nummer genau vorhersagen kann. Immerhin ist ein jugendlicher Tenor, der durch ruhige Schönheit des Gesanges wirkt, ohne zu schreien und zu tremoliren, ein Juwel in der gegenwärtigen Ausstattung der italienischen Oper, ein Juwel, das uns am schönsten erscheint, wenn es neben der Patti glänzt. Die Stimmen der Patti und Masini's verschmelzen so wunderschön im Duett, daß man sich wie getragen fühlt von den Wellen des Wohllautes. So lange es solche Stimmen, solche Sänger gibt, so lange wird es auch Componisten geben, die sich unterstehen, in ihren Opern Duette und Terzette zu schreiben. Für längere Zeit dürfte das freilich nur noch in Italien vorkommen, jenseits des Hojotohoh.

Wenn ich für mein Thema einen ungebührlich großen Raum in Anspruch genommen, so geschah dies, weil ich in der Patti die mit den schönsten Stimmmitteln und größtem musikalischen Talent begabte Repräsentantin vollendeter Gesangskunst erblicke. Und diese Kunst hoch zu halten, sie an Mustern wie die Patti zu studiren, dazu haben wir in Deutschland ganz besondere Ursache. An allgemeiner Bildung dürften unsere deutschen Sänger den italienischen größtentheils überlegen sein, in der für den Künstler unentbehrlichsten, der technischen, stehen sie weit hinter ihnen zurück. Die italienischen Sänger treiben das Singen als eine Kunst, eine schwierige, ernste Kunst, die erlernt sein will; die deutschen begnügen sich meist mit der Stimme, dem Talent, der Routine und einer vornehmen Abneigung gegen Gesangsstudien. Den letzten Rest von schönem Gesang in Deutschland werden Wagner's „Nibelungen" vernichten. In Wien kann man fast alljährlich die deutschen und die italienischen Opernvorstellungen vergleichen. Die meisten unserer italienischen Gäste glänzen durch vollendete Bildung des Materials bei keineswegs imposanten Stimmen; unsere deutschen Mitglieder durch kraftvolle Stimmen, die aber ob ihrer mangelhaften Technik nicht die Hälfte der Wirkung erreichen, welche sie bei gleicher Pflege und Ausdauer erreichen könnten. Bei den Italienern größte Sicherheit und Gleichmäßigkeit die ganze Rolle hindurch, bei den Deutschen ein ungleicher Wechsel glänzender und mittelmäßiger Momente, Beides mit einem leichten Anflug von Zufälligkeit. Dort bejahrte Tenoristen, deren Stimme durch sorgsame Pflege den schönsten Wohllaut bewahrt hat, hier junge Sänger mit vorzeitig brüchigem, unsicherem Organ. Bei Franzosen und Italienern Alles gefeilt, in sich fertig und wirksam, bei den Deutschen das Meiste in kühnem Sichhineinstürzen bald erreicht, bald verfehlt. Technische Vernachlässigung ist übrigens ein Charakterzug, der analog auch in anderen Gebieten deutscher Kunst sich äußert und manchmal unsere genialsten Erfinder und Denker weit hinter dem Einfluß zurückbleiben läßt, welcher ihren Ideen gebührt und den ihre französischen, italienischen, englischen Collegen gerade durch technische Meisterschaft so oft erringen. Unter den gefeierten deutschen Malern soll es welche geben, die nicht eine Hand correct zeichnen können. „Es gibt Maler und „Malenkönner", pflegte manchmal der geniale Schwind in seinem Sarkasmus zu sagen, „ich bin Maler". Ich denke, man sollte beides sein. In der Oper gibt es Sänger und

Singenkönner, — letztere sind selten Deutsche. Jeder angehende oder fertige Sänger sollte die Tonbildung, das Portamento, die Scalen, den Vortrag der Patti studiren bis in den kleinsten Mordent. Vollkommneres wird ihm Niemand zeigen. Auch wie man durch Schonung eine Stimme lang erhalten kann, zeigt uns die Patti. Freilich kommt ihr eine seltene Gunst der Natur zu Hülfe; diese ewige Jugend grenzt an's Wunderbare. Der kristallhelle Klang der Stimme, die jugendliche Erscheinung, die Leichtigkeit wie die Ausdauer sind ihr unversehrt geblieben von der Zeit. Höher als dies Alles steht jedoch unvergleich- licher musikalischer Schönheitssinn. Nicht immer und überall, wo wir Virtuosität antreffen, erblüht diese aus einer eminent musikalischen Natur, und der Virtuose, der länger als ein Decennium von Triumph zu Triumph eilt, büßt in der Regel die Einfalt der musikalischen und dramatischen Empfin- dung ein. Er wird raffinirt, gekünstelt und trachtet durch ge- suchte Effecte, überschärften Accent und gehäuften Schmuck die verlorene Unschuld des Schönen zu ersetzen. Wie oft haben wir diese Verzerrung an den glänzendsten Bühnentalenten erlebt, deren „Reisen um die Welt in 80 Tagen“ sie um den stillen künstlerischen Erwerb von Jahren brachten! Bei Adelina Patti keine Spur eines solchen Einflusses. Wer hat sie je auf einem unmotivirten Effect betreten? Wer hat sie, auch im höchsten Affect, die weiße Linie des Musikalisch-Schönen überschreiten sehen? Sie singt immer rein, immer im Takt, sie respectirt die Note des Componisten, sie tremolirt weder, noch verwischt oder outrirt sie auch nur einen Ton. Das fast verloren ge- gangene Geheimniß guter italienischer Sänger: den Ton weit und stark auszuschicken, ohne zu schreien, sie besitzt es voll- ständig. Ebenso hat sie ihrem Spiele die volle Einfachheit einer liebenswürdigen Natur bewahrt; die Uebersättigung an hundert Mal gesungenen Rollen vermochte niemals, sie dem fal-

schen Geist des Geistreichen und Neuen um jeden Preis in die
Arme zu treiben.

Sollte Adelina Patti ihrem Vorsatz getreu und künftig
den europäischen Bühnen ferne bleiben, so hätten Freunde ächter
Gesangskunst allen Grund zu trauern.*) In vieljähriger musi=
kalisch=kritischer Thätigkeit habe ich in Wien durch welsche Opern=
musik eine Welt von Langeweile ausgestanden und sie zu Zeiten,
wo unsere deutsche Musik darunter litt, oft in ihr Citronenland
zurückgewünscht. Heute stehen die Dinge etwas anders. Auf
allen deutschen Bühnen etablirt sich die Herrschaft der reitenden
Walküren und singenden Lindwürmer. Unsere Sänger haben
für ein paar Jahre zu thun mit dem Studium der vier Nibe=
lungen=Opern, und — mögen sie alles mögliche Neue dabei
profitiren — Eines werden sie sicherlich verlernen: was Singen
heißt. Unter solchen Verhältnissen müßte man bedauern, wenn
nicht wenigstens in Einer deutschen Großstadt (Wien) zeitweilig
eine vorzügliche italienische Sängergesellschaft an die verloren
gehende Kunst schönen Gesanges erinnern würde. Wohlgemerkt,
eine vorzügliche Gesellschaft, mit einer Gesangskünstlerin wie
die Patti an der Spitze. Ein geistreicher Schriftsteller hat ein=
mal Italien das Conservatorium des lieben Gottes genannt.
In diesem Conservatorium hat Adelina Patti ohne Frage den
ersten Preis davongetragen.

---

*) Adelina Patti ist inzwischen von ihren amerikanischen Plänen —
vorläufig wenigstens — wieder abgekommen und wird in diesem Herbst
(1879) in Deutschland, sodann in Frankreich gastiren.

III.

Opern und Theater in Italien.

(Reiseeindrücke aus dem Jahre 1874.)

I.

(Rom. Die Villa Medici. „J. Goti" von Gobatti. Neapel und das San-Carlo-Theater. Maestro Petrella und seine Oper „Jone").

Wenn man in Rom von den lieblichen Gartenanlagen des Monte Pincio nach der Richtung der spanischen Treppe zur Stadt zurückkehrt, muß man an einem freundlichen, gartenbekränzten Hause vorüber, das die Villa Medici heißt. Eigenthum Frankreichs, beherbergt die Villa jene wechselnde Colonie französischer junger Künstler, welche auf Kosten ihrer Regierung hier die letzte Ausbildung erhalten — nicht durch Lehrer der Akademie, sondern durch all' die herrlichen Kunstschätze, welche Rom dem empfänglichen Auge entgegen bringt. Dem Auge jedenfalls, ob auch dem musikalischen Ohr? Denn es sind nicht blos Maler und Bildhauer, sondern auch Tondichter, welche als die Hoffnungsvollsten des Pariser Con-servatoriums den „Grand prix de Rome" erhalten, der sie zu zweijährigem Aufenthalt in Rom und zur Residenz in der Villa Medici verpflichtet. Nicht wenige gefeierte Componisten haben in diesem gastlichen Asyl gelebt: Hérold, Halévy, Gounod,

Ambroise Thomas, Berlioz. Die Erinnerung an den Letztgenannten erwachte zuerst und mit aller Stärke in mir. Es ist zwar sehr unschicklich für den correcten Musiker, in Rom nicht zuerst an Palestrina zu denken, sondern an ein verrufenes modernes Weltkind wie Hector Berlioz — indessen, es war nicht die einzige Ketzerei, die ich gegen den Codex vorgeschriebener Empfindungen in Italien beging. Leibhaftig glaubte ich den leidenschaftlichen Mann an einem Fenster der Villa Medici zu sehen, wie er das Löwenhaupt schüttelt und, ein zweiter Georg Herwegh, „noch einen Fluch" herbeischleppt gegen Rom. Und ist nicht der musikalische Ruhm der Ewigen Stadt in Wahrheit „ein längst versiegter Quell, der keines Kindes Mund mehr letzt"? Berlioz hatte überdies ein sehr geringes Interesse für Gemälde, Kirchen, Statuen und förmlichen Abscheu vor wälscher Musik. Ein junger Tondichter, dessen Religion sich in dem Namen Beethoven zusammenfaßte und dessen Seele nach den tiefsten Eindrücken der Instrumental=Musik lechzte, konnte aller= dings für seine musikalische Vollendung keinen ungeeigneteren Aufenthalt finden als Rom. Zur Zeit Händel's und Hasse's, bis in Mozart's Jugendjahre, war Italien das gelobte Land der Musik, und dem fremden Musiker fast so unentbehrlich, wie noch heute dem Maler und dem Bildhauer. Zu Berlioz' Zeiten hatte jedoch der vorschriftsmäßige römische Aufenthalt gar keinen Sinn mehr, und heutzutage müßte Jemand, der etwas Einsicht und sehr viel Courage besitzt, der französischen Regierung den Vorschlag machen, ihre musikalischen Stipendisten lieber nach Deutschland zu schicken.

Wie sehr die römische Kirchenmusik und ihre vollkommenste Incarnation, die päpstliche Sängerkapelle, herabgesunken, das haben uns schon Spohr, Mendelssohn, Berlioz u. A. in ihren Briefen geschildert; seither ist der Sturz noch tiefer gegangen. Auch von der Oper in Rom erlebte ich wenig Freude. Im Teatro Apollo, dem größten Opernhause Roms (es hat

über den Parterrelogen fünf Stockwerke), gab man die neue
lyrische Tragödie „J. Goti", von Stefano Gobatti, deren
blutrünstige Handlung im Jahre 534 unter der Herrschaft der
Gothen in Ober = Italien spielt. Das Werk erregte, zunächst
von Bologna aus, in Italien eine gewisse Sensation und ward
Gegenstand heftiger Parteinahme für und wider. Interessant
sind diese „Goti" dadurch, daß sie sich sehr revolutionär gegen
die übliche Schablone italienischer Musik verhalten und häufige
Tannhäuser = Anfälle haben. Vor zwanzig Jahren hätte man
allerdings solche Emancipation eines Italieners nicht für mög=
lich gehalten. Darin liegt jedenfalls das Anziehendste dieser
Oper, deren musikalische Erfindung mir dürftig und gequält
erscheint, auch in der beliebtesten, stets repetirten Nummer, dem
Männerterzett im dritten Act, einer schwachen Nachahmung des
nicht nachahmenswerthen Männerterzetts aus Verdi's „Ballo in
maschera". Im Gegensatz zu der natürlichen, gesunden Tri=
vialität von ehedem charakterisirt den heutigen italienischen Opern=
stil die kränkliche und ergrübelte Trivialität. Das unvermeid=
liche Ballet (eine indische Historie „Djellah") wurde nicht
zwischen den einzelnen Acten, sondern erst nach Beendigung der
Oper gegeben; desgleichen sah ich im San = Carlo = Theater die
„Norma" ununterbrochen ausspielen und hierauf erst das Ballet
beginnen. Diese vernünftige, aber gegen altes italienisches Her=
kommen verstoßende Reform ist jedoch keineswegs allgemein; in
demselben Apollo = Theater in Rom wird Mozart's „Don Gio=
vanni" durch ein großes Ballet entzweigeschnitten, desgleichen
in der Scala zu Mailand der „Freischütz". Man sieht, daß
nicht blos in den Stil der italienischen Oper fremde Elemente
mit fast destructiver Kraft eintreten, sondern selbst in deren
Aeußerlichkeiten die heilig gehaltene Tradition zu wanken und
zu stürzen beginnt.

Unter den Sängern, die ich in Rom, Neapel, Florenz
hörte, war manche frische Stimme, aber keine erste Kraft von

vollendeter Technik oder glänzendem dramatischen Talent. Klangvolle, jugendliche Stimmen bringt Italien noch immer in respec-
tabler Anzahl hervor, das gehört zu seinen Naturproducten
und könnte nur in Folge nachhaltiger Degeneration der Race
abnehmen. Die Schulung dieser Stimmen, die künstlerische
Bildung der Sänger überhaupt scheint in dem heutigen
Italien arg vernachläſſigt. Wenn schon Felix Mendelssohn in
seinen Reisebriefen (1831) sagt, man müſſe, um gute italienische
Sänger zu hören, nach Paris oder London reisen, so gilt diese
Wahrheit heute in noch viel höherem Grade. Mit welch ungeduldiger Erwartung eilte ich in Neapel ins San-Carlo-
Theater! Es gehört bekanntlich zu den allergrößten Opern-
häusern also zu jenen, die für den Ruin der Gesangskunst am
frühesten gesorgt haben. Bei herabgelassenem Vorhang gewährt
es einen glänzenden Anblick; sobald der Vorhang emporgeht,
wird man entzaubert durch die Mittelmäßigkeit der Decorationen
und Costüme, der Sänger und des Ensembles. Ueber die Eröffnung des San-Carlo-Theaters (1817) schrieb Stendhal
seinerzeit: „Im ersten Moment glaubte ich mich in den Palast
eines orientalischen Kaisers versetzt. Nichts kann frischer und
zugleich majestätischer sein. Dieses Theater, in dreihundert
Tagen wiederhergestellt, ist ein Staatsstreich; es fesselt das
Volk an seinen Fürsten mehr, als die Constitution, die er Si-
cilien gab und die Neapel sich wünschte. Ganz Neapel ist
trunken vor Freude. Wegen des San-Carlo-Theaters vergöttert man den König Ferdinand." Victor Emanuel wurde
beiweitem weniger vergöttert in der Festvorstellung, die ich im
San Carlo sah. Sie fand zur Feier des fünfundzwanzig-
jährigen Regierungs-Jubiläums des Königs statt, bei splen-
dider Beleuchtung des Zuschauerraumes, erhöhten Preisen, sehr
mäßig versammeltem und sehr kühl gestimmtem Publicum. Nach
dem ersten Act — man gab „Norma" — verlangten einige
Stimmen die Volkshymne, welche nach längerer Berathung vom

Orchester gespielt, von den Zuschauern sitzend angehört und von Niemandem mitgesungen wurde. Fragt man nach der Ursache der Unbeliebtheit der jetzigen Regierung in Neapel, so erhält man in der Regel die stereotype Antwort, es sei früher Alles viel wohlfeiler gewesen. Die Sänger waren mittelmäßig Das sehr stark besetzte Orchester (zwölf Contrabässe) genügte in der „Norma“ vollständig, soll aber für „Aïda“ und „Faust“ (welche neben „Lucia“ und „Norma“ das ganze Winter-Repertoire von San Carlo bildeten) ganz unzureichend und von dem laut tactirenden Capellmeister kaum in Ordnung zu erhalten sein. Der Chor ist für schwierigere Aufgaben gewiß unbrauchbar. Die Priesterinnen der Norma sangen ihren leichten Part so unbegreiflich falsch, daß man annehmen mußte, sie seien durch ein geheimes Gelübde in diesem Sinne gebunden. In der ganzen Vorstellung vermißten wir eine künstlerisch leitende Hand, einen musikalischen obersten Willen.

Sollte man es glauben, daß die erste Scene Adalgisa's und ihr Duett mit Sever im San Carlo-Theater regelmäßig wegbleibt, so daß Adalgisa erst im zweiten Act auftritt? Die Hauptrolle spielte eigentlich die Militärmusik auf der Bühne, welche vorne postirt und mit doppelten Schlag-Instrumenten, zum Beispiele zwei Paar Becken, ausgerüstet war und so mörderisch loslegte, daß die Singstimmen machtlos daneben verhallten. Diese Impietät gegen Bellini's „Norma“, in welcher doch die Italiener eine der edelsten Aeußerungen ihres nationalen Genius zu ehren haben, schien Niemandem nahezugehen. Um so strenger benahm sich das Publicum gegen das nachfolgende Ballet. „Ilda“ hieß diese tödtlich langweilige und schäbig ausgestattete Dorfgeschichte — getanztes Morphin aus dem Laboratorium des „Coreografo Fusco“. Das Ballet wurde von Anfang an fortwährend ausgezischt, vielmehr ausgeheult und ausgebellt, denn dies sind die eigentlichen Verdammungslaute, durch welche die Galerien das jetzt verbotene Pfeifen effectvoll ersetzen.

Außer „Norma" gab es im San Carlo nichts weiter zu hören. Schon acht Tage vor dem Gründonnerstag war das Opernhaus geschlossen, und auf meine Anfragen an der Theater= kasse wußte man Früh sehr selten zu sagen, ob Abends gespielt werden würde. Dafür prahlten die Anschlagzettel unermüdlich mit der „bevorstehenden" Aufführung einer Novität von Maestro Petrella, „Bianca Orsini". Für das Versäumniß dieser Schöpfung suchte und fand ich Trost in den düsteren Erinne= rungen an zwei frühere Petrella=Opern: „Marco Visconti" und „Jone", die ich in Wien und Florenz erduldet hatte. Daß Neapel, welches früher in jeder Straße einen berühmten Com= ponisten besaß, jetzt auf den einzigen Petrella herabgekommen ist, darf ein hartes Loos genannt werden. Aber selbst dieser Petrella verdient nicht die Schmach, daß man seine ernsten Opern vor einem Publicum spielt, das sich mit dem Hut auf dem Kopfe in den Bänken rekelt, Cigarren raucht und Bier trinkt. In dieser Form erlebte ich die lyrische Tragödie „Jone" im Theater Principe Umberto in Florenz. Was würde Eduard Devrient, der so unbarmherzig gegen die „Sommerbettelei der Schauspiel= kunst" loszieht, dazu sagen, daß diese sonst nur bei offenen Tagestheatern vorkommende „verpöbelte Unterhaltungslust" sich jetzt in Italien auch der Opernhäuser bemächtigt! „Principe Umberto" in Florenz ist ein großes Theater, das über ein stark besetztes Orchester und sehr anständige Sänger verfügt. Und dennoch darf man sich darin wie in der Kneipe betragen. Nach dem zweiten Acte schon bedeckt das Parquet eine dichte Rauch= wolke, aus welcher unaufhörlich mit leichtem Knall die Wachs= kerzchen der Raucher aufblitzen, während rechts und links kleine Cascaden von Cigarren=Asche auf den Schooß der Nachbarn herabrieseln. Wollte man etwa gerade in der „Jone", welche nach Bulwer's Roman mit der Einäscherung von Pompeji schließt, diese (auf der Bühne wegbleibende) Katastrophe wenigstens im Parquet andeuten? Wo das Publicum sich so ungenirt benimmt,

kann man es wirklich dem dicken Souffleur nicht verübeln, wenn
er nach jedem Acte seinen Muschelkasten aufklappt und, gegen
die Zuschauer gewendet, sich schnaufend die Märtyrerstirne ab-
trocknet. Das war für uns eigentlich der willkommenste Licht-
blick in diesen kläglichen „letzten Tagen von Pompeji", und wir
freuten uns redlich auf jeden Zwischenact. Mein der Opern-
Seekrankheit mehr unterworfener Reisegefährte Billroth jedoch
ging, noch ganz erfüllt von pompejanischen Reminiscenzen, so
getreu auf den Localton des Opernsujets ein, daß er den Logen-
schließer statt nach dem Foyer, nach dem „Vomitorium" fragte.

II.

(Französische Operettenherrschaft in Italien. — Kleines Operntheater in
Neapel. — Das Conservatorium in Neapel. — Mangel an historischem
Sinn.)

„Ich brauche keine lustigen Bücher, bin selber lustig!" sagte
ein liebenswürdiger Wildfang, als ich ihm humoristische Lectüre
anbot. Könnten die Italiener von heute das Gleiche von sich
rühmen! Sie, die vordem so viel lachende Melodieen, so viel
musikalischen Frohsinn producirten, daß halb Europa damit ver-
sorgt ward, sind jetzt durch Politik und Geschäfte verdrießlich
geworden und „brauchen lustige Bücher", das heißt, sie müssen
für ihre musikalische Erheiterung ununterbrochen Offenbach
und Lecocq importiren. In jeder größeren Stadt wird von
französischen und italienischen Operettensängern allabendlich die
„Schöne Helena", „Blaubart", die „Prinzessin von Trapezunt",
vornehmlich aber „Madame Angot" aufgeführt. — Gesellschaften
dritten Ranges, haben sie doch ein regelmäßig starkes Publicum
von Italienern, welche der Buffomusik nicht entbehren können
und doch musikalisch nicht mehr selber lustig sind. In diesen
Operetten muß wirklich ein unverwüstlicher Fonds von Komik
und Melodienreiz stecken, wenn sie bei so mittelmäßiger, mitunter elender Darstellung noch Liebhaber finden. „Angot"

4 *

namentlich wurde — in Rom französisch, in Neapel italienisch —
fast die ganze Saison hindurch gegeben. Die italienische Aufführung, von lauter untergeordneten Gesangskräften getragen,
war immerhin musikalisch anständiger als die französische; man
fühlte doch heraus, daß die Italiener das richtiger hörende,
singende und empfindende Volk seien. Von dem schauspielerischen
Talent der Italiener war hier freilich wenig zu merken, es
fehlte durchaus an Nüancirung und witzigem Nachdruck, den
Frauen überdies an jeglicher Anmuth und Noblesse. Die Darstellerin der Demoiselle Lange — eine jener tiefen, rauhen Sprech-
stimmen, die man bei Italienerinnen häufig antrifft — spielte
diese Salonkönigin im Stil eines wüthenden Fischweibes; dennoch war sie die Gefeierte des Abends. Zahlreiche Nummern
wurden wiederholt, das ganze zweite Finale mußte unter fana-
tischem Jubel sogar dreimal nach einander abgesungen werden.
Und die französische Truppe des Teatro Valle in Rom —
quelle horreur! Weniger Stimme haben, falscher singen, häß-
licher sein als diese Französinnen, die wir hier in Offenbach's
„Périchole" gesehen, ist schwer möglich. Ein Schimmer von
Esprit und Grazie bleibt ihnen trotzdem treu, ein Phosphores-
ciren des Geistes, das über dem festen Grund ihrer sicheren
Technik seine Wirkung macht. Die Franzosen sind die geschul-
teren, feineren, aber auch der Ziererei geneigteren Schauspieler;
hingegen imponirt das Spiel des Italieners durch eine wohl-
thuende Natürlichkeit, ein ehrliches Sichgehenlassen, dem jede
Affectation oder grimassirende Koketterie fernliegt. Im Teatro
delle Loggie in Florenz sahen wir ein Lustspiel von Goldoni
mit solcher Frische und Naturwahrheit spielen, daß man darüber
die unerlaubte Dürftigkeit der Handlung vergaß. Goldoni, für
den ich ob seines Libretto's zur „Buona figliuola" von Piccini
auch eine specielle musikalische Pietät empfinde, bringt in jener
Comödie („Sior Todardo Brontolon") lauter unbedeutende
Alltagsmenschen; durch die Aufführung gewannen sie aber das

Interesse sprechend ähnlicher Porträts, so treu aus dem Leben heraus gespielt war jede Rolle. Mein Respect vor dem angeborenen Schauspielertalent der Italiener wuchs jedesmal im umgekehrten Verhältniß zu dem Rang und den Ansprüchen der Bühne. Am dürftigsten fand ich es in der Großen Oper, am üppigsten in den kleinen Pulcinell=Theatern von Neapel. Pulcinello, wol der letzte Sprößling, der sich aus der großen Familie stereotyper komischer Masken noch erhalten hat, erscheint in jedem Stücke und immer in weißleinenem, bauschigem Gewand, spitzer Filzmütze und einer schwarzen Halblarve. Obgleich letztere ihn fast aller mimischen Hilfsmittel beraubt, wirkt er doch überall unfehlbar komisch. Seine vornehmste Stätte, das San Carlino=Theater in Neapel, ist eine niedrige, übelbeleuchtete und übelriechende Spelunke, zu welcher man auf einer engen Treppe hinabsteigt. Das Orchester besteht aus sechs gegen alle Dissonanzen vollständig abgehärteten Musikern; Vorhang, Decorationen, Wände und Sitze sind so schäbig und defect als möglich. Aber die Schauspieler verrathen bei größter Anspruchslosigkeit ein Talent für Plastik und Naturwahrheit des Komischen, das die Bewunderung selbst der Fremden erringt, welche den neapolitanischen Volksdialekt mehr errathen als verstehen.

Gleichfalls unterirdisch und nicht viel eleganter ist das kleine „Teatro Filarmonico" in Neapel, in welchem ich eine Opera buffa von Guglielmi: „La Donna di più carattere", hörte. Also doch eine Erinnerung an die glänzende Vergangenheit Neapels! Guglielmi, zu Ende des vorigen Jahrhunderts in Neapel gleichzeitig mit Païsiello und Cimarosa wirkend, stand an Talent für die komische Oper hinter diesen beiden berühmteren Meistern nicht weit zurück. Die genannte Oper, mit ihrem heiteren Temperament, ihrer einfachen, soliden Technik, ihren schöngebauten Terzetten, Quintetten, Sextetten, konnte leicht für eine Arbeit Cimarosa's gelten. Den Stoff bildet eine kindische Verkleidungs=Intrigue, ungefähr im Stil von

„Cosi fan tutte". Das Haus hat nur eine Galerie, keine Logen; das Orchester ist schwach besetzt (zwei Contrabässe), die Secco=Recitative werden auf dem Clavier begleitet. Die Sänger verfügten nur mehr über anständige Stimmreste, die sie aber mit reiner Intonation nach gut italienischer Methode gefällig verwendeten. So gewann denn die ganze Vorstellung in ihrer bescheidenen, ehrlichen Weise etwas gemüthlich Anheimelndes und war in ihrer Art befriedigender, als die „Norma" im San Carlo. Allerdings gehört zu dieser Wirkung die ganze Einfach= heit des Hauses und ein anspruchloses, naives Publicum. Interessant war uns die Einlage von zwei Mozart'schen Arien in die Tenorpartie; sie stachen von dem Stil des Ganzen nicht allzusehr ab, nur wie das Non plus ultra eines edlen Weines von einer minderen Sorte derselben Gattung. Der Boden, dem beide entstammten, ist unverkennbar derselbe: die neapolitanische Musik des vorigen Jahrhunderts. Daß die zwei Stücke von Mozart waren, bemerkte offenbar Niemand im Publicum; als aber zum Schluß die graziöse Paoletti die „Schöne blaue Donau" sang (auf italienischen Text, den Anfang mit einigen discreten Tanzbewegungen markirend), da flüsterten sich Alle zu: Strauss! Giovanni Strauss di Vienna! Das war uns keine geringe Freude, die „Schöne blaue Donau" in Neapel vor einem jubelnden Publicum singen zu hören.

Die Opera buffa, diese reizendste Eigenthümlichkeit der italienischen Musik überhaupt, war von jeher das ganz spe= cielle Meister= und Lieblingsfach der Neapolitaner. Im Leben wie in der Kunst ist angeborene Heiterkeit ein besonderes Ge= schenk des Himmels. Wie belebender Sonnenschein überströmt sie nach allen Seiten, und so wird der rechte Frohsinn des Einen zur Wohlthat für Viele. In dem üppigen Talent nea= politanischer Meister gedieh diese fröhliche Anlage des Volkes zu künstlerischer Blüthe und trug eine Unmasse von Früchten. Pergolese hatte zuerst in dem kleinen Intermezzo: „La serva

padrona" (Neapel 1730) den Ton angeschlagen, der noch in Roſſini und Donizetti nachklingt; ſelbſt die Figuren des alten Hageſtolz und der ſchlauen, hübſchen Serpentina ſind proto=
typiſch geblieben für Dulcamara und Abine, Bartolo und Roſine, Don Pasquale und Norina. Was Pergoleſe hier in der engſten Form des Intermezzo's für zwei Perſonen geleiſtet, erweiterte Piccini und ſchuf in ſeiner „Buona figliuola" oder „Cecchina" (1761) das epochemachende Vorbild für die Opera buffa der Italiener. Piccini, dieſer zu Gunſten Gluck's gewöhnlich ſehr unterſchätzte glänzende Erfinder, wirkte noch rüſtig in Neapel, als bereits zwei jüngere Meiſter (ebenfalls Neapolitaner) ebendaſelbſt ihr reiches Talent für die Opera buffa entfalteten: Parſiello und Cimaroſa. Und neben ihnen, vor und nach ihnen welch erſtaunlicher Reichthum an neapolitaniſchen Componiſten, die mit ihren Opern durch mehr als ein Jahrhundert Europa erfreuten und beherrſchten! Das Conſervatorium von Neapel genoß das Anſehen eines muſika=
liſchen Baticans. Jetzt iſt ihm freilich von dem alten Ruhm nichts geblieben, als die Porträts und die Partituren ſeiner berühmteſten Lehrer und Zöglinge. Das gegenwärtige „Liceo di musica" in der Straße S. Pietro in Majello, unweit des National=Muſeums, beherbergt erſt ſeit etwa ſiebzig Jahren das Conſervatorium. Aleſſandro Scarlatti, der Ahnherr der neapolitaniſchen Schule und eigentliche Begründer unſerer mo=
dernen Oper, ſowie ſeine großen Schüler und Nachfolger Leo und Durante lehrten noch in den Klöſtern Sant' Onofrio, Loretto ꝛc., wie ja auch Benedigs altberühmte Conſervatorien mit Klöſtern verbunden waren. Erſt Zingarelli (Bellini's Lehrer) und Mercadante bewohnten als Directoren des Con=
ſervatoriums das jetzige Haus. Der gegenwärtige Director Lauro Roſſi, Componiſt einiger in Italien beliebter Opern, und der Bibliothekar Florimo, bekannt durch ſeine intime Freundſchaft mit Bellini, empfingen mich mit freundlicher Zu=

vorkommenheit. Florimo's Wohnung, ein wahrer Raritäten-
laden von Nippsachen, Andenken, Porträts und Statuetten,
umschließt auch das kleine Zimmer, das Bellini als Zögling
bewohnt hatte und das er sich später bei jedem Besuch in Neapel
als Gastzimmer ausbat. In dem nicht großen Bibliotheksaale
befinden sich die werthvollen Manuscripte berühmter italienischer
Componisten, vornehmlich die Opern-Partituren von Leo, Piccini,
Paisiello, Cimarosa, Guglielmi, Zingarelli, Mercadante ꝛc. Außer
einer Anzahl von Bildnissen fesseln noch zwei alte Claviere
unsere Aufmerksamkeit. Das erste, ein sehr langes Doppel-
clavier, auf dem zwei Spieler einander gegenübersitzend spielen
können (mit zwei Manualen auf dem einen Clavier), ist eine
Arbeit des berühmten Andreas Stein in Augsburg mit der
Jahreszahl 1723 und wurde von der Königin Maria Carolina
(1783) dem Conservatorium von Neapel geschenkt. Das zweite
Clavier gehörte Cimarosa, dem es die Kaiserin von Rußland verehrt hatte; englisches Fabricat, kurze viereckige Tafel-
form, mit drei kleinen Messinghebeln links neben den Saiten
statt der Pedale. Obwol das Conservatorium von Neapel noch
eine ziemliche Anzahl von Zöglingen vollständig beherbergt — in
einem langen Corridore stehen ihre Betten, jedes mit einem
kleinen Kästchen für die Habseligkeiten des Zöglings — so hat
doch sein großer Einfluß aufgehört, sowie Neapel selbst längst
aufgehört hat, die musikalische Hauptstadt von Italien zu sein.
Ihre letzte Glanzepoche waren die Jahre 1815 bis 1822, als
Rossini im Solde des Impresario Barbaja jährlich zwei Opern
für das San Carlo-Theater schrieb. Seither ist Neapel von
Mailand längst überflügelt, wie denn überhaupt die Lombardei
an moderner Cultur dem übrigen Italien schon vor Decennien
um Decennien voraus war.

　　Im Leben aller Völker gibt es auf- und absteigende
Epochen, in jeder Kunst Perioden der Fruchtbarkeit und des
Mißwachses. Daß Italien, verarmt in seiner ganzen musika-

lischen Production, gegenwärtig nur ein einziges bedeutendes
Talent besitzt (Verdi), kann ihm nicht zum Vorwurfe gereichen.
Aber anklagenswerth, ja unverzeihlich erscheint der Mangel an
Pietät gegen die eigene große Vergangenheit. Wie? Ist es
möglich, daß Neapel, die Heimat so vieler großer und berühmter
Componisten, nicht Einem von ihnen ein Denkmal gesetzt hat?
Daß ihre Werke dort todt und vergessen sind, ja selbst ihre
wissenschaftliche Erforschung und Darstellung sich im Lande nicht
regt, sondern Deutschen und Franzosen überlassen bleibt? In
Frankreich vergißt man über der lebendigen Production nicht die
Leistungen der Vergangenheit; die ersten Bühnen von Paris
spielen regelmäßig die älteren classischen Stücke, die schönsten
Straßen tragen die Namen französischer Tondichter. Und
Deutschland — welche rühmliche Thätigkeit entfaltet es seit
dreißig Jahren, um durch Vorträge und Aufführungen, durch
kritische Ausgaben, biographische und ästhetische Werke die von
unseren Vorfahren überkommenen Schätze zu sichten und frucht-
bringend zu machen! Das Land jedoch, welches in manchem
Sinn das Vaterland unserer Musik, im strengsten die Geburts-
stätte des Kunstgesanges und der Oper heißen darf, Italien,
„das Conservatorium des lieben Gottes“, weiß nichts von
diesem historischen Geist. Wo findet man dort eine systematische
Sammlung alter Musik-Instrumente, wie sie bei uns sogar
Provinzialstädte wie Salzburg und Linz besitzen? Ich traute
meinen Augen nicht, als ich das schöne National-Museum in
Florenz „Il Bargello“ durchwanderte, welches ein Gesammtbild
der italienischen Cultur- und Kunstgeschichte geben soll, und
dort nicht ein einziges Musik-Instrument, nicht einen auf die
Tonkunst bezüglichen Gegenstand vorfand. Und in ganz Florenz
nichts, keine Tafel, keine öffentliche Aufschrift, welche an die
große musikgeschichtliche Bedeutung dieser Stadt erinnern würde,
wo zu Ende des sechzehnten Jahrhunderts in dem kunstsinnigen
Haus des Grafen Bardi die ersten Keime der dramatischen

Musik entstanden: die Monodie, der recitative Stil, kurz nichts
Geringeres als die Oper. Wo dergestalt die nationale Pietät
und der musikalische Ahnenstolz erloschen sind, da darf man ein
allgemeines Interesse für musikwissenschaftliche Forschungen vollends
nicht erwarten. Was ist denn von hervorragenden deutschen
und französischen Büchern über Musik in's Italienische übersetzt?
Wie viele Männer gibt es in Italien, welche mehr als ober-
flächlichen Bescheid wissen in deutscher Musik und Musikliteratur?
Es contrastirt dieses Stehenbleiben oder vielmehr Zurückschreiten
seltsam gegen die zunehmende geistige Rührigkeit der Italiener
auf anderen Gebieten des Wissens. Die Leistungen Deutschlands im Fache der Geschichtsforschung, der Jurisprudenz, der
philosophischen und der Naturwissenschaften werden in neuerer
Zeit von Italien mit rühmlichem Eifer und Antheil verfolgt.
Da ich in Gesellschaft eines berühmten Arztes reiste, den in
Rom, Neapel und Venedig die Elite der jungen Aerzte auf-
suchte, hatte ich Gelegenheit, den wissenschaftlichen Eifer und die
fachmännische Belesenheit der ehemals übel angeschriebenen italienischen Mediciner kennen zu lernen. Unter den italienischen
Musikern findet sich nichts Analoges, so eifrig auch einzelne
Journalisten, wie der geschätzte Filippi in Mailand, für
deutsche Musik zu wirken bemüht sind. Es schadet vielleicht
nicht, daß einmal auch auf diese Schattenseiten hingewiesen wird;
kein Zweifel, daß allmälig die segensreichen Folgen geordneter
und liberaler politischer Verhältnisse auch die kunstwissenschaft-
lichen Bestrebungen in Italien werden aufblühen machen. Man
darf nicht vergessen, daß namentlich in Rom und Neapel jahrhundertelange geistliche und weltliche Tyrannei allen wissenschaftlichen Aufschwung systematisch für lange Zeit hinaus lähmten.
Wie viel die früheren Regierungen an dem materiellen, sittlichen
und geistigen Wohlstand des Volkes ruinirt haben, ist unab-
sehbar, und noch heute kranken Kunst und Wissenschaft in Italien
an dem Unsegen dieser politischen Vergangenheit. Welch ergrei-

fende Wahrheit in dem Spruch, den Karl M a t h y in's Stamm-
buch des Frankfurter Parlaments geschrieben: „Der Vorzug
eines freien Volkes vor einem gegängelten besteht darin, daß
dieses die Fehler seiner Lenker, jenes seine eigenen büßt."

III.

(Der „Freischütz" in Mailand. Opern in Bologna und Florenz. Fortschritte im Orchesterspiel. Politik und Theater.)

Ein glücklicher Zufall ließ mich in der S c a l a zu Mailand Weber's „Freischütz" hören. Der große Anschlagzettel
verkündete den Titel in deutscher Sprache: „D e r F r e i s c h ü t z"
und erst darunter in kleiner Schrift: „Il franco-cacciatore".
Auch diese Uebersetzung ist eine kleine Neuerung und Verbesse-
rung gegen den früher üblichen Namen: „Il franco-arciero",
welcher (gleich dem französischen „franc-archer") auf eine Arm-
brust hinweist, also mit dem Kugelgießen im Widerspruche steht.
Der „Freischütz" ist im Winter 1872 in der Scala zum erstenmale aufgeführt worden. Ueberaus spät und spärlich hat deutsche Opernmusik in Italien Anklang gefunden, sie beginnt eigentlich jetzt erst Fuß zu fassen. Selbst in M o z a r t' s original-
italienischen Opern: „Don Juan" und „Figaro's Hochzeit"
wagte man in Mailand erst 1815 und 1816 einen Versuch,
um rasch wieder für eine Reihe von Jahren davon abzustehen.
Kein Wunder also, daß der eminent deutsche W e b e r den romani-
schen Völkern noch länger fremd und unverständlich blieb. Man
weiß, welche lächerliche Verballhornisirung der „Freischütz" sich in
Paris mußte gefallen lassen, um als „Robin des Bois" dem
französischen Geschmacke näher gebracht zu werden. Weniger
bekannt ist die Thatsache, daß Weber's „Preciosa" im Odéon
zu Paris am 19. November 1825 zum ersten- und letzten-
male mit fürchterlichem Fiasco gegeben wurde. Selbst in England, wo Weber Beweise von so außerordentlicher Verehrung
und Popularität erlebte, wurde der „Freischütz" durch un-

glaubliche Aenderungen und Zusätze dem Publicum mundgerecht
gemacht. Der berühmte Tenorist Braham legte als Max das
alte Lied: „Gute Nacht!" und eine englische Polacca ein, Miß
Stephens sang als Agathe im zweiten Acte statt des wegblei-
benden Duettes ein triviales Volkslied; neue Figuren, ein Gast-
wirth, eine schottische Nixe u. dgl., waren ohne Umstände hin-
eingedichtet worden. Wer etwas Aehnliches im Scala = Theater
erwartet haben mochte, fand sich auf das angenehmste getäuscht.
Die Aufführung war getreu, vollständig und von sichtlicher Pietät
für das Kunstwerk durchdrungen. Nur den gesprochenen Dialog,
den der Italiener in keinem Falle acceptirt und welcher in so
großem Hause doppelt bedenklich würde, hatte man in Recitative
umgewandelt. Man muß zugestehen, daß diese Recitative mit
Verständniß und Bescheidenheit gesetzt waren; an einzelnen, be-
ziehungsvollen Stellen hörten wir die drei dumpfen Baß=Pizzi-
cato's des Samiel=Motivs als passende Reminiscenz. Signor
Faccio heißt der junge Mann, welcher die Recitative componirt und den „Freischütz" in der Scala mit lobenswerther
Ruhe und Bestimmtheit dirigirt hat. Der Capellmeister sitzt
in den italienischen Theatern nicht wie bei uns unmittelbar
hinter dem Souffleurkasten, sondern am unteren Ende des Orchesters, auf hohem Sessel, mit dem Rücken beinahe an die erste
Sperrsitzreihe streifend. Die alte italienische Sitte, vorn am
Clavier zu dirigiren, scheint im Aussterben; für die Sänger
hatte sie große Vortheile; der Capellmeister blieb in unmittel-
barem Rapport mit ihnen, während er dafür jetzt das Orchester
besser übersehen und zusammenhalten kann. Bei einem so
großen Orchesterraum, wie jener der Scala, wo die vier auf
der äußersten Rechten postirten Contrabässe von den anderen
vier auf der äußersten Linken nichts hören können, ist dies fast
unentbehrlich.

Was den Gesang betrifft, so mußten wir ebensosehr die
kraftvollen Stimmen bewundern, die ohne Anstrengung den

colossalen Raum beherrschten, als die Akustik des Baues, welche
diese Wirkung so günstig unterstützte. Das Personal bestand
durchwegs aus Italienern. Dadurch erhielt Weber's Musik
eine leichte italienische Färbung. Doch kann man nicht sagen,
es sei durch den Vortrag die Composition irgendwie verunstaltet
oder Lügen gestraft worden. Die Sänger nahmen es ernst mit
ihren Rollen und erlaubten sich keine Aenderungen. Allerdings
hebt der italienische Sänger die einzelne Phrase scharf und
nachdrücklich hervor, und sein Ausdruck ist fast überall ein ge=
steigerter, pathetischer. So konnte es nicht überraschen, daß
Maxens Sehnsucht, Agathens träumerische Innigkeit, die Scherze
Aennchens einen pathetischeren Charakter bekamen und in ihren
musikalischen Conturen stärker, plastischer hervortraten, als in
deutschem Vortrage. Die beste Leistung war die des Signor
M a i n i als Caspar. Eine Baßstimme von dröhnender Ge=
walt verband sich hier mit einem äußerst energischen, mitunter
freilich grellen Spiele zu unmittelbar packender Wirkung. Leider
mußte der Sänger das ihm unerreichbare hohe Fis im Trink=
liede jedesmal weglassen. Dieses geniale Charakterstück hat für
den Sänger den kleinen Nachtheil, daß es jedesmal in effect=
loser Stimmlage, obendrein kurz abbrechend schließt. Signor
Maini annectirte sich gleichsam das kurze Orchesternachspiel als
melodramatische Begleitung für seine Mimik, indem er nach
einigen andeutenden Tanzbewegungen zu den zwei Schlußnoten
des Orchesters (dem Octavensprunge h—h) das Glas hob
und kräftig niederstellte, streng im Tacte und so scharf rhyth=
misch, daß es fast den Eindruck machte, als sänge er diese zwei
Noten und gewänne einen effectvolleren Abschluß. Die Aus=
stattung hielt sich größtentheils an deutsche Muster bis auf
einige erheiternde geographische Freiheiten, wie im ersten Acte
die nach Böhmen verpflanzten Schweizerhäuser und Meraner
Bauerncostüme. Die Decoration der Wolfsschlucht war gut ge=
malt, das Gespensterwesen angemessen, bis auf die zu zahlreichen

rothen Teufel, die mit ihren Turnübungen den Kugelguß ver-
herrlichten. Auffallend war, daß Samiel mit seiner gewöhnlichen Stimme sprach, wie jeder andere Acteur, und daß auf
Caspar's Ausrufe beim Kugelgießen (Eins! Zwei!) kein Echo
antwortete. Aus vielen ähnlichen Details und dem eigenthümlich balletmäßigen Charakter der ganzen Gespensterwelt konnte
man sich neuerdings überzeugen, daß dem Italiener der rechte
Sinn für das Märchenhafte fehlt. Das deutsche Märchen
färbt sich ihm unwillkürlich zur heitern Antike, zu einer Art
„classischer Walpurgisnacht" im Balletstil. Ausdrückliches Lob
gebührt dem Scala=Theater, daß es, unverführt durch neueste
Vorbilder in Deutschland, den „Freischütz" in drei Acten gibt,
wie er geschrieben ist, und nicht die Wolfsschlucht zu einem
eigenen vierten Act ausrenkt. Hingegen übt man hier wieder
die alte italienische Unsitte, ein selbstständiges mehractiges Ballet
zwischen die Oper einzuteilen. Der Vorhang, der über die
Gräuel der Wolfsschlucht gefallen, erhob sich wieder, nicht um
uns in Agathens Gemach zurückzuführen, sondern um den
Prunkscenen eines großen Ballets, „Bianca di Nevers", Raum
zu geben. Dadurch wird natürlich der Zusammenhang des
„Freischütz" grausam zerstückelt, die süße Nachwirkung der Musik
und die Stimmung für den dritten Act getödtet. Wie groß
ist doch die Macht einer alten Theater=Tradition, sei sie noch
so albern!

In Bologna sprach man noch mit Stolz von der rühm-
lichen Aufführung des „Lohengrin" im letzten Winter. In den
Friseurläden zu Bologna verkauft man „Lohengrin=Seife" und
„Lohengrin=Schönheitswasser"; schon rüstet man sich zur Fabri-
cation von „Tannhäuser=Schnaps" und „Tannhäuser=Würsten".
Leider kam ich zu spät, um in dem zweitgrößten Theater von
Bologna „Cosi fan tutte" zu hören, diese „berühmteste, für
Bologna ganz neue Oper vom Maestro Mozart". Wie die
Einführung deutscher Opern (C. M. Weber und R. Wagner)

in das italienische Repertoire, so ist auch dieses Zurückgreifen
nach älteren Meisterwerken ein beachtenswerthes Zeichen musikalischer Wandlung in Italien. In Florenz cultivirt man jetzt
gleichfalls ältere Opern, namentlich die komischen von Cimarosa,
auf einer kleinen Bühne, welche sich das „Teatro degli Arri-
schianti" (die Wagenden, Riskirenden) nennt. Das ist etwas
geradezu Neues, geschieht auch bis heute nur auf Theatern zweiten Ranges. Die großen Opernhäuser Italiens, namentlich
die Scala, geben fast nur Neues; es ist charakteristisch für die
Italiener, daß sie nicht — wie die Franzosen — das Bedürfniß haben, auch das ältere, classische Repertoire regelmäßig auf
der Bühne gespielt zu sehen. Die Annäherung an deutsche
Opernmusik und die Wiederaufnahme älterer Classiker erscheint
derzeit allerdings nur erst in einzelnen Symptomen, aber im
Zusammenhange mit anderen Anzeichen dürften diese doch eine
bevorstehende Geschmackswendung signalisiren. Zu diesen anderen Anzeichen gehört ohne Zweifel auch die zunehmende Fertigkeit im Orchesterspiel. Auf einer Bühne niederen Ranges,
dem Teatro delle Loggie zu Florenz, hörte ich kürzlich Flotow's neueste Oper „L'ombra", welche auch bei uns einigemale über das „Theater an der Wien" ihre bleichen Schatten
geworfen. Die Oper selbst, von den beiden Damen Derivis
und Somigli vortrefflich gespielt und gesungen, ist in
Florenz genau dasselbe langweilige Einschläferungsmittel, wie
anderswo. Bemerkenswerth war mir nur die correcte, ja feine
Leistung des Orchesters, welches die gar nicht leichte, sondern
recht raffinirte und empfindliche Aufgabe dieser Partitur befriedigend löste. Vor fünfzehn bis zwanzig Jahren wäre eine
solche Orchesterleistung in einem kleineren italienischen Theater
undenkbar gewesen. Noch Eines. Als ich vor fünfzehn Jahren
einige Opernvorstellungen in Mailand und Venedig hörte, stand
die Barbarei des lauten Tactschlagens mit dem Dirigentenstab
auf das Pult in voller Blüthe und war noch an den meisten

Theatern durch ein eigens vorgerichtetes Messingplättchen qua-
lificirt. Es erfüllte mich damals mit verdrießlichem Staunen,
daß Italien in diesem Punkte noch keinen Fortschritt gemacht
haben sollte, seit Goethe über eine Musik-Production in Be-
nedig (1786) die denkwürdigen Worte geschrieben: „Es wäre
ein trefflicher Genuß gewesen, wenn nicht der vermaledeite Capellmeister den Tact mit einer Rolle Noten wider das Gitter,
und zwar so unverschämt geklappt hätte, als habe er mit Schul-
jungen zu thun, die er eben unterrichte; sein Klatschen war
ganz unnöthig und zerstörte jeden Eindruck, nicht anders, als
wenn Einer, um uns eine schöne Statue begreiflich zu machen,
ihr Scharlachläppchen auf die Gelenke klebte. Der fremde Schall
hebt alle Harmonie auf. Das ist nun ein Musiker, und er
hört es nicht, oder er will vielmehr, daß man seine Gegenwart
durch eine Unschicklichkeit vernehmen soll, da es besser wäre, er
ließe seinen Werth an der Vollkommenheit der Aufführung errathen. Das Publicum scheint daran gewöhnt. Es ist nicht
das einzigemal, daß es sich einbilden läßt, das gehöre zum
Genusse, was den Genuß verdirbt." Nun, diesen Unfug habe
ich diesmal nicht mehr vorgefunden, weder in der Scala bei
der „Freischütz"-Vorstellung, noch hier in Florenz bei Flotow's
„Schatten", ja nicht einmal bei Verdi's „Macbeth" im
Teatro Pagliano. So heißt bekanntlich das zweitgrößte Theater
in Florenz, dessen erstes, die Pergola, im Sommer und Herbst
geschlossen ist. Das Teatro Pagliano leistet in der Einfachheit
der Decorirung jedenfalls das Aeußerste; der ganze Zuschauerraum ist weiß angestrichen; nicht eine Goldleiste, nicht eine
bunte Arabeske an den Logen oder Galerien. Die Sänger
auf der Bühne suchen ihrerseits diese nüchterne Einfär-
bigkeit durch grelles Toncolorit vergessen zu machen. Daß
die schöne Kunst des Gesanges in Italien bedenklich herabgekommen und noch fortwährend im Sinken sei, das brauchte ich
freilich nicht erst im Teatro Pagliano zu erfahren. Aber dieses

Ehepaar Macbeth bestätigte mir von neuem diese Thatsache zunehmender Gesangsrohheit und zugleich die andere, daß Italien
trotz alledem noch das bevorzugte Land der schönen Stimmen
sei. Signora Papini, die Darstellerin der Lady Macbeth,
erinnert durch den üppigen Silberklang ihrer so voll und mühelos ausströmenden Sopranstimme an die Medori in deren bester
Zeit. Schule und Cultur haben wenig für dies herrliche Material gethan, noch weniger für den Sänger des Macbeth,
Signor Borgioli. Und doch — wie selten wächst auf deutschem Boden solch eine stattliche Heldenfigur mit so klangvoller
Stimme! Alle übrigen Mitwirkenden in „Macbeth" waren
sehr unbedeutend. Ein selbstständiges Ballet war glücklicherweise nicht eingepfercht, man gab den Macbeth „con danza
analoga", d. h. mit einem zur Handlung „passenden" Tanz,
der sich aus den schrecklichen Geistererscheinungen Macbeth's so
unpassend als möglich entwickelte.

Als Curiosum sei noch erwähnt, daß wir in Florenz im
Theatro Niccolini von einer französischen Schauspielertruppe die
denkbar erbärmlichste Aufführung von Offenbach's „Princesse
de Trébisonde" erlebten. Die Damen häßlich und steif, die
Herren ohne jegliche Komik, Alle ohne Stimme und ohne Talent.
Die Rolle der Paola wurde von einem Mann gespielt, welcher
mit heiserer Baßstimme sprach und seine komischen Effecte darin
suchte, zähnefletschend bis an die Fußlampen zu rennen und in's
Parterre herab Gesichter zu schneiden, vor welchen man sich
noch daheim im Bette fürchtete. Der Scandal dieses französischen Gastspiels ist um so größer, als die italienischen Schau-
spieler-Gesellschaften zweiten und dritten Ranges Vorzügliches
im Lustspiel leisten. Man kann in Florenz und Genua in
offenen Tagestheatern („Politeama" nennt man jetzt diese Arenen)
vor einem rauchenden und biertrinkenden Parterre vortrefflich
Comödie spielen sehen. Namentlich die Schauspielerinnen ent-
wickelten da häufig eine solche Feinheit und Natürlichkeit des

Spiels, eine so maßvolle Haltung, vor Allem eine so hinreißende
Lebendigkeit der Mimik und der Augensprache, daß man ohne
Weiteres auf Künstlerinnen von bedeutendem Rufe hätte rathen
dürfen. Und doch war das Theater nur eine Arena und die
Schauspielerinnen kaum besser bezahlt, als bei uns eine Cho=
ristin. Ein Beweis, wie verbreitet das starke dramatische
Talent in Italien ist und wie tief es im Volke steckt. Gräulich
ist in allen diesen Theatern nur die Zwischenactmusik, welche,
lediglich aus Bläsern bestehend, ihr rohes Blechhandwerk treibt.
Mit Neid betrachten diese Bläser ihren Collegen von der großen
Trommel, den Einzigen, welcher mit der Cigarre im Munde
spielen kann!

Eine Bemerkung kann ich schließlich nicht unterdrücken, wenn
auch der sehr enge Kreis meiner italienischen Wahrnehmungen
mir nicht gestattet, ihr eine allgemeine Bedeutung zuzusprechen.
Ich habe nämlich in den Theater=Vorstellungen, die mir zu=
gänglich waren, das Publicum wenig enthusiastisch gefunden,
auch nicht bemerkt, daß in Kaffeehäusern oder auf der Prome=
nade Musik und Theater so lebhaft wie einst besprochen würden.
Wenn ich von dieser relativen Theilnahmslosigkeit auch abziehe,
was auf Rechnung der Sommersaison fällt, es verbleibt doch
immerhin ein nicht zu übersehender Rest.

Die Erklärung dafür glaube ich in einem alten Buche zu
finden, in der „Correspondence inédite“ von Stendhal.
Dieser feine Kenner und enthusiastische Verehrer Italiens schreibt
im September 1825, also vor einem halben Jahrhundert, aus
Neapel wörtlich nachstehende Prophezeihung: „Le jour, où
l'Italie aura les deux Chambres, le jour, où l'opinion fera
son entrée dans le gouvernement, elle ne sera plus exclu-
sivement occupée de musique, de peinture, d'architecture:
et ces trois arts tomberont rapidement.“ —

IV.

(Die Opera buffa des heutigen Italien. „Le Educande di Sorrento" von Usiglio. „Tutti in maschera" von Pedrotti. „Crispino e la Comare" von Ricci.

Wie gerne hätte ich in Italien eine und die andere opera buffa in guter Aufführung gehört! Die komische Oper ist nun einmal ohne Frage dasjenige Feld, welches italienische Sänger und Componisten am glücklichsten cultiviren. Hier entfalten sich die liebenswürdigen Seiten ihres National=Charakters am freiesten und eigenthümlichsten, während ihre musikalische Tragik doch nur einzelne schöne Momente erhascht, selten ein Ganzes hin= stellt, das von falschem Pathos und trivialem Ausdrucke frei= bliebe. Mit Ausnahme Bellini's und Verdi's, welche — nicht zu ihrem Vortheile — jeder Spur von Humor ent= behren, haben alle namhaften Componisten Italiens auch die komische Oper gepflegt und darin in der Regel ihr Bestes ge= leistet. Von Pergolese an, dessen unverwelkliche „Serva Padrona" alle seine tragischen Opern bereits um ein Jahr= hundert überlebt hat, bis auf Cimarosa und Parsiello, deren komische Musik wir ernstlich hochschätzen, während ihre ernsten Opern uns geradezu komisch erscheinen, und so weiter bis auf Rossini und Donizetti — überall finden wir das Talent der italienischen Meister am kräftigsten und wahrsten im heiteren Stil. Rossini's „Barbier" ist vom Anfang bis zum Ende unvergleichliche Buffo=Musik, aber man geht nicht zu weit, wenn man auch den größten Theil in seinen tragischen Parti= turen Buffo=Musik nennt. Sogar in „Semiramis" und „Mose" (von „Tancred" und dergleichen nicht zu reden) finden sich zahl= reiche Nummern, welche ganz im Stil des „Cenerentola" oder des „Barbiere" geschrieben sind und mit verändertem Texte in jeder Rossini'schen Opera buffa stehen könnten. In neuester Zeit haben die Tondichter Italiens, Verdi nacheifernd, sich immer mehr von dem komischen Genre abgewendet und das

ernſte bevorzugt. Gegen frühere Perioden iſt die Quantität
der neuen komiſchen Opern in Italien auffallend klein, und
nicht weniger ſchlimm ſteht es um deren Qualität. Sind doch
Mittelmäßigkeiten wie Ricci's „Crispino" und Pedrotti's
„Tutti in maschera" das Erfolgreichſte, was die komiſche
Oper Italiens ſeit dem liebenswürdigen „Don Pasquale", alſo
ſeit mehr als dreißig Jahren hervorgebracht hat.

In jüngſter Zeit gelangte noch eine Novität dieſes Genres
zur allgemeinen Beliebtheit in Italien: die komiſche Oper „Le
Educande di Sorrento" von dem Trieſtiner Maëſtro Uſiglio.
Ihr eigener muſikaliſcher Werth iſt gering. In keiner Weiſe
hervorragend, bietet die Partitur weder Züge von genialer
Eigenthümlichkeit, noch von techniſcher Meiſterſchaft. Unverholen
folgt der Componiſt den Fußſtapfen Roſſini's und Donizetti's,
deſſen „Dulcamara" das „Specificum" für die komiſchen Effecte
liefert. Daß auch Verdi ſeinen Kugelſegen darüber geſprochen,
verſteht ſich von ſelbſt und verräth ſich ſchon durch die häufige
Verwendung des Flügelhorns und der kleinen Trommel. Dennoch
hat die Compoſition auch ihre guten Seiten. Zunächſt freilich
negative; aber auch das iſt ſchon etwas. Haben uns doch die
neueſten Maëſtri an ſo viel Rohheit und Trivialität gewöhnt,
daß wir ſchon erkenntlich ſind und halb befriedigt, wenn in
einer wälſchen Novität das Allerſchlimmſte vermieden und ein
mäßiger Ideengehalt wenigſtens in anſtändiger, natürlicher Haltung präſentirt wird. Dies iſt der Fall des Signor Uſiglio.
Seine Oper hält ſich gleichmäßig auf einem mittleren Niveau
der Heiterkeit und fließt, ohne widerliche Abſprünge in den
Stil der großen Oper, recht glatt und anſpruchslos dahin. Zu
einem kräftig ſtrömenden Humor bringt ſie es nirgends, verfällt
aber auch andererſeits nicht in unpaſſende Sentimentalität oder
geſpreiztes Pathos. Die Formen ſind knapp und ſehr über-
ſichtlich, die Inſtrumentirung größtentheils discret, die Führung
der Singſtimme desgleichen. Die leichte Ausführbarkeit dieſer

Oper, welche weder Riesenlungen noch Virtuosenkünste beansprucht,
erklärt ohne Zweifel einen Theil ihrer Erfolge. An munteren,
gefällig im Ohr haftenden Einzelheiten fehlt es nicht, wenn sie
auch keineswegs dicht gesäet sind; so z. B. das langsame
B-dur-Quintett im zweiten Act und das Trinklied der Luigia:
„Non fia mai“. Die italienische Gesellschaft, von der wir diese
Oper hörten, war nicht schlecht, ihre Signatur: reizlose Anständigkeit. Reizlos bis an die Grenzen des theatralisch Erlaubten war zuerst die Primadonna; etwas stattlicher die Al-
tistin. Den Baßbuffo Fioravanti habe ich auch in seiner
besten Zeit nicht für einen echten Komiker halten können. Sein
angeblicher Humor ist nur eine wohlassortirte Hausapotheke von
allen gebräuchlichen Surrogaten der Komik. Sämmtliche Lazzi
der italienischen Buffos stehen ihm zu Gebote, aber es fehlt
die komische Ader, die sie von Innen heraus durchströmt und
zusammenhält. Mit seinen bescheidenen Stimmmitteln auf der
Neige, pflegt Fioravanti heute gesichterschneidend im Tacte zu
sprechen, anstatt zu singen. Auf welcher Stufe dramatischer
Auffassung aber die Darsteller der beiden Liebhaberrollen, der
erste Tenor und der erste Bariton, standen, möge man aus einem
einzigen Zug entnehmen. Sie haben zwei junge verliebte
Freunde zu spielen, welche in ein strengbewachtes Mädchen-
Pensionat gelangen wollen und zu diesem Zwecke sich unter der
Maske von Prälaten dort einführen. Die Maske ist getreu
von dem Tonsurkäppchen bis auf die violetten Handschuhe herab,
dazu aber tragen die Herren Brogi und Bronzino stattlich ge-
wichste Schnurrbärte! Natürlich wird dadurch die ohnehin
unwahrscheinliche Handlung zur baren Unmöglichkeit, zum Unsinn, denn zwei junge Fante mit Schnurrbärten wird man in
keinem Pensionat der Welt als Prälaten becomplimentiren, sondern man wirft sie ohne Weiteres hinaus, und das Stück hat
ein Ende. Aber ein italienischer Tenorist opfert eher den Sinn
seiner Rolle und der ganzen Oper, als seinen Schnurrbart.

Ein italienischer nur? Ach nein, die meisten deutschen sind darin nicht besser, obwol wir glauben wollen, ·daß sie im ähnlichen Fall die theure Lippenzierde wenigstens „wegschminken" oder zu einem ehrwürdigen Vollbart verlängern würden. Nichts unter= scheidet schlagender den Opernsänger vom Schauspieler in Bezug auf künstlerischen Ernst und dramatisches Verständniß, als sein Verhalten zum Schnurrbart. Während dieser es sich gar nicht beifallen läßt, sein Gesicht durch einen Schnurrbart ein= für allemal zu stereotypiren, wehrt sich Jener darum mit Löwen= muth gegen den gescheitesten und couragirtesten Director. Dem Schauspieler liegt zumeist an seinem richtigen und charakteri= stischen Aussehen auf der Bühne, dem Opernsänger viel mehr an seiner schmucken Erscheinung auf der Straße. Keinem ernst= haften Schauspieler braucht man erst zu sagen, daß das Pu= blicum auch ein Recht auf sein Gesicht hat — einem Opern= sänger wird man das schwerlich einreden. Ich bekenne, daß die Schnurrbärte der beiden Prälaten mir die ganze Handlung der neuen Oper verleidet und deren Komik vernichtet haben. — Anhaltender Gunst erfreut sich in Italien auch die komische Oper „Tutti in maschera" von Carlo Pedrotti. „È un asino il maestro! Il poeta è un asino!" Diese kraftvollen Ausrufe, welche, fast nach Art eines Mottos, die Oper eröffnen und dem Hörer wieder beim Herausgehen unwillkürlich nach= klingen, gelten nicht etwa dem Werke des Herrn Pedrotti, sondern einer Carnevals=Oper des „Don Gregorio", deren Todesurtheil in der ersten Scene von den Gästen eines vene= tianischen Kaffeehauses proclamirt wird. Gregorio ist ein lächer= licher alter Componist und Theateragent, der, über den Undank des venetianischen Publicums entrüstet, nach Damascus auszu= wandern beschließt, wohin gerade ein reicher Türke, Abdallah, eine italienische Operngesellschaft anwirbt. Auch Gregorio's flatterhafte Frau Dorothea meldet sich für Damascus, des= gleichen seine Primadonna Vittoria, welche, irregeführt durch vorschnelle Eifersucht, sich mit ihrem Geliebten, dem Cavaliere Emilio, überworfen hat. Bei dem allgemeinen Zusammentreffen in Abdallah's Salon findet sich ein Zettel dieses verliebten Muselmannes an eine ungenannte Dame, welche ihm ein Rendezvous auf dem Maskenball gewähren soll. Sowol Gregorio als Emilio begeben sich, beide von Eifersucht getrieben, in einer Abdallah's Costüm getreu copirenden Maske auf den Ball. Gregorio muß von seiner ihn nicht erkennenden Frau sich die unartigsten und fatalsten Wahrheiten sagen lassen, Emilio hingegen gewinnt in seiner Verkleidung die frohe Ueberzeugung von Vittoria's unveränderter Liebe. Eben will der zuletzt eintretende wirkliche Abdallah mit seinen beiden Doppelgängern Händel beginnen, als die Masken fallen und Alles in Versöhnung und Heiterkeit schließt.

Ein paar komische Scenen lose aneinandergereiht, dazwischen etwas Liebe und Eifersucht, eine bunte Maskerade zum Schluß, das bildet die „Handlung" dieser drei Acte. Tutti in maschera (nach einem Goldoni'schen Sujet) ist eine Faschingsposse nach Art der „Türken in Italien" oder der „Italienerin in Algier", woran sie auch mitunter erinnert. Nur der Italiener ist so genügsam — „naiv" im lobenden wie im beschränkenden Sinne des Wortes — sich an einem solchen Libretto zu ergötzen, an einer Handlung, die weder Deutsche, noch weniger Franzosen sich gefallen ließen. Selbst an den besten Buffo=Opern der Italiener läßt sich die Bemerkung machen, daß eine überaus einfache Handlung, allenfalls mit ganz bekannten, typischen Figuren und einigen starken Situationen ihnen wesentlich und vollständig genügend ist. Vor Allem muß die Exposition klar sein. Die feingesponnenen, geistreichen Operntexte von Scribe hätten in Italien keinen Erfolg, ja die wenigsten davon würden verstanden, da die Intrigue sich sehr rasch und complicirt verwickelt. Hat der Italiener aber die ersten Scenen einmal verstanden und in einer klaren, ausführlichen Exposition festen Fuß

gefaßt, so folgt er auch jedem einzelnen Detail aufmerksam und
hingebend. Wie das Textbuch, so verlangt auch die Musik in
„Tutti in maschera" ein specifisch nationales Publicum. An
sich, vom allgemein musikalischen Standpunkt betrachtet, ist diese
Composition das Unbedeutendste, dabei Trivialste, was mir seit
Jahren vorgekommen ist. Der Componist lebt darin abwechselnd
von fremdem Eigenthum und seiner eigenen Gemeinheit. Die
Partie des Gregorio, die eigentlich burlesken Stellen sind aus
Abfällen Rossini's und Donizetti's bestritten, für alles Uebrige
sorgt Verdi. „Tutti in maschera" sind recht eigentlich eine
soutenirte Musik, wie man von „soutenirten Frauenzimmern"
spricht. Der immense Einfluß Verdi's auch auf die komische
Oper der Italiener ist eine auffallende und beklagenswerthe
Thatsache. Die beiden Bravour-Arien der Vittoria im ersten
und dritten Acte könnten nicht blos von Verdi sein, sie sind
es, mit wenigen Abänderungen und noch derberer Zurichtung.
Obendrein sehen sie einander zum Verwechseln ähnlich.
    Als Donizetti's liebenswürdiger „Don Pasquale"
erschien, bemerkte man darin die wiederholte und nachdrückliche
Einführung des Walzers in die Gesangspartie als eine
Neuerung, und um dieselbe Zeit machte der von der Tadolini
in einige Opern eingelegte „Gioja-Walzer" als eine noch ungewohnte Arienform Aufsehen und Effect. In diesem Punkte
haben wir schreckliche Fortschritte gemacht. In Pedrotti's
Oper ist Alles Walzer, mit Ausnahme einiger Nummern,
welche Polkas oder Galopps sind. Das beliebteste Musikstück
der Oper, Abdallah's Lied „Viva l'Italia!" erinnert an einen
alten Strauß'schen Walzer, thut aber wenigstens seine Schuldigkeit. Er ist frisch und lustig. Thatsache bleibt es, daß
„Tutti in maschera" (1854 für Verona geschrieben) noch zu
den besten komischen Opern gehört, die Italien in neuerer Zeit
hervorgebracht, und daß sie sich seit zwanzig Jahren auf den
italienischen Bühnen, den kleineren zumal, erhalten hat. Ein

trauriger Beweis für die Verarmung der italienischen Opera
buffa! Umgekehrt erklärt diese Armuth wieder den relativen
Erfolg von Pedrotti's Oper in Italien. Ein Opern-Publicum
kann nicht vom Tragischen allein leben, so sehr auch dieser Zweig
jetzt die Oberherrschaft gewonnen hat. Gesättigt von Gift,
Dolchen, Wahnsinn und Brandstiftung, sehnt es sich zeitweilig
immer wieder nach einer komischen Handlung, nach anspruchslosen, lustigen Melodieen. In Ermanglung des Guten nimmt
es dann mit dem Erträglichen vorlieb. Wir begreifen, daß
ein nicht sehr wählerisches italienisches Publicum, angeregt
und angeheitert von der allgemeinen Faschingsstimmung, nach
und neben allem Anderen Abends auch noch eine in ihrer Art
wirksame musikalische Posse wie „Tutti in maschera‟ mit
einigem Ergötzen hinabschlürft. Ihren heimischen Ruhm mußte
Pedrotti's Oper in Wien büßen, wo sie in der italienischen
Saison des Hofoperntheaters vorgeführt, ein schnelles geräusch-
loses Ende nahm.

Mehr ursprüngliches Talent liegt in der komischen Oper:
„Crispino e la Comare‟ von L. und F. Ricci, die seit
30 Jahren in ganz Italien zu den populärsten Buffo-Opern
zählt. Der Componist des „Crispino‟ hat doch noch die
Courage, herzhaft lustig zu sein; seine Musik — etwas mehr
oder weniger trivial — ist doch volksthümlich in den Figuren
und in den Melodieen. Die Scenen des Schusters und seiner
Frau im ersten Act und das Terzett der drei streitenden Aerzte
im dritten sind noch echte italienische Buffo-Musik, wie sie
Rossini schrieb, der letzte große Buffo-Componist und einzige
ganz italienische Italiener. Nach ihm sind nur die Brüder
Ricci noch eine allerletzte schwächere Incarnation der echten
Opera buffa. Die Brüder Luigi und Federigo Ricci haben
außer „Crispino e la Comare‟ noch eine Anzahl komischer
Opern gemeinschaftlich componirt. Sie waren zusammen im
Conservatorium von Neapel erzogen und hingen mit rührender

Zärtlichkeit aneinander. Da sie Niemanden in das Geheimniß
ihrer Arbeitstheilung eingeweiht hatten, konnte man niemals
sagen, welche Musikstücke von dem einen, welche von dem andern
Bruder herrührten. Fragte man Federigo, so antwortete er,
daß alles Gute in der Partitur von Luigi herrühre, und Luigi
versicherte, die gelungensten Musikstücke habe sämmtlich Federigo
componirt. Luigi verfiel dem traurigen Schicksal Donizetti's,
er starb im Irrenhause zu Prag 1860. Sein Bruder Federigo
folgte ihm bald nach.

Seitdem scheint die Opera buffa in Italien vollends ab-
gestorben. Wird noch einmal ein Rossini kommen, sie mit
seinem himmlischen Gelächter zu wecken?

II.

Frankreich.

Musikalische Briefe aus Paris.

(Vom Weltausstellungsjahr 1878.)

I.
Die Große Oper.

(Das Haus. Aufführung der „Hugenotten" und der „Jüdin".)

Beginnen wir mit dem Theuersten und Glänzendsten; mit der Großen Oper. Das neue Opernhaus, dessen Façade jetzt allabendlich in einem Meer von blendendem, elektrischem Lichte schwimmt, ist ein Prachtbau, dessen die Pariser sich mit berechtigtem Stolze freuen dürfen. Vierzehn Jahre währte der Bau; Louis Napoleon, der ihn begonnen, erlebte dessen Vollendung nicht. Das Kaiserthum hatte bereits seine Insignien von innen und außen angebracht; die gekrönten N., die ich noch 1867 an dem halbfertigen Bau prangen sah, haben den Initialen R. F. (République Française) Platz gemacht. Wenn irgendwo, so kann man in Paris die Vergänglichkeit alles Irdischen studiren und den schrecklichen „Neid der Götter" in tiefster Seele empfinden.

Der Glanz der inneren Einrichtung übertrifft jedenfalls die Wirkung des Gebäudes selbst, dessen Hauptfront etwas gedrückt und gedrängt erscheint, dabei sehr unruhig in ihrer figuralen Ausschmückung. Welch' echt französische wild-theatralische Bewegung in den vier großen Bronce-Gruppen vor dem Haupteingang! Welch' krampfhaftes Flügelschwingen der beiden riesigen goldenen Genien, deren Fittiche von der Attica senkrecht

in die Luft stehend, das Auge überall hin verfolgen. Aber
gleich beim Eintritt imponirt uns einer der Hauptvorzüge dieses
Theaters: der große Raum aller den Saal umgebenden Locali-
täten. Zunächst die weite Eintrittshalle (grand vestibule), der
imposante, säulengetragene Wartesaal, der Zugang zum Control-
büreau, dessen mit breiter Amtskette geschmückte Beamten mit
der Würde eines Gerichtshofes zu Rathe sitzen über Ein- und
Ausgehende. Den Glanzpunkt des ganzen Baues bildet das
herrliche Stiegenhaus mit den breiten marmornen Bogentreppen
und das große Foyer, das an Pracht alles Aehnliche in Schatten
stellt. Es ist so hoch, daß man sich vergeblich den Hals verrenkt,
um in den Deckengemälden den Zusammenhang der vielen durch-
und übereinanderpurzelnden Figuren zu finden. Man glaubt
zu erblinden zwischen diesen goldstrahlenden Wänden, hundert-
flammigen Lüstern und riesigen Spiegeln, welche all' den Glanz
und das Getümmel in's Unabsehbare fortsetzen. Uebersättigt
von dieser glitzernden Pracht, lenken wir aus dem Großen Foyer
ins „Avant-Foyer". Mythologische Wandgemälde, in kostbarer
Mosaik ausgeführt, schmücken dasselbe; es ist, als hätte ein
Stück von der byzantinischen Pracht der Marcuskirche sich hierher
verirrt. Mosaik ist die specielle Schwärmerei Garnier's, des
Architekten der Pariser Oper; er mußte Arbeiter aus Venedig
dazu kommen lassen, da in Frankreich sich Niemand dieser heiklen
Kunst gewachsen fand. So wundervoll sie ausgeführt sind,
diese Mosaikbilder mit ihren Unterschriften in zackigen griechischen
Lettern erscheinen hier doch wie eine unmotivirte Improvisation.
Für meine subjective Empfindung, die selbst ein oft wiederholter
Besuch nicht zu alteriren vermochte, ist das Alles zu luxurirend,
zu goldschwer, zu farbenlärmend, mit einem Wort zu anmaßend
gerade für ein Schauspielhaus, dessen äußere Räumlichkeiten bei
aller Schönheit und Bequemlichkeit doch nicht zur Hauptsache
werden und alle Aufmerksamkeit auf sich ablenken sollen. Es
scheint mir diese Art von Ausschmückung weit hinauszugehen

über wahrhaft künstlerische Schönheit, sie athmet mehr die Prah=
lerei der Verschwendung, und verräth zuerst den Millionär,
dann erst den Künstler. Das Stiegenhaus des Wiener Opern=
theaters mit seinem weißen Marmor und seinen edlen architek=
tonischen Verhältnissen, das Wiener Foyer mit seiner heiteren
Eleganz und den so poetisch componirten Fresken, — sie wirken
weniger blendend, aber künstlerisch reiner, vornehmer. Die
Wandgemälde des geistvollen Moritz von Schwind illustriren
bekanntlich Scenen aus den berühmtesten Opern, die in Wien
Epoche gemacht haben. Etwas der Art, irgend ein Historisches,
vermisse ich schwer in der malerischen Ausschmückung der Pariser
Oper. Da herrscht nur Mythologie, nichts als Mythologie.
Von den Musen (die aus Mangel an Raum auf acht Stück
reducirt sind) bis zu den Deckengemälden „Apollo's Sieg über
Marsyas" 2c. 2c., lauter allegorische, mythologische Figuren! Es
wäre ihnen noch Raum genug geblieben, wenn man wenigstens
einen Saal, ein Foyer den großen bedeutungsvollen Personen
und Ereignissen gewidmet hätte, mit welchen die Geschichte der
französischen Oper reicher als jede andere verknüpft ist. Die in
großen Ziffern über dem Vorhang prangende Jahreszahl 1669
ist, — abgesehen von einigen Tondichterbüsten — das Einzige,
was an den zweihundertjährigen Bestand der „Académie nationale
de musique" erinnert. Ueber diese Tondichterbüsten muß ich
mir auch einige Worte vergönnen. Im Innern des Theaters
prangt neben einer unscheinbaren Gipsbüste Meyerbeer's,
am Eingang zu dem vornehmsten Platz (dem Amphitheater und
den Stalles d'orchestre) eine besonders auffallende Erzbüste.
Darunter steht der Name Niedermayer! Wer ist Nieder=
mayer? Ein unbedeutender Componist, von dem die Welt nichts
mehr weiß und von dem nur in Frankreich eine Romanze aus
seiner längst vergessenen Oper „Maria Stuart" noch halbwegs
bekannt geblieben ist. Und dieser Niedermayer neben
Meyerbeer? Daß die Beiden nicht zu lachen anfangen, ist

geradezu ein Wunder. Auf dem Gesims der Hauptfaçade sind allerdings eine große Anzahl von Büsten aufgestellt, aber in welcher Unordnung möge man aus der Reihenfolge von links nach rechts schließen: Rossini, Auber, Beethoven, Mozart, Spontini, Halévy! Mein größtes Erstaunen erregten jedoch die vier sitzenden Colossalstatuen, welche gleich Eingangs im Grand vestibule thronen. Es sind Lully, Rameau, Gluck und — Händel! Wie kommt Händel hierher ins französische Opern= haus? Händel, der große Oratoriencomponist, dessen im italie= nischen Modestil der Zeit geschriebene und mit der Mode jener Zeit wieder verschwundene Opern niemals einen Markstein in der Entwickelung der dramatischen Musik bedeuteten und am allerwenigsten für die französische Opernbühne! Neben Gluck hat kein Anderer zu stehen (oder hier zu sitzen) als Mozart, und wenn in einem Opernhause aus allen dramatischen Com= ponisten nur vier durch große Statuen geehrt werden sollen, so muß Mozart den Ehrenplatz haben und darf an Händel kaum gedacht werden. Der Architekt Charles Garnier gibt für diese sonderbare Wahl eine Erklärung, die selbst noch viel sonder= barer ist: Händel soll die „englische Musik" repräsentiren! Ein Deutscher, der italienische Opern schrieb, als Sinnbild der englischen Musik! Das Recht Lully's auf eine der vier großen Statuen, ein Recht, das dem Schöpfer der französischen Großen Oper Niemand bestreiten dürfte, wird hinfällig durch die Er= klärung Garnier's, er habe Lully als Repräsentanten der italienischen Musik verewigt. Lully, der als kleiner Knabe aus seiner Florentiner Heimath nach Paris gekommen und hier Zeitlebens gewirkt, als specifisch französischer Operncomponist gewirkt hat, er und gerade nur er allein vertritt in der Großen Oper die italienische Musik? Da hört doch Alles auf. Daß in Paris, das gegenwärtig eine nicht geringe Zahl tüch= tiger Musikhistoriker besitzt, so seltsam und willkürlich in der Wahl und Reihenfolge der Tondichterstatuen verfahren wurde,

erklärte man uns damit, daß der Architekt Garnier, unzu-
frieden mit den verschiedenen Vorschlägen musikalischer Fachmänner,
zuletzt ganz nach eigenem Gutdünken vorgegangen sei.

Doch lassen wir die Statuen und treten ein in den Zuschauerraum. Auch ihn charakterisirt schwere goldstarrende Pracht;
sie lastet namentlich auf den die Bühne einrahmenden Theil
mit den Prosceniumslogen. All' diese massiven, barocken, goldenen Reliefs, goldenen Lyren, goldenen tubablasenden Genien
wirken zugleich niederdrückend und zerstreuend; die Bühne und
was auf ihr vorgeht, wird zur Nebensache. An Bequemlichkeit
läßt der Saal nichts zu wünschen übrig. Die Fauteuils sind
breit, die Bankreihen weit genug von einander abstehend, die
Zugänge bequem. Ein großer Teppich bedeckt den ganzen Boden,
macht die Tritte der rastlos Kommenden und Gehenden unhör-
bar und gibt dem Parquet das elegante Aussehen eines
Salons.

Drei wuchtige Schläge auf den Holzblock erschallen; das
Signal zum Aufziehen des Vorhangs, — im Grunde ein
antediluvianisches Surrogat für das Glockenzeichen, aber als
ehrwürdige Tradition festgehalten in ganz Frankreich. Der Vorhang (ein „Vorhang" im strengsten Sinne, Purpur mit weißer
Spitzenbordüre, ohne Figuren) geht in die Höhe. Mit Vergnügen bemerken wir, daß die Fiedelbogen der Geiger uns
nirgends die Aussicht auf die Bühne durchkreuzen und daß die
Instrumente (außer beim Fortissimo der Bläser) den Gesang
nicht decken; das Orchester ist ziemlich tief gelegt. Es ist dies
eine Wohlthat, die sich immer weiter ausbreitet und die wir
Richard Wagner verdanken. Nicht seinem Bayreuther
Theater, wo der richtige Gedanke zur Caricatur übertrieben
und das Orchester zum unterirdischen Maschinenraum degradirt
wurde, sondern den ersten Münchner Vorstellungen der
„Meistersinger" und des „Rheingold". Die Akustik des Pariser

Opernhauses ist dem Orchester minder günstig, als jene des abgebrannten Opernhauses in der Rue Lepelletier, in welchem Holzconstruction vorwaltete. Von den Violinen namentlich erwarteten wir mehr Glanz und Kraft.

Der Vorhang geht in die Höhe. Man gibt heute Abend — doch wer fragt darnach, was in der Großen Oper gespielt wird? Man will das Haus sehen. Es sind seit Monaten immer dieselben sechs Opern: Prophet, Afrikanerin, Hugenotten, Faust, die Jüdin und Freischütz, letzterer als Vorspiel zu dem Ballet Sylvia. Seit Christine Nilsson und der Baritonist Faure definitiv aus dem Engagement getreten sind, besteht das Personal theils aus Anfängern, theils aus Ruinen, — nur wenige halten ausnahmsweise die Mitte. Aber was liegt daran, wer singt, — man will das Haus sehen. Das ist der ewige Refrain der Direction und sie befindet sich wohl dabei. Herr Halanzier leitet die Große Oper aus den bequemsten finanziellen Gesichtspunkten; an eine so nothwendige Erneuerung des Repertoirs und des Personals denkt er nicht, weist doch der Kassenrapport jeden Abend eine Einnahme von 19 bis 20.000 Francs aus. Es wird nur viermal wöchentlich gespielt, darunter dreimal im Abonnement Der Andrang ist seit dem 5. Jänner 1875, dem Eröffnungstag dieses Opernhauses ein constant riesiger; das Haus meistens schon 8 Tage vorher ausverkauft. Diese Vormerkungen garantiren dem Logen- oder Fauteuilbewerber nur einen bestimmten Abend, nicht eine bestimmte Oper. Es ist eben das neue Haus selbst, auf welches sich fast alle Neugierde concentrirt!

Man darf es ungescheut aussprechen, daß die musikalischen Leistungen der Pariser Oper in keinem Verhältniß stehen zu der Pracht und Großartigkeit des neuen Baues. Diese Singvögel sind eines solchen Gold- und Juwelenkäfigs nicht werth. Auf der Bühne fand ich vortrefflich und bedeutend fast nur alles Aeußerliche: die Decorationen, Costüme, Ballette, Aufzüge. Die einzelnen Sänger können bis auf einen oder zwei nicht den Anspruch erheben, Künstler ersten Ranges zu heißen und würdig der Großen Oper von Paris, welche doch zum Besitz des Aller= besten berechtigt und verpflichtet wäre.

Zuerst hörte ich die „Hugenotten". Herr Villaret sang den Raoul, singt noch immer den Raoul. Villaret, der be= jahrte, dicke Philister, dessen einzige Mimik in einem unausge= setzt dummpfiffigen Lächeln und dessen Action in zwei stereo= typen Armbewegungen besteht. Seine Stimme hat noch Kraft, aber keinen Schmelz, keine Frische mehr; Gesangskunst besaß er niemals, und schon der ersten Romanze („Plus blanche"), die man nicht schreien kann, ist er nicht gewachsen. In einer Rolle wie Raoul wirkt der bloße Anblick dieses Menschen komisch. Ich mußte immer wieder auf Roger hinüberblicken, der im Parterre mit einer wahrhaft elegischen Miene diesen Raoul be= trachtete. Was mochte in dem Gemüth dieses geistvollen, lie= benswürdigen Künstlers vorgehen, der in derselben Rolle jedes Herz gerührt und entzückt hatte! Die Valentine sang Fräulein Gabriele Krauß mit der hohlen, tremolirenden Stimme, welche man im Wiener Operntheater schon vor fünfzehn Jahren nicht mehr hören mochte. Gut musikalisch, verständig und routinirt, wie sie ist, kommt sie auch als Valentine anständig fort, ohne jedoch auch nur in Einer Scene die Zuhörer hinzureißen.

Madame Miolan=Carvalho, eine Dame von fünfzig Jahren, mit glücklich conservirten Resten von Stimme und Schön= heit, sang die Königin. Sie singt auch Gretchen, Julia, Ophe= lia, ist somit als wahrer Rettungsengel von der Opéra Comique in die bedrängte Große Oper hinübergeflogen. Madame Miolan weiß mit ihren Mitteln trefflich hauszuhalten, und wenn ihren Leistungen die Tiefe und Gewalt der Leidenschaft abgeht, so be= stechen sie doch durch den Reiz einer stets maßvollen, eleganten Kunst. Das Pariser Publicum bewahrt seinen Künstlern eine zärtliche Pietät, die Erinnerung an die schönsten Tage der

Miolan scheint ihm wie ein Resonator ihre Töne von heute zu verstärken.

Ein anderes Personal hörte ich in der „Jüdin" von Ha-lévy. Mademoiselle Maubuit als Recha, die unbedeutendste, uninteressanteste Sängerin, die man sich vorstellen kann. Sie erscheint im ersten Act mit einer blonden hinaufgekämmten Frisur und einem breitgeflochtenen Zopf um die Stirne, ohne Turban oder Schleier. Die ganze Leistung war nicht einmal schlecht, sie war Null. Der Darsteller des Eleazar, Monsieur Salo-mon, gewinnt schnell die Sympathien der Zuhörer, welche Tags vorher Herrn Villaret als Raoul ausgestanden haben. Ein kräftiger und hochgewachsener junger Mann mit weicher, sonorer, nur in der Höhe etwas bedeckter und nicht leicht genug ansprechender Tenorstimme, die ebenso gesund klingt, wie sein einfacher, gerader Vortrag. Wir prophezeien diesem von der Natur so günstig ausgestatteten Anfänger eine schöne Carrière, falls er genug Fleiß und Intelligenz besitzt. Letztere Eigenschaft war freilich an seinem Eleazar nicht zu entdecken, er hatte keinen Begriff von der Rolle. Weder die nationalen Kennzeichen des Juden, noch sein rachedürstend fanatischer Charakter waren auch nur mit einer Miene angedeutet; Salomon spielte die ganze Partie majestätisch erhobenen Hauptes, salbungsvoll und versöhnungsmild, als wollte er die ganze Christenheit segnen, ein wahrer Apostel. Nie ist mir solcher schauspielerischer Unverstand vorgekommen. Madame Daram, ein reizloses Persönchen, das auch den Pagen in den „Hugenotten" gibt, sang die Eudoxia anständig mit kleiner, leichtbeweglicher Stimme. Prinz Leopold (Bosquin) war offenbar ein verkleideter sächsischer Schulmeister und von erheiterndster Wirkung.

Doch wenden wir uns lieber zur Lichtseite der Pariser Oper! Das ist die Mise-en-scène im weitesten Sinne. Vorerst die Decorationen. Sie gehören nicht zu jener aufbringlichen Sorte, die nur Farben-Effecte und Glanz um jeden

Preis anstrebt; es sind poetisch gedachte, charaktervolle Bilder.
Wie schön und düster stimmungsvoll ist nicht die Schneeland-
schaft mit der Terrasse im ersten Act des „Hamlet", wie könig-
lich heiter der Park von Chenonceaux im zweiten Act der „Hugenotten", mit seiner monumentalen Treppe, auf welcher ein
Bataillon von Pagen, Hofdamen und Hellebardieren sich male-
risch aufstaffelt! Wie reizend und grandios zugleich der freie
Wiesenplan, auf welchem das Turnier im dritten Act der
„Jüdin" stattfindet, mit dem Ritterschloß und dem kräftigen
Gebirgszug im Hintergrunde! Dieser Decorationskunst entsprechen die reichen, malerischen, historisch treuen Costüme und
das effectvolle Arrangement der Aufzüge und Gruppen. Der
Einzug des Kaisers im ersten, das Turnier und Ballet im
dritten Act der „Jüdin" gehören zu den vollkommensten Sce-
nerieen dieser Art. Ein Bild von ungemein idyllischem Reiz
eröffnet den vierten Act von „Hamlet": der ländliche Tanz,
welchen die volksthümlichen Lieder Ophelia's so anmuthig durch-
flechten. Die Ballette entwickeln geschmackvolle Pracht und große
Präcision der Bewegungen. Einen Reichthum an weiblichen
Schönheiten konnte ich darin nicht entdecken, obgleich (oder
weil?) ich in der Prosceniums-Loge des Directors, die sich auf
der Bühne selbst befindet, die Damen dicht vor Augen hatte.
Ich sah sie noch näher in dem berühmten „Foyer de la danse",
dem eleganten Saale, in welchem die Tänzerinnen in vollem
Balletcostüm sich versammeln und die Huldigungen der Jeunesse
(und Vieillesse) dorée entgegennehmen. Das ist ein Herren-
recht, das sich die Abonnenten der Oper um keinen Preis nehmen lassen und das nur im schwarzen Frack und weißer Cra-
vate ausgeübt werden kann.

II.

„Der König von Lahore" und „der Freischütz" in der Großen Oper.

Endlich, nach dritthalb Monaten in Paris, ward es mir bescheert, etwas Neues in der Großen Oper zu hören. Nicht etwa eine Première — das wäre zu viel verlangt, da selbst die officielle Ausstellungs-Oper, Gounod's „Polyeucte", erst als späte Abendröthe die Ausstellung verklären soll —*) aber doch ein in Deutschland noch unbekanntes, sechzehn Monate altes Werk: „Le roi de Lahore" von J. Massenet. Im April 1877 zum erstenmal gegeben, ist diese fünfactige große Oper nach längerer Pause jetzt wieder dem sechsspännigen Repertoire der Academie Nationale eingefügt worden. Die Pariser Journale preisen den „König von Lahore" natürlich als ein Chef d'oeuvre; man kennt den nur von den Italienern noch überbotenen Ruhmestrompeten-Ton, welchen die französische Kritik über einheimische Componisten anzustimmen pflegt. Aber selbst wer sich gewöhnt hat, diese kritischen Lobgesänge weislich eine Terz tiefer zu lesen, wird sie kaum im Einklang finden mit dem wirklichen

---

*) Gounod's „Polyeucte" gelangte erst im October 1878 zur Aufführung!

Werth des „König von Lahore“. Beginnen wir mit dem Textbuch.

Es darf wol als gebieteriſche Vorbedingung gelten, daß ein Schauſpiel ſich ſelbſt erkläre und der Zuſchauer auch ohne vorhergehende Lectüre des Librettos den weſentlichen Inhalt der Handlung verſtehe. Fordern wir doch auch von einem guten Gemälde, daß es in ſeinen Hauptmotiven verſtändlich ſei ohne Programm, wie viel mehr von einem Drama, welches, begün= ſtigter als das ruhende Bild, Zeit hat, ſich Schritt vor Schritt zu expliciren. Nun aber begegnete mir, der ich abſichtlich ganz unvorbereitet das Theater betrat, Sonderbares in der Auf= führung des „König von Lahore“. Ich ſah einfach folgende Handlung ſich abſpielen. Zu Anfang der Oper ein indiſcher Tempel, deſſen ſchönſte Prieſterin, Sita, heimlich vom König von Lahore, Alim, geliebt wird. Ein verſchmähter Nebenbuhler deſſelben, Namens Scindia, erſter Miniſter und Böſewicht des Stückes, denuncirt die Prieſterin; der König rettet ſie aber aus den Händen der fanatiſchen Geiſtlichkeit, indem er als Gegen= gefälligkeit verſpricht, ſofort gegen die eindringenden Mahome= daner zu Felde zu ziehen. Der zweite Act führt uns mitten in's Kriegsgetümmel; der König fällt von Scindia's meuchle= riſcher Hand, die treue Sita kniet weinend an ſeiner Leiche. Nun iſt wol Niemand ſo naiv, zu glauben, der erſte Tenoriſt in einer großen Oper ſei ſchon im zweiten Act richtig todt= gemacht; vielmehr erwartet man mit Beruhigung, er werde ſich hinter der Scene erholen und alsbald — etwa wie Dom Se= baſtian — zum allgemeinen Erſtaunen wieder auftreten. Richtig geſchieht dies im dritten Act. Wir ſehen beim Aufziehen des Vorhanges ein glänzendes orientaliſches Feſt mit Tanz und Muſik. Auf einem ſehr erhöhten Thron ſitzt — ganz wie Meyerbeer's „Prophet“ im letzten Act — ein König, unſerem Scindia zum Verwechſeln ähnlich, umgeben von Bajaderen und Harfenſpielerinnen; vor ihm entfaltet ſich unendlich langes,

üppiges Ballet. „Doch, wer kommt da?" ruft plötzlich der
König, sich nach der Seite wendend. Es ist der todtgeglaubte
Alim, der nun von der ganzen Festversammlung mit freudiger
Ueberraschung begrüßt wird. Nach dem Vortrag einer Arie
sinkt er, wahrscheinlich noch vom Blutverlust ermattet, ruhig in
den Schlaf. Der Vorhang fällt. Das ist, was wir sahen und
richtig zu verstehen glaubten. Weit gefehlt. Die nachträgliche
Lectüre des Textbuches belehrte uns, daß König Alim im zweiten
Act wirklich gestorben und im dritten als abgeschiedener
Geist in das Paradies der Gläubigen eingegangen sei! Das
verliebte Ballet war ein Tanz seliger Geister, und der blasirte
Müßiggänger auf dem goldenen Thron kein König, sondern der
Gott Indra in höchsteigener Person. In tiefster Seele hätte
ich mich meines Irrthums geschämt, würde nicht meine ganze
Theater-Nachbarschaft letzteren ruhig getheilt haben. Und nun
frage ich, darf ein dramatischer Dichter so vollständig übersehen,
daß man im Theater nur das glaubt, was man sieht, und daß
man einen wohlbehaltenen gesunden Lümmel, der von einer lustigen
Tanzgesellschaft empfangen wird, nicht für einen abgeschiedenen
Geist halten kann? Eine zartere Bezeichnung als die obige
finden wir leider nicht für den Darsteller des Alim, Herrn
Vergnet, welcher wie eine verjüngte Caricatur des alten
Schreckenstenoristen Villaret aussieht. Bei dieser Gelegenheit
sei die Bemerkung erlaubt, daß die großen Opernhäuser der
Neuzeit neben ihren musikalischen Gefahren auch noch einen
anderen, bisher noch nicht zur Sprache gebrachten Uebelstand
fördern. Nicht nur jede zarte Stimme und jedes feine Mienen-
spiel vereiteln diese riesigen Theater, sie heißen noch außerdem
die plumpesten Gestalten, die rohesten Gesichter willkommen,
welche überall sonst von idealen Rollen ausgeschlossen blieben.
Ein Rest von Illusion, ein Hauch von Idealität sollte aber
doch auf jeder Bühne gewahrt bleiben. Je größer unsere
Opernhäuser werden, desto unentbehrlicher die starken Stimmen,

und so läßt man denn ohne weiteres den Raoul, den Faust, den Romeo von den abschreckendsten Gesellen singen, wenn ihnen nur der Himmel zu ihrem Stierkopfe auch die entsprechende Stierlunge verliehen hat.

König Alim von Lahore, nach dem wir uns nun wieder umsehen wollen, findet die Wonnen des Paradieses ohne seine Sita äußerst langweilig; er erbittet und erhält vom Gott Indra die Erlaubniß, wieder als lebendiger Mensch auf die Erde zurückzukehren — eine Begünstigung, die ohne Zweifel in indischen Legenden begründet, aber bei uns so ungebräuchlich ist, daß wir sie auf der Bühne schlechterdings nicht verstehen. Alim darf also zu seiner Sita wieder herabsteigen, doch bleibt durch den Götterspruch sein Leben fortan an das ihrige geknüpft. Sita, von dem verliebten Tyrannen Scindia bedrängt, ersticht sich im fünften Acte, und im selben Augenblicke sinkt auch Alim sterbend neben ihr zu Boden. Der Held, Alim, stirbt also zweimal in dieser Oper; von allem Anfang an eine vollständig gleichgiltige Figur, läßt er uns eben auch in seinem Doppelsterben ungerührt. Dem gemeinsamen Tode entgegensehend, halten sich die Liebenden in einem letzten Liebesduett beseligt umschlungen — es ist dieselbe Situation, wie in der Schlußscene zwischen Aïda und Rhadames. Offenbar hat Herrn Massenet Verdi's Oper vorgeschwebt; an sie mahnen Stimmung und Colorit des „Königs von Lahore"; ja manche Einzelheiten, wie die von einer Flöte vorgetragene Hindu-Melodie in dem orientalischen Ballet, weisen direct auf dieses Vorbild. Und doch welch' fundamentale Verschiedenheit in der Musik! Man lernt Verdi's musikalische Naturkraft erst recht schätzen, wenn man die Mühsal neufranzösischer Opern-Composition einen langen Abend hindurch mitgemacht. „Aïda" erregt mir jederzeit ein Gefühl der Freude, fast des Erstaunens, daß so etwas heute noch entstehen konnte; ich möchte, das Wort im freieren Sinne genommen, „Aïda" die letzte classische Oper nennen.

Sie ist vorläufig die letzte, in welcher der dramatische Ausdruck sich musikalisch, gesangschön, in vollen, farbigen Blüthenkelchen entfaltet, und wo die Leidenschaft noch als glühende Melodie, nicht als glühende Asche uns entgegenströmt. In „Aida" tragen die Stacheln der Verzweiflung noch Rosen, während umgekehrt im „König von Lahore" und ähnlichen Musik-Tragödien der Franzosen das Bestreben, immer nur „dramatisch" zu stechen und zu brennen, die letzten Blüthen der Musik verzehrt. Grill-parzer sagt einmal in seinem Pariser Tagebuch, die Künstler der Großen Oper seien, „was man dramatische Sänger nennt, das heißt schlechte. Sie verstehen sich vortrefflich darauf, die Winkelpoesie eines erbärmlichen Textbuches geltend zu machen, sind aber nicht im Stande, die musikalischen Intentionen einer guten Composition in's Leben zu bringen." Für die heu-tigen Sänger der Großen Oper gilt dies Wort nicht mehr; die Villaret, Sellier, Salomon, Vergnet ꝛc. sind nichts weniger als dramatische Künstler; aber auf die jetzigen Compo-nisten paßt es vortrefflich. Alle dramatischen Pointen und Contraste, vom jähen Schrei bis zur grübelnden Reflexion („die Winkelpoesie eines erbärmlichen Textbuches") treffen sie, mit Hilfe einer glänzenden Technik und ausgebildeten Psychologie der Instrumente, in Töne zu fangen, aber der Strom der Me-lodie, das holde Leben der Musik weicht erstarrend vor ihnen zurück. Vor lauter Ausdruck werden sie ausdruckslos, und indem sie immer nur „dramatisch" componiren, hören sie auf, musikalisch zu sein. Das Verdienstliche an Massenet's Oper will ich nicht schmälern; der Componist zeigt ein redliches, sogar ein hohes Streben. Seine Partitur ist mit Geist und mit unsäg-lichem Fleiße gemacht, man sieht die Schweißtropfen daran perlen. Das orchestrale Raffinement grenzt an's Unglaubliche; jedes einzelne Instrument macht seine geistreichen „mots" so lange, bis sie alle zu einem hauserschütternden Lärm zusammenschlagen. Die Declamation verräth geistvolle Sorgfalt, die Melodie hin-

gegen Schwäche und Blutarmuth. Massenet ist durch eine
komische Oper: „Don César de Bazan‟, bekannt geworden, ein
Werk, das, ohne starke schöpferische Ader, doch gefällig wirkt und
namentlich einen gewissen romantischen Conversationston mit der
anmuthigen Gewandtheit der Franzosen handhabt. Begreiflicher-
weise lockte der Ehrgeiz den jungen Componisten auf das Feld
der großen Oper; hier wähnt er in jedem Tact „groß‟ sein zu
müssen, und erreicht doch trotz dieser Anstrengung fast nirgends
das Maß des geborenen Dramatikers.   Am besten glücken ihm
noch die Nummern von leichterem, gefälligem Stil, wie das
barcarolenartige Frauenduett im zweiten Act und die Balletmusik im dritten.   Letztere hat einige brillante Momente, die
allerdings mehr aus rhythmischen und instrumentalen Combinationen, als aus melodiöser Kraft hervorgehen.   Das Ballet
ist mit glänzender Pracht ausgestattet, wie denn überhaupt im
„Roi de Lahore‟ die Künste der Decorations-Malerei, der
Costümirung, des Maschinen- und Beleuchtungswesens sich zu
einer wunderbaren Gesammtwirkung vereinigen. Ich zweifle, ob
man in dieser Richtung noch weiter gehen könne, selbst in der
Pariser Großen Oper. In dem glänzenden, alles Uebrige verschlingenden Ausstattungswesen liegt der Ruhm und die Gefahr
dieses Theaters. Fast scheint es, als biege die Oper auf diesem
Wege zu ihren Anfängen, zu den kostspieligen Fest- und Hofopern des 17. Jahrhunderts, zurück; das Talent des Tondichters und der Sänger beginnt an die zweite Stelle zu rücken,
hinter den Reiz des Schaugepränges. Es ist unwidersprochene
Thatsache, daß die Besucher der Großen Oper in Paris vor
Allem sehen wollen, die Musik kann daneben nur durch
rauschende Fülle und Pracht wirken. Die Opernmusik soll hier
für das Ohr schlechterdings sein, was das elektrische Licht für
das Auge. Geblendet, berauscht von all' dem Sehen und Hören
kommen wir aus dem Märchenreich des „Königs von Lahore‟,
— innerlich arm, unbefriedigt und leer. Mit zunehmender

Schnelligkeit verfolgt die neufranzösische Schule ihren Weg von musikalischer Anmuth und Natürlichkeit zu immer raffinirterer krankhafter Künstelei.

Dem „König von Lahore" kommt von allen Vorstellungen der Großen Oper Halévy's „Königin von Cypern" am nächsten durch ihre bewunderungswürdige Scenirung. Ich meine damit keineswegs die bloße Pracht, obgleich auch diese hier den vollständigsten Triumph feiert; vielmehr den wunderbar poetischen Reiz der Decorationen, diese Garten- und Seeland-schaften, belebt von den mannichfaltigsten malerischen Gruppen: Schiffer, Soldaten, Edelleute, Tänzer und Tänzerinnen, Alles in historisch und ethnographisch treuen Costümen. Hier tritt die poetische Seite der Ausstattungskunst in ihre volle Bedeutung. Das Textbuch der „Königin von Cypern" häuft derlei Scenen, welche der malerischen Erfindung beneidenswerthe Aufgaben stellen. Darin erblicken wir auch das stärkste, wenn nicht das einzige Motiv für die Wiederaufnahme dieser musikalisch dürf-tigen und auffallend veralteten Oper. Zwei bis drei Nummern höchstens wirken gefällig, hinreißend keine einzige. Die Eile, mit welcher die Große Oper die „Königin von Cypern" ihrem kleinen Repertoire einverleibt hat, ist nur aus decorativen Grün-den begreiflich; neben der „Jüdin" (welche Halévy mit keinem anderen Werk wieder erreichte) spielt seine „Königin von Cy-pern" eine mumienhaft traurige Figur. Von den Sängern spreche ich lieber gar nicht; wenn die Pariser mit ihnen zu-frieden sind, so haben wir Anderen eigentlich nichts dreinzu-reden. Von allen Künstlern der Großen Oper — und ihr Personal ist sehr zahlreich — hat einzig und allein der Bariton Lasalle uns ein aufrichtiges Vergnügen gemacht. Sein um-fangreiches Organ imponirt durch gesunde Kraft und Fülle, es klingt mehr italienisch als französisch. An Stimme übertrifft Lasalle seinen Vorgänger Faure, als Sänger erreicht er ihn nicht, noch weniger als Schauspieler. Dies verräth namentlich sein Nelusco, eine Partie, die größere dramatische Ansprüche erhebt. Lasalle gibt den wilden Naturmenschen viel zu elegant und zu conventionell, obendrein mit schön frisirtem Kopf. Seltsam, daß die Franzosen, als Maler und Schauspieler Realisten par excellence, in der Oper vor scharfer Charakteristik zurückschrecken und durchaus den „schönen Mann" nicht verleugnen wollen. Darin scheinen nun einmal alle Opernsänger Eine Familie zu bilden. Vor zehn Jahren sah ich hier im Théâtre Lyrique den Bassisten Troy als Caspar im „Freischütz"; er gab ihn vorzüglich, aber mit einem so modisch frisirten Kopf, daß man ihn in den Auslagkasten eines Friseurs hätte stellen können. Ganz so geleckt erscheint heute Herr Gailhard, der den Caspar in der Großen Oper singt und ganz gut singt.

Der „Freischütz" war mir immerhin von allen Vorstellungen der Großen Oper die genußreichste. Text und Musik dieser Oper verfehlen auf den Deutschen niemals ihren Eindruck und gedeihen ihm vollends zum Labsal, hat er vorher nichts als Meyerbeer, Halévy und Massenet gehört. Man hält sich hier noch an die Bearbeitung von Berlioz, der mit kundiger und pietätvoller Hand den Dialog in Recitative verwandelt und die „Aufforderung zum Tanze" als ländliches Ballet in den dritten Act eingelegt hat. Die Pariser Aufführung hat mancherlei Vorzüge, auch solche, die wir nachahmen sollten. So z. B. gibt man hier den „Freischütz", wie er geschrieben ist, in drei Acten. Für das Zimmer Agathens benützt man mit Recht nur den Vordergrund der Bühne; dadurch wird die Scene traulicher, intimer und bildet einen wirksamen Contrast zur Wolfsschlucht, die inzwischen bequem vorbereitet werden kann. Der große Saal Agathens in Wien ist ein Mißgriff und die Theilung der Oper in vier Acte eine barbarische Willkür. Die Decoration der Wolfsschlucht in Paris gehört zu dem Großartigsten, was die Bühne im Fache des Wildromantischen leisten kann. Man vergißt darüber, daß manche der Spukgestalten, die wilde Jagd und Aehnliches, mehr französisch als deutsch gedacht sind. Eine sehr praktische Aenderung scheint mir, daß das Brautjungfernlied von Aennchen vorgesungen und blos im Refrain von den Choristinnen verstärkt wird. Dabei bleibt die geschmacklose Verwechslung des Brautkranzes mit dem Todtenkranz weg; die Stimmung wird nicht unterbrochen. Ein schlimmes Versehen ist es hingegen, daß in der Pariser Aufführung der kurze Dialog, worin Max von Caspar die letzte Freikugel verlangt, wegbleibt; die ganze, ohnehin von Haus aus etwas unklare Schlußscene wird dadurch total unverständlich. Auch für die Kürzung des letzten Finales, in welchem der Eremit zur stummen Person degradirt wird, finden wir keinen Entschuldigungsgrund. Musikalisch verdient die Pariser Aufführung die aufrichtigste Anerkennung. Am wenigsten genügte die Darstellerin der Agathe, welche die Pariser noch immer für eine erste dramatische Sängerin nehmen. Sie sah höchst unvortheilhaft, fast matronenhaft aus, spielte die ganze Rolle gleichgiltig, mit unbeweglichem Gesicht ab und tremolirte dergestalt, daß man in dem E-dur-Andante „Leise, leise" genau acht Luftstöße in jeder der vier ersten Viertelnoten zählen konnte, welche somit in der kläglichen Gestalt von 32 Zweiunddreißigsteln einhergezittert kamen. Viel besser war Aennchen, eine zweite Sängerin mit frischer Stimme und natürlicher Anmuth. Leider ist dieses ausnahmsweise erfreuliche Persönchen, Fräulein Arnaud, einige Tage nach der „Freischütz"-Vorstellung aus dem Theater in den heiligen Ehestand getreten. Max und Caspar waren befriedigend, jedenfalls besser, als man von Franzosen in Weber'scher Musik erwarten konnte. Die Oper wurde von dem allerdings nicht allzu zahlreichen Publicum beifällig und mit großer Aufmerksamkeit angehört; das Stammpublicum der Abonnenten erschien erst nach dem „Freischütz", zum Anfang des Ballets „Sylvia". Durch das überaus große, wohlgeschulte Tanzpersonal und die brillanten Decorationen macht „Sylvia", wie überhaupt jedes Ballet, eine blendende Wirkung im Pariser Opernhaus.

Mademoiselle Rita Sangalli, die Pariser „Sylvia", ist eine virtuose Tänzerin, obendrein ein kluger Kopf, welcher ernsthaft über die künstlerische Mission der Füße nachdenkt. Noch eine andere sehr hervorragende Eigenschaft hängt ihr an, die mir aber weniger gefällt. Man weiß von Napoleon, daß er für ernste, ausdauernde Arbeiten sich gerne Männer mit großen Nasen auswählte. Ob er auch den Reiz einer Tänzerin nach der Länge ihrer Nase taxirt habe, ist nicht bekannt. Sein Urtheil war auch in diesem Fache sehr geschätzt.

III.
Ballette von Leo Délibes.

Die besten, beinahe die einzigen Ballette, welche die Große
Oper in Paris gibt, sind „Coppelia", „Sylvia" und „La
source". Sie sind von Leo Délibes in Musik gesetzt und
verdanken dieser Musik zum größten Theil ihren großen anhalten=
den Erfolg. „Coppelia"? Der seltsame Name wird Manchen
befremdet haben. Er ist das Femininum von Coppelius,
und Coppelius selbstverständlich der Name eines halbverrückten
deutschen Gelehrten, welcher sicherlich von Haus aus Koppel hieß.
Nachdem ihm mit der Gelehrsamkeit auch die lateinische Endung
angewachsen war, verfertigte dieser Ehrenmann nebst anderen
Wunderdingen einen weiblichen Automaten von großem Liebreiz
und absonderlicher Beweglichkeit, welcher dem Namen „Coppelia"
erhielt. Ein jugendlicher Schwärmer, Franz, verliebt sich über
die Straße in die am Fenster sitzende Wachsfigur und erregt
dadurch die Eifersucht seiner Verlobten, Swanilda. Diese benützt
die Abwesenheit des alten Coppelius, um sich selbst an die
Stelle des „Mädchens mit den Glasaugen" auf das Postament
zu setzen und so als lebendige Coppelia zugleich den alten
Magier zu necken und ihren schnellbekehrten Bräutigam wieder=
zugewinnen. Dies ist ungefähr der von allerlei lustigem und
phantastischem Beiwerk umrankte Kern des neuen Ballets, zu
welchem wol gleichmäßig E. T. A. Hoffmann's grauenvolles

Märchen vom „Sandmann" und Adam's luftige Operette:
„La poupée de Nuremberg" den Anftoß gaben. Die Hand=
lung hat den Balletmeifter Saint=Léon zur Entfaltung reizender
Tänze und den Componiften Leo Délibes, den Autor der
allerliebften Spieloper „Le roi l'a dit", zu einer ebenfo graziöfen
wie charakteriftifchen Balletmufik angeregt. In Deutfchland
ereignet es fich kaum, daß namhafte Schriftfteller und Compo=
niften fich entfchließen, mitunter auch für das Ballet zu arbeiten.
Anders ift Paris. Der Dichter Teophile Gautier hat der
Großen Oper nicht weniger als fechs Ballet=Poëme gefchrieben;
berühmte Operncomponiften wie Auber, Halévy, Hérold,
Adam („La Giselle") verfchmähten es nicht, Balletmufik zu
componiren. Deutfche Componiften find mit ihren Melodien
viel zu geizig, um diefelben für Ballette auszugeben; fie ant=
worten ähnlich wie unfere Dichter auf das Anfuchen um ein
Opern=Libretto: „Wenn ich einen guten Bühnenftoff habe, fo
mache ich ein Drama daraus." Diefer Ideengeiz, dem oft ein
noch unedlerer zur Seite fteht, verfchuldet den Mangel an guten
Operntexten, an guten Balletmufiken in Deutfchland. Der
Balletcomponift muß fich allerdings manchen befchwerlichen Be=
dingungen fügen, welche die Technik des Ballets dictirt. Er
muß nachgiebiger fein gegen den Balletmeifter, als der Libretto=
Dichter gegen den Operncomponiften. Schreibt aber ein talent=
voller Componift gute Mufik zu einem Ballet, fo ift der Erfolg
des letzteren zur Hälfte gefichert. Wie viel hat Hertel's melo=
diöfe Mufik zum Erfolg der „Satanella" beigetragen! Das
ift eine Ausnahme. In der Regel wird in Deutfchland und
Italien der mufikalifche Theil der Ballette viel zu nebenfächlich
und fchleuderhaft behandelt. Und doch könnte man die paradoxe
Behauptung wagen und begründen, es fei die Aufgabe der
Mufik noch wichtiger und dankbarer im Ballet als in der Oper.
Wichtiger: denn die taubftumme Handlung bedarf weit bringender
als das Wort der mufikalifchen Deutung und Belebung; dank=

barer: weil der Balletcomponist, unbeengt von Wort- und
Stimmrücksichten, sich mit der Freiheit des reinen Instrumental-
Componisten bewegen kann, ohne je, wie dieser, ein Mißver-
ständniß seiner Absichten zu befürchten. Délibes' Musik zu
„Coppelia" hat das zweifache Verdienst, melodiös reizend und
zugleich überall dramatisch bezeichnend zu sein. Wie fein und
genau schmiegt ihr Rhythmus sich den getanzten Rhythmen auf
der Bühne an, wie lebendig erklären seine Instrumente, was
der Mimik des Tänzers auszudrücken nicht vergönnt ist! Wir
erinnern an das flüsternde Geigenmotiv (mit Sordinen) beim
Eintreten der furchtsamen Mädchen in Coppelia's Atelier, an
den Tanz der Puppe im zweiten Acte, der die komisch ab-
gemessenen, mechanischen Bewegungen des Automaten so köstlich
illustrirt u. s. w. Aus rein musikalischem Gesichtspunkte sind
die Orchester-Variationen (über ein polnisches Lied von Moniuszko)
im ersten Act ein kleines Cabinetsstück, wie es selten in Balletten
vorkommt.

Zu den beliebtesten und glänzendsten Vorstellungen der
Großen Oper gehört auch L. Délibes' neuestes Ballet
„Sylvia." An Musik steht es der „Coppelia" nicht nach,
leider jedoch bezüglich der Handlung.

Die Berufung auf Tasso, dessen berühmtes Schäferspiel
„Aminta" den Grundstoff zur „Sylvia" lieferte, kann letzterer
wenig nützen. Tasso's „Aminta" (erschienen 1572) behandelt
in fünf Acten eine gar dürftige Handlung: Ein Hirte,
Aminta, rettet die Nymphe Sylvia aus der Gewalt eines
lüsternen Satyrs. Auf der Jagd mit anderen Nymphen
umherstreifend, verwundet Sylvia einen Wolf, flieht vor
ihm und verliert ihren blutbefleckten Schleier. Aminta wird
dadurch zu dem Wahn veranlaßt, seine Geliebte sei von dem
Wolfe zerrissen und stürzt sich von der Spitze eines Felsens.
Indessen kommt Sylvia zurück, erzählt, wie sie dem wüthenden
Thiere entgangen, erfährt aber nun Aminta's Tod und will ihm

verzweifelnd folgen. Allein Aminta ist nicht gestorben, sondern
nur leicht verletzt, und die Liebenden feiern beglückt ihre Vereinigung. Dieses übermäßig einfache Sujet, welches auch bei
Tasso einschläfern müßte, hätte dieser nicht den ganzen Blumen-
flor seiner duftigen Sprache darüber gebreitet, erscheint in unserem
neuen Ballet folgendermaßen umgestaltet und bereichert: Sylvia,
eine Lieblingsnymphe der Göttin Diana, ist zugleich das von
Ferne angebetete Ideal des armen Schäfers Aminta. Wir sehen
sie zu Anfang des Ballets, wie sie, von der Jagd kommend,
im Walde Helm und Köcher ablegt, um mit ihrem jungfräulichen
Gefolge auszuruhen und das gebräuchliche Opern = Seebad zu
nehmen. Obwol die Ballet = Hydropathinnen dies immer in
voller Toilette, mit Schuhen und Strümpfen thun, sind sie doch
jedesmal tödtlich erschrocken, wenn sie einen Sterblichen in der
Nähe bemerken. Auch unser verliebter Schäfer wird hinter
einer Götterstatue entdeckt und fällt, von dem rächenden Pfeil
Sylvia's getroffen, nieder. Sylvia besitzt aber außer diesem
blonden, auch noch einen schwarzen Verehrer von unbändigem
Temperament und äußerst frechen Gewohnheiten, den Jäger
Orion. Mit seinen Liebesanträgen zurückgewiesen, packt er die
Nymphe einfach auf die Schulter und trägt sie in seine Felsen-
grotte. Hier seufzt sie als Gefangene des schwarzen Unhold's,
bis sie ihn endlich durch List unschädlich zu machen weiß. Sie
preßt nämlich den Saft aus einigen Weintrauben in eine Schale,
credenzt sie dem Orion und sieht ihn bald schwer berauscht
umhertoben, endlich niedersinken. In der Regel pflegt süßer
Most eine etwas sanftere, nicht gerade nach dem Kopf aufsteigende Wirkung hervorzubringen, wie dies wol Jeder irgend
einmal erfahren hat, — im Ballet muß man freilich physio-
logische Wunder gläubig hinnehmen. Genug, das Ungethüm
schnarcht in besinnungslosem Mostrausch, während Sylvia den
Gott Amor zu Hilfe ruft und von ihm auch richtig aus der
Grotte befreit wird. Derselbe Amor, „das verschmitzte Kind"

7*

es nicht — zum Glück macht das Alles in Délibes' Orchestrirung kein so böses Gesicht wie auf dem Papier. Was in einer Ballet=Partitur sehr viel sagen will: wir hören in „Sylvia" keine musikalischen Rohheiten, weder in der Melodie, noch in der Instrumentirung. Es ist Alles fein und distinguirt, „zu distinguirt", wird mancher Balletfreund sagen, und in der That könnten in den eigentlichen Tänzen einige Strauß'sche Blutstropfen nicht schaden. Sei es, daß jene unmittelbar einschlagende Sinnlichkeit ihm ausweicht oder er ihr — Délibes kann sich jedenfalls rühmen, die Einheit des Stils nirgends zu Gunsten der Drehorgeln oder Militärbanden verletzt zu haben. Unter den schönsten Musikstücken der Partitur ist zuerst der „Langsame Walzer der Sylvia" hervorzuheben, der auch als Entreact wiederkehrt — ein über einzelnen Harfen=Arpeggien sich wiegender graziöser Gesang der Violine und des Waldhorns. Ein lebhafteres Gegenstück dazu bildet das Divertissement der Sylvia im letzten Act. Diese Perlenschnur von pizzikirten Sechszehntel=Figuren der Violinen ist eine getreue Uebersetzung von Sylvia's Tanzschritten in's Musikalische oder umgekehrt. Musikalisch noch bedeutender ist der Tanz der Jägerinnen im ersten Act mit seinem echt symphonischen Hauptmotiv, einer von vier Hörnern unisono geschmetterten Fanfare, der die Pauken antworten. Durch sehr originelle Instrumentirung wirkt der Bauerntanz in C dur (Flöte und Piccolo in Terzen, über einen dudelsackartig brummenden, von Tambourinschlägen aufgestachelten Baß), durch echt pastorale Lieblichkeit die erste Scene des Schäfers Aminta. Eines einzigen geistreichen und stimmungsvollen Zuges sei noch gedacht: des Hornrufs beim Herannahen Sylvia's, der, aus dem Es-dur-Dreiklang nachhallend, unmittelbar nach Des-dur herabgleitet.

Im Vergleich mit „Coppelia" ist „Sylvia" prächtiger, größer in den Dimensionen und den Ansprüchen; uns bleibt

trotzdem jenes kleine niederländische Genrebild sympathischer, als
diese „historische Landschaft mit mythologischer Staffage".
„Coppelia" fußt auf einem originellen Grundgedanken, der sich
in der Automaten=Scene des zweiten Actes überaus ergötzlich
entwickelt; die ganze Handlung dieses Ballets, ihr „Costüm"
im weitesten Sinn, ist natürlicher, heiterer und treibt auch die
Musik zu leichterem und rascherem Fluß an. Hingegen ist von
der scenischen Monotonie der „Sylvia" eine gewisse Einförmig=
keit der Musik kaum zu trennen. Es kommt darin zu keiner
herzhaften, gesunden Fröhlichkeit. Daran ist zur Hälfte, wie
gesagt, das Textbuch schuld, zur Hälfte aber die Eigenart von
Délibes' Talent, welches mehr auf feinste Detail=Arbeit als auf
packende Wirkung angelegt ist. Möchte der Componist sich dem=
nächst einen anregenderen Balletstoff wählen, oder besser: gar
keinen mehr, sondern ein heiteres Opern=Libretto. Wer eine
komische Oper, wie „Le roi l'a dit" geschrieben hat, dem darf
man fast das Recht bestreiten, sich anders als ganz vorüber=
gehend dem Ballet zu widmen. In drei Balletten hat Délibes
sich als Meister der musikalischen Taubstummensprache bewährt;
möge er nunmehr zur lebendigen Rede, zum tönenden Gesang
zurückkehren und statt getanzter Götterfabeln uns Lust und Leid
wirklicher Menschen schildern in Melodien, zu welchen nicht die
Fußspitze, sondern das Herz den Tact schlägt.

Ganz zuletzt lernten wir das erste von den drei berühmten
Balletten Délibes' kennen: „La source" (in Wien unter dem
Titel „Naila, die Quellenfee" gegeben). „La source" hat
zuerst die Aufmerksamkeit der Pariser auf Délibes gelenkt, der
vorher schon eine ziemliche Anzahl von kleinen Opern geschrieben
hatte, ohne damit durchzudringen. Die ersten bitteren Erfah=
rungen von Gounod, Délibes u. A., welche lange und
viel arbeiten mußten, ehe sie es zu einem Namen gebracht,
widerlegen den in Deutschland noch immer herrschenden frommen

Glauben, daß in Paris jeder talentvolle Componist sogleich durchdringe zu Anerkennung und Stellung. L. Délibes hat nur den 2. und 3. Act dieses Ballets componirt; das übrige stammt von einem jungen Polen Namens Minkus und ist weniger geglückt. Den in „La source“ eingeschlagenen Weg hat Délibes später in seinen beiden weit vorzüglicheren Balletten „Coppelia“ und „Sylvia“ rühmlich weiter verfolgt. Eine Musik von der Quelle ist die zur „Quelle“ auch nicht, — aber wo fließt jetzt überhaupt dergleichen? Das aufrichtigste Lob verdienen auch hier die dramatischen Partien seiner Musik, die eigentlichen „Scenen“; Délibes darf sich rühmen, darin einen Fortschritt gegen die frühere Zeit zu bedeuten und alle seine lebenden Rivalen zu übertreffen.

Nur mit ängstlichem und etwas schuldbewußtem Gemüth gehe ich von der Musik zu dem Ballet selbst über: die Musik habe ich verstanden, das Ballet aber nicht. Durch lange Theaterpraxis mit den schlimmsten Sprüngen der Ballet-Logik vertraut, sogar zu einiger Fertigkeit im Errathen gelangt, bin ich doch außer Stande, „La source“ zu enträthseln und mir die verwickelten Beziehungen der Hauptpersonen: des Jägers, des Türken, der Zigeunerin u. s. w., zu dem Quellwasser klar zu machen. Ich weiß nicht einmal, welche von den zwei Hel=binnen, zwischen denen der interessante Jüngling den Abend hindurch so leidenschaftlich hin und her taumelt, seine Geliebte ist; vielleicht weiß er's selbst nicht genau. In der Schlußscene geräth die eine in todtenähnlichen Starrkrampf, während die andere lustig den Jüngling umtanzt, bis schließlich die Tanzende der Scheintodten ein Gemüse reicht, worauf wieder Letztere tanzt und Erstere todt auf den Rücken fällt. Das Alles war mehr schön als verständlich. Das Bedürfniß nach erklärenden Text=büchern schien im Publicum riesig anzuwachsen, denn als ich nach dem zweiten Acte zur Casse eilte, um mir für zwanzig

Sons ein Verständniß zu holen, war keines mehr vorräthig. So lebe ich denn noch heute bezüglich Naïla's in einem süßen Traumzustand von Unwissenheit, aus welchem ich aus Furcht vor unglaublichen Entdeckungen lieber nicht geweckt sein mag. —

Von Gounod, Ambroise Thomas und Auber.

Mit Gounod ist's angenehm ein Stündchen zu ver=
plaudern, d. h. ihm zuzuhören. Er gehört nicht zu den
Inwendig=Geistreichen, die ihren Reichthum tief versteckt
halten, sondern zu den stets Mittheilsamen und Beredten. Man
fühlt sogleich, daß er gerne spricht und sich gerne sprechen hört.
Mit Vergnügen folgt man seiner raschen, feinen, lebhaften Rede,
welche mit Vorliebe von künstlerischen Selbstbekenntnissen zu all=
gemeinen Maximen aufflattert. Die leichte Selbstbespiegelung
des Redners stört uns nicht, weil das sich spiegelnde Antlitz
wirklich anziehend ist. Ich fand Gounod heiterer, aufgeräum=
ter, als vor drei Jahren, wo die Erinnerung an seinen zwei=
jährigen Aufenthalt in London noch wie ein herübergenommener
schwerer Nebel auf ihm lastete. Sein Herz hatte dort einen
schlimmen Feldzug durchgemacht; arg geschlagen und zerschlagen
hat er es nach Paris zurückgebracht. Jetzt endlich sind die
letzten Ketten rasselnd von ihm abgefallen: die erst so süße,
dann unerträgliche und entwürdigende Leidenschaft zu der schö=
nen Frau Georgine Weldon. „Affreux“ nennt er das Beneh=
men der Dame, die ihn mit vergötternder Zärtlichkeit umstrickt

hielt, um seine Protection, sein Talent, seine Arbeit eigennützig
auszubeuten und ihm schließlich seine Partituren, die Oper
„Polyeucte" mit inbegriffen, zu veruntreuen. Es hatte eben
ein Brief dieser Dame in „Figaro" gestanden, worin sie von
Verfolgungen durch hohe und höchste Personen faselt — ich
konnte die Vermuthung nicht unterdrücken, die Schreiberin müsse
nicht recht bei Verstand sein. „O nein," fiel Gounod lebhaft
ein, „sie ist sehr hellsehend, sie sieht im Dunkeln wie eine Tiger-
katze, c'est une folle lucide!" Die Proben seiner neuen Oper
„Polyeucte" — es war Anfang Mai — hatten im neuen
Opernhause begonnen. Für eine nervöse, empfindliche Organisation wie die Gounod's ist das ein unerschöpflicher Brunnen
von Qual und Mißstimmung. „Ich kenne nichts Schöneres,
nichts Herrlicheres," rief Gounod aus, „als das Theater in
der Idee, in abstracto; aber das wirkliche, reale Theater, das
Theater in concreto ist eine Hölle, ein Verderben! Jede von
den Sängerinnen, die man mir für die Hauptrolle vorschlägt,
hat eine werthvolle Eigenschaft, alle übrigen fehlen ihr. Sie
besitzt eine wundervolle Stimme, ist aber häßlich, geistlos und
spielt wie ein Stück Holz. Oder sie ist schön und intelligent,
hat aber keine Stimme, keine Schule u. s. w." Indessen küm-
mere ihn das jetzt wenig. „Mein oberstes Princip ist, nur an
dasjenige zu denken, was gemacht werden soll, nicht an das,
was schon gemacht ist. Sehen Sie, mein „Polyeucte" liegt
oben auf dem heißen Rost, um gebraten und dem Publicum
servirt zu werden, trotzdem weilt mein ganzes Fühlen und
Denken fern davon, gehört nur der neuen Großen Oper, an
der ich eben arbeite, und von der schon zwei Acte fertig sind:
„Abälard und Heloise"! Natürlich erschrak ich ein wenig.
Es läßt sich in diesem Sujet über einen gewissen einschneiden-
den Punkt nicht wegkommen; man verlege ihn noch so weit
hinter die Scene, noch so tief in einen Zwischenact, der Zuschauer weiß doch, welches Unglück geschehen ist, ein Unglück,

das zum größten Unglück einen komischen Beigeschmack hat. „Fürchten Sie nichts," beschwichtigte Gounod meine unausgesprochene Besorgniß; „ich lasse meinen Abälard von seinen Feinden gleich umbringen, weiter geschieht ihm nichts". Auch ein anderes naheliegendes Bedenken entkräftete Gounod sofort mit der Versicherung, „Abälard und Heloise" würden keineswegs in einer Reihe von Liebesduetten aufgehen, sondern vielmehr eine Verkörperung der höchsten philosophischen und religiösen Ideen darstellen.

Obgleich Katholik, (und wie ich beifügen darf: von schwärmerischer, mystischer Richtung) sei er doch ein großer Bewunderer der deutschen Reformation. Deutschland habe zuerst laut gesprochen, während Frankreich durch drei Jahrhunderte stumm geblieben. Sein „Abälard" soll den Kampf der innern Ueberzeugung gegen die Satzungen der Kirche verkörpern, das Recht der geistigen Freiheit und Aufklärung vertheidigen. Die Handlung gipfle in dem großen Finale des vierten Acts, wo Abälard seine Bücher vor dem geistlichen Gerichte verbrennt. Hierauf wird er in einem dunklen Gäßchen auf dem Heimweg überfallen und auf Anstiften der Geistlichkeit ermordet. „Und im fünften Act?" frug ich mit begreiflicher Neugierde. „Im fünften Act finden wir Heloisen im Kloster, umgeben von ihren Nonnen. Abälard kommt als Geist, als Schatten zu ihr; sie singen ein Duo. Abälard weist prophetisch auf das künftige Frankreich, welches die Schuld einer finstern Zeit sühnen und die Liebenden gleich Heiligen verehren werde. Bei dieser Vision zertheilt sich ein Wolkenschleier im Hintergrund der Bühne; wir erblicken den heutigen Kirchhof Père Lachaise mit dem Grabmal Abälard's und Heloisens, zu welchem das Volk in liebender Verehrung pilgert". Die Legende erzählt, der todte Abälard habe sich im Sarge erhoben, als Heloisens Leiche neben ihn gelegt wurde, und habe sie umarmt. Das sei freilich auf der Bühne nicht möglich, aber in Form einer Vision

gebe der Anblick des gemeinsamen Grabes einen harmonisch
versöhnenden Schlußaccord. —

Ich kann nur wünschen, daß Gounod's Begeisterung für
diesen seltsamen Stoff sich seinerzeit durch die von ihm gehoffte
große Wirkung bewähren und belohnen möge. Auf das Wie
der dramatischen und musikalischen Ausführung wird ja Alles
ankommen. Jedenfalls wird Gounod durch seine ernste, edle
Auffassung die Schmach tilgen, welche französische Librettisten
im Verein mit dem Compositeur Henri Litolff kürzlich be-
gingen, indem sie die Geschichte von Abälard und Heloise als
komische Operette auf die Bühne brachten — das Cynischste,
Empörendste, was mir in diesem Genre je vorgekommen. Charakteristisch für Gounod ist die Consequenz, mit welcher er gegenwärtig religiöse Ideen als bewegende dramatische Motive in
seinen Opern einführt; in seinem „Polyeucte": christliche Verklärung, Märtyrertod für den Glauben; im Abälard: Kampf
der echten religiösen Ueberzeugung gegen starre Unduldsamkeit.
Er scheint somit zu seinen religiösen Anfängen zurückzubiegen.
Daß Gounod, wie die meisten „grands prix de Rome", als
Jüngling einige Kirchenmusik versuchte, ist bekannt und nicht
allzu erheblich. Aber neu und bemerkenswerth erschien mir die
jetzt erst durch Briefe von Fanny Hensel*) bekannt gewordene Thatsache, daß der junge Gounod sich schon 1843 in
Berlin sehr ernstlich mit dem Text zu einem Oratorium „Judith"
beschäftigt habe. Er theilte die Ansicht Fanny Hensel's, daß
die nächste musikalische Zukunft Frankreichs dem Oratorium
gehöre. Davon ist er, freilich nicht zu seinem Nachtheil, bald
abgekommen. Paris belehrte ihn gründlich, daß die musikalische
Gegenwart sammt einem Stückchen Zukunft dort noch völlig der
Oper gehöre.

Aber selbst in der Opernmusik folgt Gounod neuestens

---

*) „Die Familie Mendelssohn" (III. Band).

einem religiösen Zug. Das Sujet seiner neuesten Oper „Polyeucte" (im Wesentlichen identisch mit Donizetti's „Les Mar-
tyrs") ist von Barbier und M. Carré, den Librettisten des
„Faust" und „Romeo", nach Corneille's Tragödie bearbeitet.
Die Verherrlichung christlichen Märtyrerthums bildet die Grundidee, der Kampf der zusammenbrechenden heidnischen Welt mit
dem Christenthume den dramatischen Conflict. Die religiöse
Weihe des Stoffes scheint den Componisten mächtig angelockt
und der „Francesca di Rimini" abwendig gemacht zu haben.
Ein starker religiöser Zug, der sich in Gounod's Jugend fast
schwärmerisch angekündigt und ihn dem geistlichen Stand zu-
gewendet hatte, scheint jetzt wieder nachdrücklicher hervorzutreten.
Bei zwei Besuchen fand ich ihn vertieft in ein unheimlich dickes
und schwerfaßliches Buch von Hoene Wronski, einem wenig
bekannten slavischen Philosophen: „Prolégomènes du Messia-
nisme"; daneben lag eine „Physiologie der Heiligen". Gounod
verschmäht jedes Buch, dessen Gedankengang nicht zum Absoluten, zum Göttlichen hinführt; dann ist ihm aber auch keine
Lectüre zu schwer. Zwei Elemente, sagt er, walten im geistigen
Leben: einerseits das Göttliche als unwandelbar fester Punkt
und andererseits der bewegliche Fortschritt der Wissenschaft.
Dieser muß sich jederzeit zu ersterem aufwärtsbewegen, wie
zu einem Magnet. Nur wenn der menschliche Geist vom
heiligen Geist befruchtet ist, kann er keimen, sprießen, Früchte
tragen. Diesen mit begeisterter Wärme vorgetragenen Ideen
assimilirt sich auch immer mehr Gounod's künstlerische Tendenz. Seine Cantate „Gallia" ist geistlichen Charakters,
selbst seine Oper „Polyeuct" neigt zum Oratorien-Stil.
Zwei Nummern daraus, die mir Gounod vorsang, wir-
ten durch einfachen, schwärmerisch andächtigen Ausdruck, in
breitem getragenen Gesang: das Gebet der Pauline (etwa an
die Es-dur-Arie der Julie in Spontini's „Vestalin" erinnernd),
dann die Arie Polyeuct's im Kerker auf die Verse von Corneille

„Source délicieuse". Gounod vergleicht den Stil dieser Compositionen mit dem Faltenwurf antiker Statuen. „Aber wo
findet man heute die Sänger für großen getragenen Gesang!"
rief er schmerzlich fragend aus. „Wie ein von himmlischer
Glorie angestrahlter Märtyrer muß der Sänger des Polyeuct
vor uns stehen, alles Irdische tief, tief unter seinen Füßen!"
Bekannt ist Gounod's großer Respect vor Richard Wagner und
der Einfluß des Letzteren auf „Romeo und Julie". Aber die
neueste Phase Wagner's verstimmte Gounod auf's Tiefste und
erscheint ihm als eine Verirrung, welche die Fundamentalgesetze
des Musikalischen zertrümmert. „Wir Zwei gehen jetzt den
entgegengesetzten Weg," erklärte er; „in dem Maße, als Wagner immer künstlicher, schwerer, complicirter schreibt, werde ich
immer einfacher und trachte mit den schlichtesten Mitteln durch
Wahrheit der Empfindung zu wirken. Nous nous tournons
le dos." Aus Gounod's bürgerlich einfacher Wohnung dürfte
es Manchen interessiren, daß mehrere sehr gut gemalte Porträts
von der Hand seines Vaters die Wände zieren, und daß sein
neunzehnjähriger Sohn die Laufbahn des Großvaters betreten
und bereits vielversprechende Anfänge als Maler geliefert hat.

Den alten Ambroise Thomas habe ich mit Freuden
wieder begrüßt. Er bewohnt drei kleine niedrige Zimmer im
Conservatorium, einem alten Gebäude in der Rue Bergère, wo
Auber nur seine Amtsstunden zubrachte. Diese bescheidenen
Räume hat Ambroise Thomas mit allerlei alten geschnitzten
Renaissance-Möbeln, Florentiner Schränken und elfenbeinaus-
gelegten Schubladkästchen angefüllt; eine Liebhaberei, welche ihn
über die Leere seines vereinsamten Lebens hinwegschmeichelt. Auf
die Liebe folgen ja meist die Liebhabereien. Seine ganze Persönlichkeit bildet eine Art Gegensatz zu Gounod; er spricht
nicht viel und am allerwenigsten von sich. Aber seine Stimme
klingt warm und theilnehmend, sein Auge strahlt Güte. Weniger blendend als Gounod, macht Thomas den Eindruck

größeren Ernstes, und tieferer Bescheidenheit. Jeder Pariser kennt sie von Weitem, diese große, hagere, etwas vorgebückte Gestalt in nachlässiger Kleidung und nachlässiger Haltung. Ein ausgeprägter Charakterkopf, etwas finster und träumerisch. Ingres in Rom hat ihn als jungen Menschen in Mönchs= tracht gezeichnet. Im Gespräch gewinnt sein Blick eine bezau= bernde Gutmüthigkeit, seine harten Züge beleben sich und spielen oft seltsam durcheinander. Er selbst erzählte mir mit heiterer Selbstironie ein Witzwort Auber's darüber. Ein gemein= samer Freund frug eines Tages Auber: „Finden Sie Ambroise Thomas in seinem Aussehen nicht sehr verändert?" „Weiß nicht," antwortete Auber, „ich habe ihn nie anders gesehen, als sehr verändert" (très changé). Der liebenswürdige Umgang Thomas' kommt leider selbst seinen Freunden wenig zu statten. Der Mann ist buchstäblich überhäuft mit einer Masse von Ar= beiten und Geschäften bureaukratischer, administrativer und päda= gogischer Natur. Da gibt es kein musikalisches Project in Frankreich, das die Regierung nicht an Thomas zur Begut= achtung schickt, kein Preisgericht, dem er nicht vorsitzen, keine das Musikwesen betreffende Reform, die er nicht ausarbeiten mußte. Kommen nun dazu noch die alljährlichen Prüfungen im Conservatorium, so muß er, als Director, von sämmtlichen Zöglingen sich durch drei bis vier Wochen einzeln anzeigen, anblasen, ansingen lassen und jedem die verdiente Classification ertheilen. Das heißt einen noch schaffenslustigen Componisten bureaukratisch umbringen. Ambroise Thomas erledigt diese auf= reibenden Geschäfte mit peinlichster Pflichttreue, er schenkt sich auch nicht eine Note des jüngsten hoffnungsvollen Fagottisten. Unter diesen Verhältnissen kam er in diesem doppelt und drei= fach anstrengenden Weltausstellungssommer auch nicht dazu, mir etwas aus seiner „Francesca di Rimini" zu zeigen, wie es seine freundliche Absicht gewesen. Diese Oper ist seit Monaten fertig; ihre Aufführung zur Weltausstellungszeit scheiterte an

Besetzungsschwierigkeiten. Thomas brachte es nicht über's Herz (wie es jetzt Gounod hat müssen), die beiden idealen Hauptgestalten seiner Oper einer ehrwürdigen Ruine wie Fräulein Krauß und einem hölzernen Anfänger wie Herrn Salomon anzuvertrauen. Bekanntlich hatte bereits Gounod das Textbuch zur „Francesca di Rimini" zu componiren begonnen, aber die Lust daran verloren und es seinem Collegen Thomas überlassen. Wer weiß, wann dieser damit herausrückt auf die Bühne; ließ er doch seinen „Hamlet" ein paar Jahre im Pult verschlossen, bis er in Faure und der Nilsson die geeigneten Darsteller für Hamlet und Ophelia fand. „Mignon" hat bereits im Laufe von eilf Jahren die fünfhundertste Aufführung erlebt und der Opéra comique zwei Millionen Francs eingetragen. Dieses Werk war im Grunde der letzte große, anhaltende Erfolg der Opéra comique. Seitdem hat sich Ambroise Thomas von dem heiteren Genre abgewendet; nicht zu seinem Vortheil, wie ich trotz der großen Erfolge seines „Hamlet" überzeugt bin.

Ambroise Thomas, der in der Jugend vielfach mit bitterem Mangel gekämpft, konnte sich jetzt von dem Ertrage seiner Opern ein hübsches Grundstück, eigentlich eine kleine Insel (Zilliec bei der Insel St. Gillay an der bretagnischen Küste) kaufen, wo er, fern von aller Civilisation und unbelästigt von Pariser Besuchen, die Ferien zubringen und im ungestörten Verkehr mit einer großartig schroffen Natur componiren kann. Als er mit der kindlichen Freude eines nagelneuen Grundbesitzers von dieser Insel erzählte, ahnte Keiner von seinen Freunden, daß der achtundsechzigjährige Maître Ambroise auf jener Zauberinsel nicht allein zu hausen beabsichtige. Im October 1879 erhielt ich einen Brief von Thomas, worin er mir seine vollzogene Vermählung mit Mlle. Elvire Rémaury anzeigt. Ganz Frankreich wünscht dem neuen Ehemann Glück; besitzt es doch keinen ge-

wiſſenhafteren und beſcheideneren Tondichter; keinen, der mehr
Ehrfurcht vor den alten Meiſtern hätte und mehr Wohlwollen
für die jungen.

Aus dem Munde Ambroiſe Thomas' erfuhr ich ebenſo
zuverläſſige als intereſſante Mittheilungen über die letzten Tage
Auber's. Der Componiſt der „Stummen von Portici" ſtarb
im 90. Lebensjahr während der Belagerung von Paris, in der
Nacht vom 12. auf den 13. Mai 1871. Unter den Donner-
ſchlägen jener entſetzlichen politiſchen Kataſtrophe blieb der Tod
des berühmteſten und älteſten Tondichters in Frankreich faſt
unbeachtet. „Toute exagération est une faute" ſagte er in
ſeiner letzten Krankheit, „man muß nichts übertreiben, auch nicht,
wie ich, das lange Leben." Es iſt ein vielverbreiteter Irrthum,
daß Auber allein und verlaſſen geſtorben ſei. Zahlreich waren
freilich die Beſucher nicht; aber ſein treuer Freund und Schüler
Ambroiſe Thomas, dann der gelehrte Bibliothekar des Con-
ſervatoriums, Weckerlin, der im ſelben Hauſe mit Auber
wohnte, umgaben ihn täglich und haben ihm die letzten Liebes-
dienſte erwieſen. Wie mir Ambroiſe Thomas erzählte, waren
ſchöne Wagen und Pferde Auber's größte Freude und einziger
Luxus. So recht geliebt hat er eigentlich außer ſeinen Pferden
kein lebendes Weſen. Da kam die böſe Hungersnoth über das
belagerte Paris und die Communards requirirten überall gegen
eine unbedeutende Entſchädigung Pferde aller Art, um ſie zu
ſchlachten. Von vier Pferden, die Auber im Stalle hatte, nahm
man ihm vorläufig drei weg; er empfand tiefen Schmerz darüber,
ohne ſich zu beklagen oder die mindeſte Einwendung zu erheben.
Nun kam man auch ſein letztes Pferd, einen koſtbaren engliſchen
Rappen, Namens Figaro, zu holen. Ambroiſe Thomas wollte
ſofort Schritte thun, damit die Behörde aus Achtung für den
greiſen berühmten Meiſter eine Ausnahme mache. Aber Auber
ließ es nicht zu. „C'est la loi!" wiederholte er unerſchütterlich,
obwohl der Schmerz, das edle Thier geſchlachtet zu ſehen, ihn

faſt übermannte. Da fand Thomas einen glücklichen Ausweg. Er bat einen einflußreichen Communard um die Erlaubniß, ein anderes Pferd an Stelle des Auber'ſchen ausliefern zu dürfen und erhielt ſie. Der ihm befreundete Chef der großen Pleyel'ſchen Clavierfabrik, Herr Auguſt Wolff, hatte von ſeinen zehn bis fünfzehn Pferden noch drei zum nothdürftigſten Betriebe ſeiner Fabrik in Saint=Dénis zurückbehalten dürfen. Eins davon wurde heimlich in den Hofraum von Auber's Haus gebracht und der Commune ausgeliefert, während Auber's Lieblingsroß, vor einen mit Brettern beladenen Wagen geſpannt, nach Wolffs Fabrik trabte. Genau wie in ſo vielen menſchlichen Rettungsgeſchichten! Täglich erkundigte ſich der von heftigſten Schmerzen gefolterte Kranke, ob ſein Pferd noch am Leben und gut verſorgt ſei. Es hat ſeinen Herrn überlebt.

Der Geiſt des faſt Neunzigjährigen war während ſeines letzten Krankenlagers merkwürdig hell geblieben. Er verſuchte ein Stück Kammermuſik zu ſchreiben und ließ ſich durch Weckerlin Quartette von Mozart und Beethoven holen. „Ein Blick auf dieſe Werke“, ſagte er lächelnd, „wird mich hoffentlich beſtimmen, zu verbrennen, was ich eben geſchrieben habe.“ Wenigen Sterblichen war ein ſo ununterbrochen glückliches Leben beſchieden geweſen, wie unſerem Meiſter; aber der Tag kam doch, wo er ſeine Schuld abzahlen mußte. Das Schickſal Frankreichs erfüllte ihn mit Angſt und Kummer, die Herrſchaft der Communards mit grenzenloſem Abſcheu. Einen politiſchen Troſt vermochte ihm zur Stunde Niemand zu geben, nach religiöſem verlangte er nicht. Der Componiſt des „Fra Diavolo“, der Ewigjunge, Uralte, ſtarb, gemartert von körperlichen Schmerzen, erdrückt von Kummer über ſeine Landsleute und von Angſt für Paris, das er über Alles geliebt und zeitlebens, Sommer und Winter, nicht verlaſſen hatte. Lang und furchtbar war der Todeskampf; Auber wurde von Krämpfen förmlich geſchleudert, ſo daß vier Perſonen ihn feſthalten mußten. Die Communards

wollten den Tod des berühmten Meisters zu einer demagogischen
Manifestation benützen, mit rothen Fahnen und greller Militär=
musik die Leiche zur Bestattung abholen. Die Demokraten haßten
Auber, den sie „le musicien aristocrate“ nannten; sie hätten
die Gelegenheit zu häßlichen Demonstrationen nicht ungenützt
gelassen. Ambroise Thomas, dem diese Leute ebenso verhaßt
waren, wie seinem verstorbenen Meister, beschloß, eine solche
Begleitung um jeden Preis zu verhindern.

Unter dem Vorwand, daß man mit der Bestattung warten
müsse, bis Auber's einzige Verwandte und Erben, zwei Nichten
in der Provinz, nach Paris gelangen könnten, erwirkte Thomas
die Erlaubniß, die Leiche in aller Stille aus Auber's Wohnung
fortschaffen und in einem Gewölbe der Trinité=Kirche beisetzen
zu dürfen. Hier lag der Leichnam drei Monate lang. Erst
nach dem Einrücken der französischen Armee in Paris fand am
15. Juli 1871 die feierliche Uebertragung desselben nach dem
Père Lachaise statt. Es war auch dies nur eine provisorische
Grube, in welcher die Gebeine des alten Herrn noch immer
nicht zur Ruhe kommen sollten. Freunde und Collegen Auber's
haben erst später ein eigenes Grab angekauft und mittelst öffent=
lichen Aufrufs eine Subscription für ein würdiges Grabdenkmal
eröffnet. Auf den Subscriptionsbogen, die ich bei Herrn
Brandus einsah, fanden sich die Namen fast aller renommirten
Tondichter. Rührend erschien es mir, daß zuerst und mit den
größeren Beiträgen die Wittwen der verstorbenen Freunde Auber's
(veuve Scribe, veuve Halévy, veuve Meyerbeer,
veuve Georges Kastner ꝛc.) sich eingestellt hatten. Die echte
Pietät des Frauenherzens! — Es erregte anfangs Befremden,
daß es einer öffentlichen Subscription zu diesem Zweck bedürfe.
Wie? fragte man erstaunt, ein berühmter Componist von dem
Einkommen Auber's, der für Niemand zu sorgen hatte, sollte
nicht einmal soviel hinterlassen haben? Die Erklärung lautet für's
Erste, daß Auber seine Einnahmen fast vollständig für sich und

seine verschiedenen Liebhabereien verbrauchte, sodann, daß dieses Einkommen nicht so beträchtlich war, als man glaubte. Zur Zeit seiner größten Erfolge standen Honorar und Tantièmen keineswegs auf ihrer gegenwärtigen Höhe; Auber hat mitunter in vier bis fünf Jahren nicht soviel eingenommen wie jetzt Offenbach oder Lecocq in manchem Monat. Obendrein hatte er bei herannahendem Alter seine Autorrechte ein- für allemal gegen eine billige Jahresrente veräußert. So hinterließ er nur ein bescheidenes Vermögen, welches zwei ihm ziemlich fremdgebliebene Nichten, alte Betschwestern in der Provinz, geerbt haben.

Der Fremde, der nach mehrjähriger Abwesenheit eine ihm liebgewordene Stadt wieder besucht, empfindet lebhafter als der Einheimische selbst die Abwesenheit heimgegangener theurer und bedeutender Menschen. An Ort und Stelle berührt ihn, und nur ihn allein, ihr Tod wie eine schmerzliche Neuigkeit. In dem verschlingenden Lebenswirbel von Paris, wer spricht da noch viel von Auber, Rossini, Berlioz? Nicht zu gedenken so mancher minder berühmter, liebenswürdiger Künstler, die in dem glänzenden Ausstellungsjahr 1867 hier mit uns sich fröhlich tummelten.

Dans ce pays-ci, quinze jours, je le sais,
Font d'une mort récente une vieille nouvelle.

Alfred de Musset spricht nur zu wahr mit diesem traurigen Verse. Mir aber war's vor den leeren Wohnungen jener drei Meister, als stünde ich vor frisch aufgeworfenen Gräbern.

Ich hatte den Opern Auber's von Jugend auf so viel Freude verdankt, daß ich bald nach meiner Ankunft in Paris sein Grab auf dem Père Lachaise besuchte. Es befindet sich auf der rechten Seite der großen Allee, welche ob der vielen ausgezeichneten Männer, die hier nebeneinander ruhen „le salon carré" genannt wird. Das Monument, das erst im Jahre 1877 gesetzt und eingeweiht wurde, ist von edler, würdiger Einfachheit: eine Pyramide von schwarzem Marmor, auf deren Seitenwänden

die Hauptwerke Auber's verzeichnet stehen, davor, auf einem
kleinen Sockel, die Büste von Auber, eine treffliche Copie nach
Dantan.   Frankreich, das seine Künstler im Leben wie im Tode
zu ehren weiß, hat damit seine Schuldigkeit gethan.   Aber trotzdem kann ich mich des Eindrucks nicht erwehren, daß die
egoistische Kaltherzigkeit, welche Auber als Menschen anklebte,
sich bei seinem Ende an ihm gerächt habe, ja noch heute an ihm
räche.   Ich sah auf seinem Grabe nur zwei verwitterte Immor-
tellenkränze und davor keine lebende Seele, während das gegen-
überliegende Grab Thiers' von frischen Blumen bedeckt und
von einer sich immer erneuernden Menge Menschen umringt
war, die entblößten Hauptes dem großen Patrioten ihre Huldigung darbrachten. Wie Augenzeugen mir erzählten, sind bei
der Einweihung von Auber's Grabstein Ströme von glänzender
Beredsamkeit geflossen, aber keine einzige Thräne   Seine Gleichgiltigkeit gegen die Mitmenschen wird ihm nun heimgezahlt und
der Tod Auber's scheint keine Lücke zurückgelassen zu haben in
dem Herzen von Paris.   Auch mir, der ich noch das Glück
gehabt, Auber und Rossini zu kennen, ging der Tod des Letzteren ungleich näher und mit aufrichtiger Trauer stand ich vor
seiner verlassenen, schmucken Villa, mit der goldenen Lyra über
dem Gartenthor, zu Passy. Welch' heiterer, wohlwollender,
liebenswürdiger Mensch war dieser alte Italiener! Wie kindlich
in seiner behaglichen Freude am Leben, wie natürlich anmuthig
in seinem Gespräch, wie gutmüthig sogar in seinem ironischen
Witz! Testamentarisch verfügte Rossini, er sei dort zu begraben,
wo seine Frau und Universalerbin es bestimmen werde. Also
noch im Tode ein bischen Pantoffelheld von dieser olympischen
Madame Olympia, dieser unangenehmen, geizigen Frau, deren
stechende Augen ich noch vor mir sehe, wie sie bei Rossini's
Soiréen inquisitorisch umherblickten, ob nicht Jemand zu viel
oder überhaupt Etwas von dem präsentirten Teller mit Back-
werk zu nehmen wage! Rossini's Ruhestätte auf dem Père

Lachaise dürfte eine nur provisorische sein: es heißt, daß Italien die Asche seines berühmten Sohnes reclamiren wolle, wie seiner Zeit die Asche Bellini's, die man auch willig ausgefolgt hat. Interessant ist die in Rossini's Testament angeordnete Stiftung eines „prix Rossini" für Franzosen. Der Dichter einer geistlichen oder weltlichen Cantate soll 3000 Francs, der Componist derselben ebensoviel erhalten, in jährlicher Preisbewerbung. Nach dem Wunsche Rossini's hat die Composition hauptsächlich die Melodie zu berücksichtigen, „la mélodie, si négligée aujourd'hui." Ich fürchte, dieses Uebel wird sich durch großmüthige Legate nicht heilen lassen.

V.

Die Komische Oper.

(Allgemeines. „Psyché" von Ambroise Thomas.)

———

Eine Weltausstellung in Paris müßte, wie wir vermeinten, sich nicht blos auf den Ausstellungsplatz beschränken; die Theater selbst sollten in gewissem Sinne als Aussteller auftreten und ihr Bestes, namentlich das Neueste ihres Besten, den Fremden produciren. Was die Opernbühnen betrifft, so scheinen sie nicht dieser Ansicht; sie bieten uns keineswegs, nach Goethe's Lieblingsausdruck, „goldene Früchte in silbernen Schalen", sondern abgestandene Gerichte in recht zweifelhafter Zubereitung.

Bei der letzten Weltausstellung 1867 hatten die Theater ihre Aufgabe besser verstanden: du brachte gleich anfangs die Große Oper den „Don Carlos" von Verdi, die Komische Oper „Mignon" von Ambroise Thomas und das Théâtre lyrique Gounod's „Romeo und Julie", — drei Novitäten, welche sofort anlockten und die ganze Weltausstellungszeit hindurch ihre Anziehungskraft bewahrten. Jetzt begnügt man sich mit lauter alten, überdies mittelmäßig besetzten Opern.

Die Opére comique war mir jederzeit werthvoller und sympathischer gewesen, als die Große Oper der Franzosen. Sie repräsentirt durch ihr Repertoire wie durch den Stil ihrer

Aufführungen das Liebenswürdigste und Eigenthümlichste, was die Franzosen im Opernfach hervorbringen. Zwei Dinge sind es, welche die Opéra comique noch heute vor der Großen Oper voraus hat: für's Erste die Tradition eines guten schauspielerischen Ensembles, sodann die niemals ganz unterbrochene Pflege älterer Tonwerke. In der Großen Oper singt und spielt Jeder, wie er eben will und kann; die musikalischen Farben sind nicht zu einander gestimmt, wie in einem guten Gemälde, es will Jeder für sich wirken und so stark als möglich. In der Opéra comique hingegen erkennt man doch, wenngleich in immer blässeren Umrissen, ein gutes schauspielerisches Ensemble, die Tradition natürlichen, fließenden, sich nicht unbefugt vordrängenden Sprechens und Agirens. Es herrscht dort noch immer mehr künstlerischer Geist, als in der Großen Oper, mehr Geist überhaupt. Das ist der gute Genius dieses Hauses; er hat es nicht ganz verlassen und wird es hoffentlich niemals. Wenn Börne das Publicum einmal eine Versammlung von Menschen nannte, in welcher jeder Einzelne ein Schwachkopf sein kann, Alle zusammen aber Verstand haben, so könnte man Aehnliches auch von der französischen Opéra comique behaupten. Ihre Sänger können, jeder für sich, wenig Stimme und wenig Gesangskunst besitzen — zusammen bilden sie doch ein gerundetes, künstlerisch angehauchtes Ensemble. Auch auf den kleineren französischen Operettenbühnen, welche Offenbach und Lecocq spielen, fand ich diesen, bei den Italienern und den Deutschen so oft vermißten Vorzug. Das Ensemble der französischen Operettensänger bildet einen lebendigen dramatischen Organismus, eine Einheit von ineinandergreifenden Elementen. Keineswegs sind alle Künstler dieser Bühne quantitativ besonders begabt, aber in der Qualität ihres Talentes sind sie einander alle verwandt, viel näher verwandt, als zum Beispiel die Glieder deutscher Schauspiel-Gesellschaften, welche niemals eine so homogene Masse bilden, wie die französischen. Die unausfüllbare Kluft,

die in der Regel die ersten Künstler einer deutschen Bühne von
ihren untergeordneten Collegen trennt, verschwindet bei den
Franzosen; diese sind durch die Gleichartigkeit ihrer Bildung
und die Gesetze der Convenienz im Leben wie in der Kunst
mehr nivellirt. Die Franzosen sind geborene Schauspieler, und
selbst bei Gesellschaften zweiten Ranges findet sich selten ein
Mitglied, welches das Ensemble störte oder geradezu talentlos
wäre. Das spielt Alles mit einer Hingebung an die Sache,
mit einer Natürlichkeit, welche unsäglich absticht von dem scha-
blonenhaften Gebahren der gewöhnlichen italienischen Sänger,
deren kleinste Schlußcadenz oder Armbewegung man voraus
weiß, ehe sie noch angefangen. Der französischen Nation haben
zwei ihrer größten Söhne ein schlimmes artistisches Zeugniß
ausgestellt: Voltaire nennt seine Landsleute „das am wenigsten
poetische Volk in Europa", und J. J. Rousseau erklärt die
Sprache und das Naturell der Franzosen für unmusikalisch.
In den höchsten Kunstschöpfungen, namentlich der idealen Sphäre
der Tragödie, erweist sich das Richtige dieser — freilich mit
der Schroffheit eines Paradoxons hingestellten — Aussprüche.
Trotz Voltaire und Rousseau haben sich aber die Franzosen im
Schauspiel wie in der Musik ein Gebiet geschaffen, auf dem sie
excelliren: das Lustspiel und die komische Oper. Hier entfaltet
sich frei der eigenthümliche, die Oberfläche der Dinge mit wunder-
barer Sicherheit begreifende und beleuchtende Geist der Nation.

Wie bei jedem meiner früheren Besuche in Paris eilte ich
alsbald in die Komische Oper. Aber ach! Welch' traurigen
Niedergang, um nicht zu sagen Verfall, mußte ich hier erleben.
Ich will nicht von der Zeit sprechen, wo Roger als Stern an
der Komischen Oper glänzte, nicht einmal von der darauffolgenden Periode, in welcher Roger's Nachfolger Montaubry als
Georges Brown, Fra Diavolo, Postillon von Longjumeau alle
Welt entzückte. Nur ein Jahrzehnt will ich meine Erinnerung
zurückschweifen lassen, zu der Weltausstellung von 1867, wo

man doch schon mit Recht von einer „Décadence" der Komischen
Oper sprechen konnte. Aber wie hoch stand sie damals gegen
jetzt! Welch' genußreiche Abende gewährten damals noch die
Opern von Auber, Herold, Adam mit den beiden liebenswürdigen Tenoristen Capoul und Achard, den Sängerinnen
Cabel, Marie Roze, Cico, den trefflichen Komikern
Couderc, Sainte-Foy, Prilleux u. A. Welch' hin-
reißendes, originelles Talent erblühte damals in der — jetzt
abgeblühten — Galli-Marié, — der ersten Darstellerin
der Mignon! Hingegen erlebte ich jetzt eine Vorstellung von
Auber's „Krondiamanten", die kaum eines größeren Provinz-
theaters würdig wäre. Mit Ausnahme einer einzigen Sängerin,
Demoiselle Bauchelet, die zwar noch keine fertige Sängerin,
aber ein feines, graciöses Talent ist, standen alle Mitwirkenden
unter der Mittelmäßigkeit, und, wohlgemerkt, nicht blos im Gesang, sondern auch im Spiel. Die beiden Tenoristen, sowie
die zweite Sängerin — kleine, essigsaure Stimmen — würden
bei uns höchstens für die Offenbach'schen und Strauß'schen
Operetten genügend gefunden werden. Die Aufführung des
„Nordstern" mit einem kolossalen Fräulein Isaak in der
Hauptrolle ist nicht viel besser. Mit diesen beiden Opern
(„Nordstern" und „Krondiamanten") wechselte in der Opéra
comique fast den ganzen Mai hindurch blos eine ältere, sehr
überflüssiger Weise neu hervorgesuchte Oper von Ernest Reyer:
„La statue", ein Ding von unsäglicher Erfindungsarmuth
und pretenziöser Langweile. Nur aus dem journalistischen Einfluß
des Herrn Reyer (er ist Feuilletonist des Journal des Débats) ist
die traurige Thatsache der Wiederaufnahme dieser abgeschmackten
Oper „La statue" zu erklären. Da sie aber bald vor halbleeren Bänken spielte, so raffte sich endlich die Opéra comique
zu einer Novität auf, — wenn man die „Psyché" von Ambroise Thomas für eine Novität nehmen will. Sie wurde

bereits vor 21 Jahren in der Opéra comique gegeben, erlebte
aber damals eine sehr kühle Aufnahme und wenig Wiederholungen. Das Publicum fand Text und Musik langweilig,
ein Totaleindruck, gegen welchen schöne Einzelnheiten und feine
Ausarbeitung stets machtlos bleiben werden. Die Musiker und
die „ernsthafte" Kritik nahmen Partei für die „Psyche" und
wollten finden, daß der Mißerfolg einer so distinguirten Partitur
nicht den Componisten, sondern nur seine Richter verurtheile.
Nachdem in den letzten Jahren Ambroise Thomas mit
zwei neuen Opern, „Mignon" und „Hamlet", große Erfolge
errungen, die sich sogar über die Grenzen Frankreichs hinaus
stark und anhaltend erwiesen, erinnerte man sich seiner „Psyche"
und dachte damit nunmehr an ein günstiger gestimmtes Publicum
appelliren zu können. Der Componist unterzog seine Partitur
einer eingreifenden Umarbeitung und sein eifriger Verleger
Heugel ließ diese in splendidem Gewande neu erscheinen. Ob
die darauf verwendete Mühe sich lohnen werde? Ich möchte
es bezweifeln und glaube, die Opéra comique hätte besser daran
gethan, eine der früheren erfolgreichen Conversationsopern von
A. Thomas neu einzustudiren, als dieses, mehr lyrische als
dramatische Stück Mythologie. Die Wahl eines mythologischen,
dabei eminent symbolischen Stoffes wie „Amor und Psyche"
erscheint uns modernen Theaterfreunden gar seltsam. Zu dem
Geschmack der Renaissance- und Rococozeit stimmte er aus-
nehmend; in Frankreich namentlich, wo das ganz im Mythologischen und Pastoralen webende Ballet mit der Oper völlig
verquickt war, blieb lange Zeit hindurch die Geschichte von Amor
und Psyche einer der beliebtesten Stoffe. Insbesondere seit dem
Erscheinen des Romans von La Fontaine (1669) sehen wir
die französische Bühne mit dieser durch den berühmten Erzähler
verjüngten Fabel beschäftigt. Molière verfaßte mit Quinault
eine fünfactige Ballet-Tragödie „Psyché", zu welcher Lully
die Musik schrieb. Nach dem Tode Molière's kam Lully auf

den Stoff neuerdings zurück und componirte (mit Thomas Corneille) seine fünfactige Tragédie lyrique „Psyché“. Wir
wollen die lange Reihe der dasselbe Sujet behandelnden Opern
im achtzehnten Jahrhundert nicht aufzählen und erwähnen nur
als Curiosität, daß in einer derselben, die 1762 vor dem Hof
in Fontainebleau gespielt wurde, eine ganz mit Edelsteinen gar-
nirte Decoration vorkam. Je näher wir dem neunzehnten Jahrhundert rücken, desto seltener werden die dramatischen Einklei-
dungen der Psyche-Fabel; kaum daß sie noch in einigen unbedeutenden französischen Vaudevilles nachspukt. Die Gegenwart
ist den mythologischen Stoffen im Drama gänzlich abhold; wir
vermissen darin ebensosehr die lebendige Individualität der Personen, wie den spannenden Fortgang der Handlung. Man wird
es kaum eine glückliche Idee nennen, heutzutage eine Oper
„Psyche“ zu componiren. In den psychologischen Vorgang,
welcher in dem Tondichter diesen Entschluß reifte, können wir
uns allerdings hineindenken. Ambroise Thomas hatte seine Erfolge ausschließlich komischen Opern verdankt, und ganz besonders
seiner allerkomischsten: dem „Kadi“ (Le Caïd). Eine im
Grunde sehr ernstgestimmte und idealistische Natur, mochte Ambroise Thomas sich danach sehnen, einmal in einen rein idealen
Stoff, wie in eine klare Quelle unterzutauchen. Diese von den
Salzen und Farben des alltäglichen Theater-Amusements ungetrübte Quelle erblickte er in der classischen Mythologie. Der
zarteste Mythus der Griechen müßte wol die zarteste Musik
zulassen; ein Lied, das die Liebe und die Seele selbst zusammen singen, dürfte auch auf der Bühne das Recht beanspruchen,
vor Allem liebe- und seelenvoll zu sein. Der schöne Irrthum,
der unter diesem Gedankengang lauert und seinen Aufbau heimlich untergräbt, liegt trotzdem zu Tage. Nicht Alles, was
poetisch ist, ist zugleich auch dramatisch; ein Vorgang, dessen
Idealität im Gedicht, im Gemälde, im Marmor rein und harmonisch aufgeht, erscheint darum noch nicht geeignet, die Realität

des Bühnenlebens zu vertragen. Die redlichsten Bemühungen moderner Librettodichter und Componisten, uns in dem idealen Traumleben von Amor und Psyche zu erhalten, werden nicht dem Geist der Zeit widerstehen können, der sie selbst wie uns beherrscht. Es wird wol mehr als Ein heißer Oeltropfen uns unsanft aus dem Traum erwecken.

Die Herren Jules Barbier und M. Carré (bekanntlich auch die Textdichter der Opern „Faust“, „Mignon“, „Hamlet“) haben die Handlung folgenderweise gestaltet: Der Königstochter Psyche werden ob ihrer Schönheit göttliche Ehren erwiesen. Darüber erzürnt und eifersüchtig, sendet Venus den Götterboten Mercur zur Erde, um Psyche zu verderben. Auf Anstiften Mercur's soll Psyche, angeblich um die Seestürme zu besänftigen und die Götter zu versöhnen, als Opfer den Wellen preis- gegeben werden. Eros, der beim ersten Anblick Psyche's leiden- schaftlich für sie erglüht, rettet sie, indem er sie durch Zephyr in die Lüfte entführen läßt. Der zweite Act spielt im Palast des Eros. Mercur meldet, daß Venus in die Vermählung ihres Sohnes mit Psyche unter der Bedingung einwillige, daß Letztere ihren Gemahl niemals von Angesicht sehe, also nur bei dunkler Nacht mit ihm verkehre. Für die scenische Wahrscheinlichkeit ist das eine schwierige Aufgabe. So oft Eros auftritt, verfinstert die Bühne, aber dieser Nothbehelf reicht nicht aus, denn da wir den Eros trotzdem so deutlich sehen, wie alle Mitspielenden, so bleibt der Vorgang fast unverständlich. Im Theater glauben wir nicht leicht, was wir nicht sehen, am schwersten aber das Gegentheil von dem, was wir wirklich sehen. Von Mercur verleitet, schleicht sich Psyche im dritten Acte zu dem schlafenden Eros, der vom Schein ihrer Lampe (hier ohne den heißen Oeltropfen) erwacht und sofort versinkt. Im vierten und letzten Acte finden wir die ob ihres Fehltrittes verzweifelnde Psyche in einer Wildniß wieder; Eros, als Schäfer verkleidet, rettet sie vor den Bedrohungen Mercur's. Sie erkennt Eros an der

Stimme; er will ihr entfliehen, sinkt ihr aber schließlich, von Leidenschaft übermannt, an die Brust und gesteht ihr neuerdings seine Liebe. Von seinem Kuß getödtet, sinkt Psyche leblos nieder. Durch die Gnade der Götter erwacht sie wieder zum Leben. Arm in Arm mit Eros blickt sie zum Himmel auf, wo Aphrodite in ihrem Muschelwagen, von Amoretten umgeben, erscheint und dem wieder vereinten Liebespaar ihre Verzeihung zuwinkt.

Der Leser ersieht aus dieser knappen Skizze, worin und wie weit die Librettisten der „Psyche“ von der Erzählung des Apulejus und von dem Rafael'schen Bilder-Cyklus in der Farnesina abstehen. Der Musik bieten sie einige poetische Situationen, welche das zarte, distinguirte Talent unseres Componisten lebhaft anregten. Doch breitet das rein lyrische Element sich ungebührlich in dieser Oper aus, und die für einen Theaterabend viel zu spärliche, träge Handlung muß namentlich in den zwei ersten Acten durch allerlei Lückenbüßer nothdürftig gefristet werden. Der Zuhörer ist auf schöne musikalische Einzelheiten angewiesen, die im Gesang wie im Orchester nicht selten sind, aber doch nicht allmächtig genug gegen die undramatische Eintönigkeit des Ganzen. Die Oper entbehrt der kräftigen Contraste; wir wandeln in lauter Lichtschimmer und lechzen nach einigen schwarzen Schlagschatten. Die intensivste Wirkung erreicht der Componist im vierten Acte, wo er für die Seelenqual der verlassenen Psyche und für das schmerzlich=glückliche Wiederfinden der beiden Liebenden lebhafte und starke Accente findet. Hier wächst der Tondichter dem Librettisten entschieden über den Kopf. Leider kommt er damit etwas spät, und wir scheiden schließlich lyrikübersättigt, lichtscheu und göttermüde von dieser vieractigen „Psyche“. Sie nennt sich auch in der neuen Bearbeitung eine „komische Oper“, obwol das Wenige, was in der Urgestalt noch daran erinnerte, jetzt beseitigt ist. Zwei realistische Nebenfiguren, die beiden von Psyche verschmähten

Freier (ehedem von den trefflichen Komikern Ste.-Foy und
Prilleux gespielt) sind gestrichen, die Rollen der beiden nei-
dischen Schwestern Psyche's stark gekürzt und dem Mercurius
nur anfangs einige Züge von heiterer Ironie gelassen. Endlich
hat der Componist den gesprochenen Dialog der ersten Bearbeitung durchwegs in Recitative und Ariosos verwandelt. Dadurch
ist die Oper stilistisch einheitlicher und idealer geworden, aber
gewiß nicht lebendiger oder wirksamer. Die Vermehrung des
musikalischen Theils macht den jetzt ununterbrochenen Strom
der Lyrik noch langsamer fließen. Daß in den neueren Werken
der Opéra comique der gesprochene Dialog gänzlich oder doch
nahezu verbannt wird, scheint mir kein Vortheil. Der Dialog
machte bisher die Opéra comique zu einer Schule, ja zur einzigen Schule guten Sprechens für Opernsänger. Es war mitunter deren einzige Kunst, die werden sie jetzt auch noch verlernen. Seit der Vorliebe für ernste Stoffe, dem Aufgeben
des gesprochenen Dialogs und der zunehmenden Verwendung
des Ballets in der Komischen Oper ist die Grenze zwischen
dieser und der Großen Oper bis zur Unkenntlichkeit verwischt.
Kaum verdient die heutige Opéra comique noch diesen Namen,
sie ist jetzt eigentlich eine zweite „Große Oper" oder wird
es doch von Tag zu Tag mehr. Meyerbeer gab zuerst das
böse Beispiel in seinem „Nordstern", durch Massenentfaltung,
große Chöre, Militärspektakel in der Opéra comique zu wirken
und höchste Anforderungen an die Gesangsvirtuosität zu stellen.
Bizet wählt in „Carmen" ein tragisches Sujet mit blutigem
Ausgang. Man gibt jetzt sogar Gounod's Tragödie „Romeo
und Julia" in der Opéra comique! Die Heiterkeit, der leichte
Stil und die knappen, bescheidenen Formen der älteren Komischen Oper flüchten nun in das neue Genre der Operette,
deren talentvollste Componisten Offenbach und Lecocq durch
ihre melodiöse, frische und lustspielmäßige Lebendigkeit jetzt vielen
ihrer vornehmeren und schwerfälligeren Rivalen an der Opéra

comique den Rang ablaufen. Wir beklagen dies um der
ganzen so anmuthigen und echt französischen Kunstgattung willen
und speciell in Bezug auf Ambroise Thomas, der sein Bestes
in der älteren Form der Opéra comique und im Genre des
Mezzo-carattere geschrieben hat: „Der Kadi", „Ein Sommer-
nachtstraum", „Der Roman Elvira's", „Raymond" und vor
Allem „Mignon". Letztere selbst ist wieder besser und eigenthümlicher in ihrer französischen Originalgestalt mit gesprochenem
Dialog und gutem Ausgang, als in der späteren italienischen
Bearbeitung mit Recitativen und tragischem Ende.

Der Director der Opéra comique, Herr Carvalho, hat
sich angestrengt, die Oper „Psyché" nicht blos glänzend aus-
zustatten, sondern auch besser zu besetzen, als die übrigen Opern
seines jetzigen Repertoires. Die Sängerinnen Demoiselle Heil-
bronn und Madame Engalli, die wir nie zuvor in der
Opéra comique gesehen, schienen eigens nur für dieses Werk
engagirt zu sein, dessen Hauptrollen, Psyché und Eros, sie mit
schönster Wirkung darstellten. Ein besonderes Interesse bot mir
die Generalprobe der Oper Psyché. Sie geschah vor dicht-
besetzten Logen und Bänken, wie es hier immer der Fall ist
und niemals der Fall sein sollte. Die Passion der Pariser für
Generalproben ist bekannt, und wenn zu der gewöhnlichen Neugierde noch die Sympathie für einen Componisten wie Ambroise
Thomas hinzutritt, vermag der Theater-Director sich der zahllosen mit den erdenklichsten Empfehlungen und Protectionen bewaffneten Gesuche gar nicht zu erwehren. Das Unzweckmäßige,
ja Zweckvereitelnde einer solchen Publicität ist in Paris oft
genug zur Sprache gekommen, und die ältere französische
Theatergeschichte verzeichnet diessfalls verschiedene interessante
Verordnungen, die von sehr richtiger Einsicht zeugen, aber dem
Widerstand des Publicums niemals auf die Dauer gewachsen
waren. Zur Zeit, als die Oper unmittelbar unter königlicher
Verwaltung stand, regelte letztere jedes Detail des Theater-

lebens, darunter auch die Generalproben. Das Reglement von
1776 untersagte die Zulassung des Publicums zu denselben,
doch durfte das Comité Karten an achtzig Personen höchstens
ausfolgen, und zwar nur „an Künstler und Kenner, welche
nützliche Rathschläge zu geben vermöchten". Ein förmliches
Recht, den letzten Proben beizuwohnen, stand nur den Ministern
zu, weshalb jene auch den Namen „Répétitions des ministres"
führten. Um der Neugierde des Publicums zu genügen und
zugleich die Einnahmen der Oper zu vermehren, gestattete der
König im Jahre 1786 mittelst eigener Ordonnanz den Zutritt
des Publicums zu den Generalproben gegen ein Entrée von
drei Livres für die Person; die Einnahme sollte unter die
Sänger vertheilt werden. Aber diese Speculation scheiterte; das
Publicum kam von dem Augenblicke an nicht mehr, wo es
kommen durfte — der alte Reiz der verbotenen Frucht! Nur
einer interessanten königlichen Ordonnanz vom Jahre 1787
wollen wir noch erwähnen: sie ermächtigte drei Zeitungs-Redac-
teure, den Generalproben unentgeltlich beizuwohnen, unter der
absoluten Bedingung, daß sie in ihrem Blatte „weder vom
Text, noch von der Musik, noch von den Decorationen und den
Künstlern sprechen dürften".

VI.

„Philemon und Baucis", komische Oper von Gounod.

Gelegentlich der „Psyché" von Ambroise Thomas mußte ich bekennen, daß mich jedesmal ängstlicher Schrecken erfaßt, so oft ich höre, irgend ein „bewährter" Librettist habe eine der schönen Mythen des Alterthums zur Opern=Composition hergerichtet. Im Vergleich zu Amor und Psyche ist die Ge= schichte des treuen Ehepaares Philemon und Baucis jedenfalls die weltlichere, realistischere, der Bühnenbearbeitung zugänglichere Handlung. Aber auch sie muß den ursprünglichen Duft schlichter Einfachheit einbüßen, um theaterfähig zu werden*). Die Sage ist bekanntlich folgende: Als einst Jupiter und Mercur in Menschengestalt Phrygien durchwanderten, wollte sie Niemand beherbergen; blos das alte Ehepaar Philemon und Baucis nahm sie auf, wusch ihnen die Füße und trug ihnen ein ländliches

---

*) Musiker dürfte die Notiz interessiren, daß wenigstens sieben Opern vor der Gounod'schen dasselbe Thema schon behandelt haben. Gluck schrieb eine italienische Oper: „Bauci e Filemone", 1769 für Parma. Drei deutsche Opern gleichen Sujets sind von Stegmann (1783), von Agthe (1791) und von Johannes Böhm (1805). Die drei französischen sind älter: Compositionen von Matho (1703), Rebel und Francoeur (1738) endlich von Gossec (1775).

Mal auf. Bei ihrem Weggang nahmen die Götter das Paar mit sich auf einen benachbarten Berg. Nach ihrem Dorfe zurück- schauend, sahen die beiden alten Leute dasselbe überschwemmt, ihre Hütte aber in einen prächtigen Tempel verwandelt. Jupiter stellte ihnen eine Bitte frei; allein die bescheidenen und zufrie- denen Eheleute baten blos um die Begünstigung, als Diener seines Tempels zu gleicher Zeit zu sterben. In hohem Alter, als sie einst vor des Tempels Thür saßen, wurde Philemon in eine Eiche, Baucis in eine Linde verwandelt. Erst allmälig bemerkten sie ihre Verwandlung und nahmen, so lange sie sich sehen konnten, den zärtlichsten Abschied von einander. Diese Sage hat eine so unscheinbare dramatische Bewegung, daß sie — eigentlich nur zwei Situationen enthaltend — kaum mehr als einen einzigen Act auszufüllen vermöchte. Gounod muß dies wol gefühlt haben, denn ursprünglich schrieb er seinen „Philemon" als einactige Oper für das kleine Theater in Baden-Baden, dessen kunstsinniger Spielpächter Benazet auch Berlioz' komische Oper „Benedict und Beatrice" bestellt und zuerst aufgeführt hatte. Vom poetischen Standpunkte dürfte diese bescheidene erste Gestalt von „Philemon und Baucis" wol die beste gewesen sein — aber welcher berühmte Pariser Componist gibt sich zu- frieden mit dem Ruhm und der Tantième einer einactigen Oper? Gounod unternahm also mit seinen Librettisten, Barbier und Carré, eine Erweiterung seiner Oper auf zwei Acte und fügte schließlich — l'appétit vient en mangeant — noch einen dritten mit großen Ballet- und Chorscenen hinzu, denselben, welcher jetzt den zweiten Act der Wiener Aufführung bildet. In dieser breiactigen Form wurden „Philemon und Baucis" zuerst im Théâtre Lyrique 1860 aufgeführt und sehr kühl aufgenommen. Die Kritik rügte damals diesen mit der Haupthandlung fast gar nicht zusammenhängenden und die Einheit der Stimmung zer- störenden zweiten Act. Er behandelt das Strafgericht, welches Jupiter über die ausschweifenden und gottlosen Phrygier verhängt, und rückt mit seinen pomphaften Chören und Tänzen die idyllische Handlung von Philemon und Baucis hart an die Grenze des Ballets und der Großen Oper. Als man nun in Paris vor zwei Jahren Gounod's Oper aus fünfzehnjähriger Vergessenheit wieder hervorzog und in der Opéra Comique auf- führte, geschah es mit Hinweglassung jenes episodischen zweiten Actes. In dieser gekürzten zweiactigen Form errang „Philemon und Baucis" einen entschiedenen, und wie es scheint, nachhaltigen Erfolg.

Ganz verschieden von dieser Form erscheint wieder die Auf- führung von „Philemon und Baucis" im Wiener Hofopern- Theater. Die Vergleichung ist nicht ohne Interesse. Ich hatte ursprünglich aus dem Studium des Textbuches und der Partitur die Ansicht gewonnen, daß wirklich der zweite Act, der sich wie ein fremder Keil zwischen die Haupthandlung schiebt, vom Uebel sei, und ich bedauerte im Geiste die Wiener Hofopern-Direction, daß sie, die Pariser Erfahrungen ignorirend, aus eigenem Schaden klug werden wolle, wo sie es so wohlfeil aus fremdem gekonnt. Heute gestehe ich gern, daß die Aufführung im Hof- operntheater mich von meiner vorgefaßten Meinung abgebracht hat. Principiell bleibt allerdings das dramatisch Gewaltsame und Unmotivirte dieses zweiten Actes tadelnswerth und die Weglassung desselben höchstens ob seiner musikalischen Schön- heiten zu bedauern. Aber es scheint mir hier einer der Fälle vorzuliegen, wo das Wie der Aufführung für das Was ent- scheidend wird und die eigenthümlichen Lebensbedingungen eines großen Theaters ihr Recht geltend machen, das Recht auf eine Wirkung, welche kleineren Bühnen theils entbehrlich, theils uner- reichbar ist. Der zweite Act von „Philemon" muß mit einer musikalischen und scenischen Pracht gegeben werden, wie im Wiener Operntheater, nur dann kann er wirken, wirkt aber auch entscheidend. Im Théâtre Lyrique mag dieser Act schäbig genug ausgefallen sein, in der Opéra Comique wagte man sich lieber gar nicht daran. Man konnte dieses grandiosen aufgeregten

Bildes leicht entbehren, ja es gern vermeiden in solchen kleineren Theatern, wo genrehafter Stoff, lustspielmäßige Behandlung und gesprochener Dialog vorwiegen. Diese Elemente sind aber gerade einer großen Opernbühne entfremdet; das Bedenken, durch den zweiten Act die idyllische Monotonie der Haupthandlung zu unterbrechen, verschwindet hier gegen die Besorgniß, sie ununterbrochen walten zu lassen. Der Erfolg gab der Wiener Aufführung Recht; Recht für Wien, nicht für überall. Die malerische Anordnung der lagernden Gruppen, die wilden Bacchantentänze, welche den jubelnden Chor in langen Schlangenwindungen umkreisen, die imposante Erscheinung des in Wolken thronenden, Blitze schleudernden Jupiters, vor dem das Volk mit emporgestreckten Armen sich flehend niederwirft — das Alles vereinigt sich hier zu einem überraschend großartigen, durchaus schönen Bilde, das sich dem Zuschauer unvergeßlich einprägt.

Im ersten Act beobachten die Librettisten eine bescheidene Zurückhaltung auf dem geweihten Boden der Mythe; die Exposition ist fein und geschickt gemacht. Aber im dritten Act nimmt der Text eine derbe lustspielmäßige Wendung, welche dem guten Eindruck des Anfangs schadet. Wir Teutschen vertragen dies Travestiren der Göttergestalten höchstens, wo es sich von Haus aus zu possenhaftem Zweck als solches ankündigt, wie bei Blumauer oder Offenbach. In ernsten, rührenden Handlungen verstimmt uns aber sofort ein französischer Vaudeville = Jupiter, wie er im dritten Act der Gounod'schen Oper erscheint. Da verliebt er sich sofort in die durch seinen Götterspruch verjüngte Baucis und bestürmt sie mit der ganzen häßlichen Geschicklichkeit des ausgepichten Verführers. Baucis hört ihn nicht ohne Koketterie und scheint fast geneigt, um dieses göttlichen Don Juan's willen ihren Masetto zu vergessen. Die Scene, im Deutschen um zwei ganze Nummern gekürzt (Duett zwischen Jupiter und Baucis, dann Terzett), also fast bis zur Andeutung abgeschwächt, wirkt im Original widerwärtig. Auch der

Ausgang der Handlung ist willkürlich im Geschmack der Komi=
schen Oper erfunden: das treue Ehepaar, statt in Bäume ver=
wandelt zu werden, bleibt jung, ewig jung und schließt mit
einem Da capo des ersten Liebesduetts. Am Ende liegt nicht
viel daran; nachdem die Herren Barbier und Carré bereits so
gründlich in dem Hain der Götter geholzt haben, kommt es auf
die zwei Bäumchen auch nicht mehr an.

Der Musik Gounod's läßt sich viel Gutes nachsagen.
Ohne besonders gehaltvoll oder originell zu sein, tritt sie doch
mit so feiner Mäßigung und Anmuth auf, daß man ihr mit
Vergnügen lauscht. Das Duett der beiden Alten im ersten
Acte gehört zu Gounod's liebenswürdigsten Eingebungen, des=
gleichen das kleine Melodram zu Baucis' Monolog, der hinter
der Scene gesungene Bacchantenchor und Anderes. Ueberhaupt
hinterläßt der erste Act einen wohlthuenden Eindruck, dessen
Reinheit nur vorübergehend durch einige platte Stellen Jupiter's
und Vulcan's getrübt wird. Die Chöre und Tänze im zweiten
Acte glänzen in prächtigem Colorit; nur die Strophen der
Bacchantin bringen es trotz aller melodischen und rhythmischen
Künstelei nicht zu rechtem Leben. Der dritte Act beginnt mit
einem sehr hübschen Duett der jung gewordenen Gatten, in dem
uns nur die auffallende Reminiscenz des G-dur-Satzes: „O
baiser de feu!" aus dem ersten Liebesduett Romeo's und
Julie's stutzen macht. Leider mußte Gounod in dieser wie in
jeder seiner früheren Opern ein Opfer auf den Virtuositäts=
Altar der Madame Miolan=Carvalho niederlegen: eine mit
tausend Zierrathen behängte, in die höchsten Regionen kletternde
Coloratur=Arie, die zum Stile des Ganzen ganz und gar nicht
paßt. Ungleich werthvoller ist die darauffolgende kleine Romanze,
worin Baucis den Jupiter anfleht, ihr ihre Runzeln und weißen
Haare wiederzugeben.

VII.

Das ältere Repertoire der Opéra comique.

(Grétry, Isouard, Boieldieu.)

———

Von hohem Interesse waren mir, trotz der mittelmäßigen Aufführung, die alten Opern: „Richard Coeur-de-Lion" von Grétry und „Joconde" von Isouard, welche an einem und demselben Abende (sechs Acte!) gegeben wurden. Man dürfte sie kaum mehr anderswo als in Paris noch zu hören bekommen. Die Opéra comique bewahrt ihren alten Meistern eine lobenswerthe nationale Pietät und widmet ihnen in der Regel den Sonntag, spielt sie also nur selten, läßt sie aber niemals ganz in Vergessenheit gerathen. In der Pariser Großen Oper fehlt dieser conservative Zug, sie erinnert sich nicht einmal mehr Spontini's und geht hinter Rossini's „Tell" und Meyerbeer's „Robert", also das Jahr 1830, nicht zurück. Wie in der französischen Nation der Drang nach Neuem mit der Pietät für das Alte Hand in Hand geht, zeigt am besten das Théâtre Français, welches wöchentlich zwei, auch drei Lustspiele von Molière zum lebhaftesten Ergötzen des dichtgedrängten Publicums darstellt. Und Molière schrieb doch zu einer Zeit, da wir Deutschen noch keine Literatur hatten

ober wenigstens keine, die man heutzutage anders als aus Lite-
raturgeschichten kennen lernt. Tragödien von Racine und Voltaire,
Lustspiele von Sédaine, Marivaux, Beaumarchais erscheinen
zeitweilig noch immer auf der Bühne des Théâtre Français,
auch des Odeon. Für die Tonkunst gibt es keine Bildergalerien,
keine Museen, wie für die Schätze der alten Maler= und Bild=
hauerkunst. Die Sonntage der Opéra comique vertreten hier,
nach den modernen Genüssen der Woche, die Stelle eines solchen
Museums. Wenigstens war dies vor der Weltausstellung von
1878 der Fall; während letzterer kam sehr selten eine der
älteren Opern zur Aufführung. Im Jahre 1867 gab es in
Paris noch zwei andere lyrische Bühnen, welche eine Specialität
in der Wiederbelebung älterer Opern, auch anderer Nationen,
suchten. Vor Allem das Théâtre Lyrique, in welchem ich den
„Freischütz“, „Abu Hassan“, „Die Entführung aus dem Se=
rail“ sah, und Les Fantasies Parisiennes, ein kleines Theater
auf dem italienischen Boulevard, welches ältere Singspiele, wie
„Le Sorcier“ von Philidor, „L'arbre enchanté“ von
Gluck, Mozart's „Gans von Kairo“, Boieldieu's
„Calife de Bagdad“ (eine Dame verlangte jüngst in der Musik=
handlung „Le canif de Balzac“) mit Glück hervorsuchte. Diese
beiden Theater sind zu Grunde gegangen, durch Bankerott das
eine, das andere durch Feuer und Granaten. Kein Zweifel,
daß der Franzose, im Theater wenigstens, mit seiner künstleri=
schen Vergangenheit inniger zusammenhängt, als der Deutsche.
Der Franzose von heute fühlt sich den Singspielen von Grétry
und Monsigny ungleich näher verwandt, als wir unseren spä=
teren Componisten Dittersdorf, Weigl, Winter, Gyrowetz. Das
macht, weil die ältere Opéra comique der Franzosen von Haus
aus ungleich nationaler auftrat, weil sie französischer war, als
die unsere deutsch. Von Grétry's zahlreichen Opern sind
der „Blaubart“ und „Richard Löwenherz“ diejenigen, welche
in Deutschland sich am längsten erhalten hatten; seit dreißig bis

vierzig Jahren sind sie so ziemlich verschwunden. Sie würden der gegenwärtigen Generation als etwas vollständig Ver-
altetes erscheinen, an das wir nicht mehr anzuknüpfen wissen.
Anders in Paris, wo diesen Werken nicht nur die Pietät
zu Hilfe kommt (sie allein reicht niemals aus), sondern
die lebendig erhaltene Tradition sowol der Sänger als des
Publicums. Auch im Leben der Bühnendichtung gibt es eine
Art Verjährung, wie im bürgerlichen Rechte; sogar der Zeitraum
von dreißig Jahren spielt da eine ähnliche Rolle. Die Opéra
comique befleißigt sich, diese Verjährung oft und regelmäßig zu
unterbrechen und das Publicum dadurch im geistigen Besitze zu
erhalten. Solche Continuität des künstlerischen Eindruckes ist
wichtiger, als man bei uns meint. Der Franzose, welcher heute
zum „Richard Löwenherz" seine Töchter führt, hat ihn vor
zwanzig Jahren mit seiner Frau und vor vierzig mit seiner
Mutter gehört. Bei uns fehlt dieser Zusammenhang, und unserem Publicum würde es kaum anders ergehen als mir, dem
bei lebhaftester Verehrung für Grétry „Richard Löwenherz"
doch gar zu einfach und knapp erschien in musikalischer Hinsicht.
Nur ein sehr kleines, bescheidenes Theater mit vorwiegend „ge-
müthlichem" Publicum dürfte es in Deutschland noch damit
wagen. Ganz anders erscheint Grétry's Werth und Bedeutung
vom geschichtlichen Standpunkte. Das Publicum mißt einen
älteren Autor doch nur an seinen Nachfolgern, wobei er häufig
zu kurz kommt — der Historiker mißt ihn an seinen Vorgängern.
Und welch' großen Fortschritt bezeichnet da Grétry! Durch die
Gunst eines langen Lebens und glänzender Erfolge hat Grétry
diesen Fortschritt gesichert und fruchtbar gemacht für seine Nachfolger, welche daran anknüpfen konnten, anknüpfen mußten. In
seinen Memoiren sagt Grétry, sein Streben sei, die melodiöse
Schönheit der Italiener mit dem dramatischen Geist der Franzosen zu verschmelzen, sein höchstes Ideal, „der Pergolese Frankreichs zu werden". Unser Dittersdorf wünschte seinerseits

„ein deutscher Grétry zu werden". In diesen zwei Geständ-
nissen liegt wie im Keim die ganze Entwickelungsgeschichte der
älteren komischen Oper. Pergolese, Grétry, Dittersdorf: Italien
zuerst als Quelle, Frankreich zunächst daraus schöpfend und den
Eimer weiterreichend an Deutschland. Grétry, Philidor, Monsigny, Dalayrac beherrschten im vorigen Jahrhundert das Repertoire aller deutschen Bühnen, und selbst wo die Musik unserer Singspiele von Deutschen herrührte, das Libretto war
damals in neun von zehn Fällen eine Bearbeitung nach dem
Französischen.

Wenn man Grétry's Memoiren liest, glaubt man oft
Gluck sprechen zu hören, so klar ist sein Bewußtsein, so streng
seine Anforderung in Bezug auf die Wahrheit des dramatischen
Ausdrucks. Wie Gluck, so verwendete Grétry die äußerste Sorgfalt auf die Correctheit der Declamation. Von späteren Franzosen hat namentlich Auber sich große Leichtfertigkeit in diesem
Punkt erlaubt, und es ist ein Verdienst Gounod's, wieder
ein Beispiel correcter französischer Declamation zu geben. Grétry's Analysen seiner eigenen Oper gehören zu den lehrreichsten
dieser Art; bis in den einzelnen Tact, die einzelne Note gibt
er Rechenschaft, warum er eine Stelle so und nicht anders componirt habe. Als er bei Erscheinen seines „Richard Löwenherz",
1785, ob der ausgezeichnet musikalischen Eignung des Textbuches beglückwünscht wurde, ließ er diesen Vorzug nur bezüglich der berühmten Romanze gelten, durch welche der treue
Blondel den König rettet. Die ganze Oper sollte nach Grétry's streng dramatischer Anschauung nur declamirt sein und blos
jene Romanze gesungen werden. Er gesteht, daß er gegen diese
seine Ueberzeugung dem musikalischen Bedürfniß des Publicums
Concessionen gemacht habe, hält aber dennoch die Unterscheidung
fest, die er mit den geistreich lakonischen Worten präcisirt: „Il
y a chanter pour parler, et chanter pour chanter." Die
Romanze Blondel's kommt im Verlauf der Oper neunmal vor,

ganz oder stückweise (ein „Leitmotiv", hundert Jahre vor R.
Wagner!), jedesmal anders, blos gespielt oder gesungen, von
einer oder von mehreren Stimmen, mit einfachster oder mit
reicher Begleitung u. s. w. Jede dieser Veränderungen rechtfertigt Grétry mit dem Scharfsinn eines Advocaten. In seinen
Anforderungen an die Ausdrucksfähigkeit der Musik ging Grétry offenbar zu weit, sie wurde ihm fast zur fixen Idee und
verleitete ihn, jeden Gemüthszustand, auch „l'optimisme", „l'en-
têtement" und dergleichen musikalisch photographiren zu wollen.
Zum Glück trug seine musikalische Natur in der Praxis den
Sieg davon über seine geistreichen theoretischen Schrullen. Was
uns heute noch in Grétry's Memoiren fesselt, ist nicht blos
der klare, an Kunstverstand seine Zeitgenossen überragende Denker, sondern ebensosehr der lebensfrische, liebenswürdige Mensch.
Seine musikalischen Verdienste erschienen den Zeitgenossen ver-
klärt durch den Zauber seiner Persönlichkeit, endlich durch den
traurigen Ausgang seines vielbewegten Lebens. Seine drei
Töchter, blühende, hochbegabte Mädchen, starben rasch nach einander; durch die Revolution verlor er sein kleines Vermögen,
sein Einkommen. Alt, einsam und verarmt stand der Mann
da. Aber der Eine Trost verblieb ihm, daß seine Melodien
im Volke lebten. Blondel's Romanze aus „Richard Löwenherz" ward das Bundeslied der französischen Edelleute, welche
Louis XVI. aus den Banden der Constitution retten wollten
und damit nur seinen Untergang beschleunigten. Und als Napoleon's Soldaten aus dem furchtbaren russischen Feldzug nach
Frankreich heimkehrten, da stimmten sie auf dem traurigen Rück-
marsch Grétry's Melodie an: „Où peut-on être mieux, qu'au
sein de sa famille!" Grétry starb im Herbst 1815, vier-
undsiebzig Jahre alt, in der Eremitage zu Montmorency, demselben stillen, ländlichen Asyl, das vor ihm J. J. Rousseau
bewohnt und geliebt hatte.

Grétry's Geist und Stil wirken heute noch fort in Frank-

reich. Kein anderer Zweig der Bühnendichtung weist eine solche
Continuität des Stils, eine so geschlossene Fortentwickelung auf,
wie die Opéra comique der Franzosen. Von Grétry zu
Jsouard und Boieldieu, zu Auber, Adam u. s. f.

Die Aufführung des „Joconde" von Jsouard am selben
Abend mit Grétry's „Richard" gewann durch dieses Verhältniß
ein doppeltes Interesse. Das Textbuch zu „Joconde" ist vortrefflich, und ein liebenswürdig chevaleresker Zug durchweht die
Musik. Mehrere Ensemble-Nummern im zweiten und dritten
Act machen heute noch die schönste Wirkung, freilich zumeist
durch das Verdienst des Dichters, der hier ganz allerliebste Situationen geschaffen hat. In den ersten komischen Opern der
Franzosen war die Musik gleich Null, sie wuchs mit der Zeit
an Ausdehnung und Bedeutung, aber das große Gewicht, das
man den Textbüchern beilegte, blieb ihnen bis heute unbenom-
men. Es freut mich jedesmal, wenn ich im Foyer der Opéra
comique neben den Büsten der großen Componisten auch jene
ihrer Textdichter erblicke, von Sédaine und Etienne bis auf
Eugène Scribe. In Deutschland hat seinerzeit Jsouard's musikalisch geringfügigere „Cendrillon" die stärksten Sympathien
gefunden; die gemüthvolle Herzlichkeit des Aschenbrödel-Mär-
chens, dem sich die schlichte, liedmäßige Musik vortrefflich an-
schmiegt, war den Deutschen blutsverwandter, als die lockeren
Abenteuer des Troubadours Joconde und seines fürstlichen
Kameraden. Diese zwei Opern bilden den fast isolirten Höhenpunkt in Jsouard's Schaffen, wir können sein Talent und seine
Meisterschaft heute unmöglich mehr so hoch anschlagen. Sein
im selben Jahre 1775 geborener Rivale Boieldieu hat ihn
weit überflügelt. Die „Weiße Dame", die Boieldieu in seinem
fünfzigsten Jahre, nahe dem Ende seiner Laufbahn, geschrieben,
ist noch heute die feinste Blüthe französischen Musikgeistes, die
weiße Rose der Opéra comique. Was Boieldieu als junger
Mann componirte, dünkt uns jetzt dürr und veraltet — aber

im Spätherbst seines Lebens, wie reich und blühend hat sich
da sein Talent entwickelt! Boieldieu ist alt geboren und jung
gestorben.

Als man im Sommer 1875 in seiner Vaterstadt Rouen
Boieldieu's hundertsten Geburtstag feierte, da rüstete sich ein-
müthig das ganze musikalische Frankreich, um das viertägige
Fest würdig zu begehen. Ihm folgte A u b e r, der noch im
hohen Alter an Frische und Fruchtbarkeit alle jüngeren Nebenbuhler übertraf. Seit der Alte todt ist, schmachtet die Opéra
comique nach einem originellen fruchtbaren Talente, das halbwegs den verwaisten Platz auszufüllen vermöchte. Bis jetzt
will dieser Messias sich nicht ankündigen. „Mignon" von A m -
b r o i s e T h o m a s war der letzte große, anhaltende Erfolg in
der Opéra comique, — es sind zwölf Jahre her. Seitdem
hat eine einzige Novität dieses Theaters ein etwas lebhafteres
Interesse erregt: „Carmen" von G e o r g e s B i z e t (1875).

VIII.

„Carmen" von Georges Bizet.

Carmen, ein in Spanien häufiger Taufname, wörtlich Garten bedeutend, im Diminutiv Carmencita (Gärtchen) ist die Heldin einer spannenden, an psychologischen Feinheiten reichen Novelle von Prosper Merimée.

Der Dichter beginnt diese Novelle mit der Schilderung eines Ausflugs in die andalusischen Berge, wo er in einer einsamen Waldschlucht unvermuthet auf den gefürchteten Räuberhauptmann Don José-Maria stößt. Ein Zug von Schwermuth und von rauher Ehrlichkeit in dem verwilderten Manne gewinnt ihm fast die Sympathien des Erzählers. Einige Zeit nachher trifft er Don José in Cordova bei einer jungen Zigeunerin, Namens Carmen, welche den Erzähler in ihre Hütte gelockt, um ihm Karten aufzuschlagen und nebenbei seine goldene Repetiruhr zu entwenden. Eine wilde, seltsame Schönheit, anfangs befremdend, aber unmöglich zu vergessen. Ihre wunderbar geschnittenen Augen hatten einen Ausdruck zugleich von Wolluft und von Grausamkeit, wie man ihn nur bei manchen wilden Thieren antrifft („Zigeuneraugen — Wolfsaugen" sagt ein spanisches Sprichwort). Diese Carmen ist das böse Schicksal im Leben Don José's, der, obwol Edelmann und Officier, aus

Liebe zu ihr fahnenflüchtig wird, sich zu Schmugglern und Räubern gesellt, um schließlich als Mörder Carmen's durch Henkershand zu enden. Merimée besucht den Verurtheilten im Gefängniß, wo dieser ihm ausführlich, rückhaltlos seine traurige Lebens- und Liebesgeschichte mittheilt. Diese Erzählung wirkt ergreifend durch die lebenswahre Schilderung der beiden Hauptpersonen und ihrer Schicksale, zugleich überzeugend durch die Stetigkeit und Schärfe des psychologischen Processes. In diesen Vorzügen von Merimée's Novelle liegt der Reiz und die Gefahr für dramatische Behandlung. Eine Oper „Carmen" wird uns die Figuren und Begebenheiten anschaulich, aber kaum glaubwürdig machen, weil sie auf das Secirmesser und Mikroskop des Psychologen verzichten muß. Die Verfasser des Opern-Libretto's haben wohlweislich einige der häßlichsten Züge Carmen's beseitigt: sie stiehlt wenigstens keine Taschenuhren und gibt auch Don José nicht den Wink, ihren Mann, ein einäugiges Scheusal, gelegentlich niederzuschießen. So viel sie der Heldin an abstoßender Härte genommen, so viel mindestens hätten die Bearbeiter dem Don José an Muth und Ritterlichkeit beilegen sollen. Die Gestalt dieses armen Jungen bleibt immerhin rührend durch seine leidenschaftlich treue Hingebung, die, hundertmal verwundet, dennoch in ihm nicht sterben kann. Ein wahrer Sonnenstich der Liebe, der den Getroffenen wehr- und willenlos macht. Derselbe Sonnenstich, der den Chevalier de Grieux für Lebenszeit zu den Füßen der ungetreuen und leichtsinnigen Manon Lescaut hinstreckte. Eine Figur, die in der Original-Novelle gänzlich fehlt, ist das Landmädchen Micaëla, welche — ein Seitenstück zur Alice in „Robert der Teufel — ihren Landsmann José aus den Zaubernetzen der Carmen erretten und einem ruhigen Familienleben zurückgeben möchte. Die Bearbeiter empfanden ganz richtig das Bedürfniß nach einem sanften Gegenbild Carmen's, und es ist kaum ihre Schuld, wenn der Componist nicht mehr daraus zu machen wußte.

Der Inhalt der Oper ist in aller Kürze folgender: Ein junger Brigadier, José, soll eine Zigeunerin wegen einer blutigen Rauferei ins Gefängniß escortiren. Von ihrer koketten, wilden Schönheit berückt, läßt er sie entschlüpfen. Für dieses Vergehen degradirt und eingesperrt, eilt er nach überstandener Strafe gleich zu der leichtfertigen Carmen, wird ihr Liebhaber und auf ihr Drängen Schleichhändler. Immer wieder von ihr betrogen und verrathen, folgt er doch treulich auf ihren gefahrvollen Schmugglerzügen. Endlich übermannt ihn die Eifersucht gegen einen von Carmen begünstigten Toreador. Er will seine Ehre, sein Lebensglück nicht vergebens hingeopfert haben; sie soll ihrem Toreador, soll ihrer Schmugglerbande entsagen und mit ihm fliehen. Da sie sich weigert und José höhnisch abweist, ersticht er sie. Die Handlung entfaltet sich in vier Tableaux von national-spanischer Färbung: eine Straße in Sevilla mit der Hauptwache, an der die Posten einander ablösen, eine abgelegene Schänke für Schleichhändler und Dirnen, eine Bergschlucht, in welcher die Zigeunerbande Halt macht; endlich ein Platz in Cordova mit dem Circus der Stiergefechte als Hintergrund. Auf diesen Platz eilt Carmen als Zeugin des Triumphes ihres Toreador, hier durchbohrt sie der rächende Stahl des unglückseligen José. Man kann sich leicht vorstellen, welche dankbaren Situationen diese vier Acte einem dramatischen Componisten bieten. Aber gewagt bleibt es immerhin, einen Charakter wie Carmen auf die Bühne zu bringen, eine Art zerlumpter, verwilderter Manon Lescaut, ohne den versöhnend empfindsamen Zug der Letzteren. Zumal auf die Bühne der Opéra comique, welche Scenen wie das Messerduell der beiden Nebenbuhler und einen so tragischen Ausgang nie zuvor gesehen — ein neuer, stärkster Beleg, wie die Bezeichnung „Komische Oper" nur mehr eine rein traditionelle und technische geworden, für ein Singspiel mit gesprochenem Dialog. Wenn man von diesem Schlußtableau, der Ermordung Carmen's, aufblickt und über dem

Vorhang in goldenen Lettern die Devise liest: „Ridendo castigat mores", so empfindet man den Contrast beinahe wie einen elektrischen Schlag. Er wird kaum gemildert durch den Gedanken, wie dürftige Berechtigung jener Spruch und wie wenig die Musik die moralische Macht und Mission habe, irgend etwas zu „züchtigen".

In der Partitur Georges Bizet's begrüßen wir weder die That eines schöpferischen Genies, noch die Arbeit eines fertigen Meisters; wohl aber eine interessante Production voll Geist und Talent. Gewiß war sie auch eine vielversprechende, leider durch den Tod Bizet's vernichtete Anweisung auf Besseres, das von ihm nachfolgen sollte. Der Componist hatte nach einigen unsicher tastenden Versuchen endlich mit der Oper „Carmen" einen festen Boden und seinen ersten Erfolg gefunden. Da ereilte ihn, den Aufstrebenden, Jungen, Glücklichen, am 3. Juni 1875 ein plötzliches Ende — drei Monate nach der ersten Aufführung von „Carmen". Bizet, im Leben ein Schwieger-sohn Halévy's, in der Musik ein Adoptivsohn Ambr. Thomas', genoß als strenggeschulter, guter Musiker besonderes Ansehen bei der neuesten musikalischen Schule Frankreichs, die ihn nicht un-gern als ihr Haupt bezeichnete. Diese jüngste nach=Auber'sche Opernschule besitzt Geist und Gewandtheit bei geringer musika-lischer Urkraft; es charakterisirt sie die specifisch dramatische Intention, die sorgfältige, mitunter glänzende Technik, das raffi-nirt geistreiche Detail, leider nicht die Fülle und Originalität der Erfindung. Halb an die Sentimentalität Gounod's, halb an den Esprit A. Thomas' anlehnend, sucht sie diese Elemente mit der dramatischen Methode R. Wagner's, so weit ihr dieser zugänglich, zu kitten. Müssen wir auch lächeln, wenn das Pariser Opernpublicum in jedem dissonirenden Accord, jedem chromatischen Motiv, jeder unklaren oder unsymmetrischen Form sofort „du Wagner" erblickt, so ist doch eine zunehmende Ein=wirkung des „Tannhäuser" und „Lohengrin" auf die neuesten

französischen Componisten unleugbar. Pariser Kritiker bezeich=
neten Bizet geradezu als „un des plus farouches intransigeants
de notre jeune école wagnérienne" und wunderten sich, daß
er in „Carmen" sich trotzdem maßvoll und manierlich benehme.
Nun, „Wagnerisch" kann man Bizet nur finden, wenn man ihn
mit den früheren französischen Opern=Componisten und nicht mit
R. Wagner vergleicht. Der üppige Melodien = Strom in
„Fra Diavolo" und der „Stummen von Portici", selbst die
sorglose Heiterkeit des „Postillon von Lonjumeau", erscheinen sie
nicht wie ein goldenes Märchen, wenn man ihre jüngsten Ab=
kömmlinge daneben hält? Immer ernsthafter werden die Gesichter,
immer zugespitzter der Ausdruck, immer sorgfältiger und compli=
cirter Harmonisirung und Instrumentation, aber unter der fort=
geschrittenen Technik und den höheren „Intentionen" sickert spär=
lich aus abgeleiteten Quellen die melodische Erfindung. Werke
dieser Art erheben und beglücken uns nicht, wie die Schöpfungen
genialer Meister; sie wollen andererseits ernster aufgefaßt und
höher taxirt sein, als bloße Unterhaltungsmusik vom Schlag der
Operetten. Also ein Mittleres zwischen zwei grundverschiedenen
Eindrücken, halbe Kunst, wenn man so sagen darf, wie sie jetzt
nahezu allein herrscht auf dem Theater und in ihren besseren
Erzeugnissen ihm auch unentbehrlich ist. Wie geschickt gerade
die Franzosen darin sind, selbst ein mittleres Talent durch eine
gewisse Formvollendung und Sicherheit wirksam zu machen; wie
ihre Opern durch Feinheit, Esprit und Bühnentact uns wenig=
stens lebhaft anregen und interessiren können, das beweist unter
Anderm auch die Oper „Carmen". Sie ist eine der besten aus
nach=Auber'scher Schule und seit „Mignon" (1866) der namhafteste
Erfolg in der Opéra comique. Im Laufe der Wiederholungen
hat sich in Paris der Kreis ihrer Anhänger entschieden vergrößert.

Erinnern wir uns flüchtig der hervorragendsten Nummern
der Partitur. Gleich der lebendig bewegte erste Act wird gut
eingeleitet durch einen Soldatenchor, dessen etwas gesuchtes chro=

matisches Thema pikant genug klingt. Musterhaft ungezwungen
verflicht sich darein das kurze Gespräch Micaëla's mit dem
Brigadier Morales; im leichten Aufbau solcher Conversations-
Scenen sind die Franzosen unübertroffen. Gefällig, doch ohne
tieferen Eindruck, berührt uns das Duett Micaëla's mit José.
Die Chöre der Fabriksarbeiterinnen tragen sowol in ihrer sorg-
fältigeren Ausarbeitung, als ihrem für diesen Anlaß etwas zu
hochgegriffenen Ausdruck ganz die Signatur der neuesten französischen Schule. Aber erst mit dem Auftreten Carmen's geräth
das Blut des Componisten und der Zuhörer in Wallung. Ihr
Strophenlied: „L'amour est enfant de Bohême" mit dem
nach je acht Tacten kurz einschlagenden Chor-Refrain „Prends
garde à toi!" verdankt einer spanischen Volksmelodie seine
Originalität, dem Componisten Bizet seine effectvolle und elegante
Einkleidung. Desgleichen die Sequidilla, mit welcher Carmen,
die Hände auf dem Rücken gebunden, José den Kopf verrückt
— ein Stück von charakteristischer, zierlichster Haltung. Im
zweiten Act geht es noch lustiger her; noch dominirender waltet
hier die spanische Localfarbe, mit den baskischen Tambourins
und Castagnetten. Das Zigeunerlied Carmen's, das, vom
Chor begleitet, sich allmälig in einen allgemeinen tanzenden
Wirbel auflöst, hat, zusammenwirkend mit der ganzen Scenerie,
etwas Berauschendes. Der Toreador Escamillo tritt in die
Schänke; seine an banale italienische Opernmelodien erinnernden
Couplets erweisen sich trotzdem als sichere Treffer, welche im
Nachhausegehen leicht nachgeträllert werden. Wir ziehen die
feineren Züge der darauffolgenden Buffo-Quintetts weit vor,
ein rasches, halb flüsterndes Geplauder zwischen den drei
Zigeunermädchen und zwei Schmugglern in der Manier des
bekannten Terzetts aus Herold's „Zweikampf". Es folgt ein
großes Duett zwischen Carmen und José, dessen C-dur-Satz
(Sechsachtel-Tact) mir das leidenschaftlichste und hervorragendste
Stück der Oper scheint. Carmen's drängendes Zureden „Là-
bas, dans les montagnes", durchschnitten von José's immer

heftigerem Ausruf: „Carmen!" ist echt dramatisch, es darf ja
nicht im Tempo übertrieben werden, wie es in Wien der Fall
ist, wo man auch gerade diesen Satz des Duetts unvernünftig
kürzt. Die beiden ersten Acte sind dramatisch und musikalisch
die gelungensten. Der dritte Act fällt durch den Stillstand der
Handlung und die Dürftigkeit der Musik nachtheilig ab; nur
das Terzett der Kartenaufschlägerinnen erzielt als graciöses,
feingemeißeltes Tonstück bedeutendere Wirkung. Gegen den
dritten Act hebt sich wieder der vierte, aber mehr durch seine
üppige Augenweide, als durch musikalischen Reichthum. Der
Festzug zum Stiergefecht mit dem trefflich dazu stimmenden
Ballet entfaltet eine heitere Pracht. Die Balletmusik in H-moll
bestrickt durch ihren exotischen Reiz. (Sie ist einer älteren Oper
von Bizet „La jolie fille de Perth" entnommen.) Dies Alles
ist eigentlich nur die sich bequem ausbreitende Einleitung zu dem
kurzen, wie ein Beilhieb niederblitzenden Schluß des Ganzen; eine
fast brutale Tragik, die uns indessen nicht unvorbereitet findet.

In Paris wird Carmen von der Galli-Marié gespielt,
der geistvollen Schöpferin der Mignon-Rolle. Ihre Stimme
habe ich nicht unversehrt wiedergefunden, ihre Gestalt breiter,
behäbiger, die Gesichtszüge derber. Doch wirken ihre Leistungen
noch immer durch Geist und energische Frische. Als Carmen
leiht sie selbst der Frechheit eine gewisse Anmuth, sei es auch
nur die Anmuth des Leichtsinns. Von den noch im Jahre
1867 hellleuchtenden Sternen der Opéra comique ist die Galli-
Marié der einzige, der noch nicht erloschen.

In Wien haben Bertha Ehnn und Georg Müller
sich als vortreffliche Darsteller der beiden Hauptrollen, Carmen
und Don José, bewährt. Mit noch genialerer Charakteristik
gestaltete Pauline Lucca die Rolle der Carmen.

IX.

Der Trocadero = Saal und die Welt=ausstellungs = Concerte.

Endlich am 6. Juni wurde der große Festsaal des Tro=
cadero = Palastes mit dem ersten „Concert officiel" ein=
geweiht. Es begann nach zwei Uhr und endete um halb
Fünf. Ein Auditorium von viertausend Personen — wol das
zahlreichste, das außer dem Krystallpalast von Sydenham ein
Concertsaal vereinigt — füllte diesen imposanten Raum. Ein
großartiger Anblick, dem höchstens jener letzte Glanz fehlte, wel=
chen einzig die Kerzen = oder Gasbeleuchtung geben kann. Aber
auch so, bei Tageslicht, bleibt der Eindruck überwältigend genug,
um die stolze Prophezeiung der Franzosen zu rechtfertigen: es
werde dieser Festsaal für die Ausstellung werden, was Garnier's
„Grand escalier" für die Pariser Oper ist: eine unerbittliche
Sehenswürdigkeit für Alle, die in Paris leben oder nach Paris
kommen. Wir treten durch eine der zahlreichen Thüren zuerst
in ein weites Parterre von fünfzehnhundert bequemen Fauteuils.
Hinter und über demselben erhebt sich eine Pfeilerreihe (in
Schwarz und Gold), welche zweiundvierzig gedeckte Logen einfaßt,
und darüber wieder ein in fünfzig offene Logen sich theilender
Balcon. Dieser wird seinerseits beherrscht von einem Amphi=

theater von zweitausend Sitzen. Ueber diesem Amphitheater, das dem Saale einen Anflug von antik-römischem Theaterbau gibt, strömt das Tageslicht durch neun colossale Fenster ein, unter welchen neun, auf elegante Säulchen gestützte Tribünen (der höchste Platz) hervorspringen. Zehn riesige Sphinxe halten ebenso viel Schilde mit den Namen: Bach, Händel, Haydn, Mozart, Beethoven, Weber, Mendelssohn, Cherubini, Berlioz, Félicien David. Mit lobenswerther Gerechtigkeit ist somit die deutsche Instrumentalmusik durch sieben Meister repräsentirt, während die italienische nur einen, die französische nur zwei Namen erhielt. Daß Félicien David einen Platz nicht beanspruchen darf, wo Robert Schumann fehlt, leuchtet freilich jedem Musiker ein, doch wollen wir die Franzosen, deren Nationalstolz hier schon ein Uebriges gethan, darob nicht verklagen. Aus den Seitenwänden in halber Höhe sehen wir zwei große Logen vorspringen, deren eine dem Präsidenten der Republik, die andere dem Handelsminister bestimmt ist. Den Fries des großen, die Estrade überwölbenden Bogens schmückt ein weitläufiges Frescogemälde, „la France harmonique" vorstellend (ein Ausdruck Victor Hugo's), welche die Abgesandten aller Nationen um sich versammelt. Die Nische, welche sich dem Publicum gegenüber öffnet, ist geräumig genug, um vierhundert Musiker und dahinter eine große Orgel zu fassen. Letztere, eine Arbeit des berühmten Cavaillé-Col, bekommen wir noch nicht so bald zu hören; eine Orgel gehört bekanntlich zu den Dingen, die niemals zur bestimmten Zeit fertig sind *).

---

*) Das Orchester ist folgenderweise zusammengesetzt: Erste Violinen 26, zweite Violinen 26, Bratschen 18, Violoncelle 18, Contrabässe 18, Flöten 4, Oboen und Englisch-Horn 3, Clarinetten sammt Baßclarinette 5, Saxophons 4, Fagotte 4, Hörner 8, Trompeten 4, Posaunen 3, Ophicleïde 1, Harfen 8, Schlag-Instrumente 4. Zusammen 154 Instrumentalisten, dazu 200 Sänger. Gesammtzahl: 354.

Der Capellmeister der Trocadero-Concerte, Herr Colonne, ein noch junger Mann, erhebt den Tactstock und beginnt mit dem ersten Theil der „Wüste" von Félicien David.
Diese „Symphonie-Ode", welche durch ihre fremdartig orientalische Färbung, durch die anmuthige Klarheit ihrer Form und
ihrer Melodie vor fünfunddreißig Jahren auch in ganz Deutschland Beifall fand, machte diesmal nur durch das bekannte
Marschlied einen an ihre ehemaligen Siege erinnernden Effect;
im Uebrigen erschien uns diese Musik recht gealtert und ver-
blüht. Indessen, es kümmerte sich diesmal Niemand besonders
um das, was gespielt wurde — die erste Frage, die allgemeinste
Discussion galt der Akustik des Saales. „Wie hat es geklungen?" hörten wir unzähligemale fragen. Nun, nicht so
schlecht, als manche Schwarzseher oder Schwarzhörer prophezeien
wollten, aber auch lange nicht so gut, wie die Architekten des
Saales es zu erreichen vermeinten. Letztere, die Herren Da-
vioud und Bourdais, sind in der Construction dieses Con-
certsaales mit der größten wissenschaftlichen Genauigkeit und auf
Grund neuer Experimente vorgegangen. Sie hatten die schwierige Aufgabe, einen Musiksaal zu erbauen, der ungewöhnlich
groß und dennoch tadellos akustisch sein sollte. Man bedenke,
daß der Durchschnitt dieses Saales fünfzig Meter beträgt, während der Zuschauerraum eines gewöhnlichen Theaters etwa fünfzehn Meter mißt. Der Trocadero-Saal hat die Form eines
Hufeisens, dessen offenes Ende von der das Orchester umfassenden Nische geschlossen ist. Ueber die günstige Akustik des Saales wollten die Architekten natürlich früher schlüssig sein, ehe er
vollendet und seine Form nicht mehr zu ändern wäre. Sie
machten denn vorläufig interessante Experimente, von dem obersten Grundsatze ausgehend, daß die Schallwellen von den Wänden eines Saales in derselben Weise zurückgeworfen werden,
wie die Lichtstrahlen von denselben Wänden reflectirt werden.
Es wurde ein Miniatur-Modell des Trocadero-Saales mit

größter Genauigkeit in denselben Proportionen construirt, worin die das Orchester einschließende Wölbung anstatt aus einem schallzurückwerfenden Material aus einem lichtzurückstrahlenden gemacht, nämlich mit polirtem Kupferblech verkleidet war. Man stellte ein Licht in den mathematischen Mittelpunkt des Orchesters, auf den Platz des Solosängers, und beobachtete, daß die Stufensitze, auf denen die Zuhörer platznehmen sollten, allein die Lichtstrahlen empfingen, welche die Wölbung zurückstrahlte. In Folge dieser Experimente (die selbstverständlich in ganz verdunkeltem Raume stattfanden) sahen die Architekten sich veranlaßt, alle Seitenwände des Saales zu polstern, damit hier der Schall erstickt werde. Hingegen wurden die Wände der Wölbung, unter der das Orchester steht, durch passendes Material schallzurückwerfend gemacht, so daß sie den Ton den Zuhörern zusenden, wie ein die Lichtstrahlen reflectirender Spiegel. Damit war die Gefahr des Echos noch nicht beseitigt, der größte Uebelstand in solchen Räumen. Jeder Zuhörer soll den directen und den reflectirten Ton zugleich vernehmen. Wenn der Zeitraum zwischen der Aufnahme des directen Tones und des reflectirten (der Resonanz) mehr als das Zehntel einer Secunde beträgt, so werden beide Töne, anstatt im Gehör zu Einem zusammenzufallen, abgesondert vernommen werden, also ein Echo bilden. Da der Ton eine Distanz von dreihundertvierzig Meter in der Secunde durchmißt, sollen blos diejenigen Töne gesammelt und zurückgeworfen werden, welche von einander höchstens durch einen Zwischenraum von vierunddreißig Meter getrennt sind. Die Licht-Experimente in dem kleinen Saalmodell zeigten, daß die vom Orchester entferntesten Zuschauerbänke ganz ebenso stark beleuchtet waren, wie die vorderen Reihen — eine Gleichheit, welche die Architekten sehr mißfällig überraschen mußte, weil ja die entferntesten Zuhörer, gleichsam als Ersatz für ihre Entfernung, eine größere Quantität reflectirten Schalles empfangen. In Folge dieser Beobachtung änderten sie den Bogen der Wölbung, welche den Ton zurückwerfen soll, dergestalt ab, daß diese die Schallwellen den letzten Bänken des Amphitheaters reichlicher als den ersten zusende. Was man dergestalt durch die Analogie mit den Lichtstrahlen als das Richtige herausgefunden hatte für die Akustik, wurde hinterher durch zwei Mittel realisirt: Dämpfung des Schalles in den näher gelegenen Theilen des Auditoriums durch Tapeten und Seidenpolsterung, sodann eine stärkere Repercussion von den das Orchester umgebenden Wänden und der es überwölbenden Muschel.

Ich habe diese Experimente in ihren Hauptpunkten wiedererzählt, zunächst, weil sie hier Aufsehen machten durch sinnreiche Erfindung und wissenschaftliche Genauigkeit. Sodann aber, weil diese gerühmten Licht-Experimente wider Vermuthen der Architekten noch etwas ganz Anderes beleuchten, nämlich die Kluft, welche noch immer zwischen Theorie und Praxis der Akustik der Gebäude liegt. Denn das Concert im Trocadero-Saale hat die Berechnungen der gelehrten Architekten theilweise Lügen gestraft und bestätigt, daß in der Regel diejenigen Musiksäle die mangelhafteste Akustik haben, wo zu viel oder wo zu wenig dafür gesorgt wurde. Der neue Saal ist in der That nicht frei von Echo; man vernimmt es namentlich nach starken, kurz abgestoßenen Accorden, am deutlichsten in den letzten Bänken. Am besten klingen die Streichinstrumente, die Bläser etwas hart, aber deutlich, die Singstimmen des Chores hingegen schwimmen in bewegteren Sätzen bedenklich durcheinander. Langsame Sätze, in welchen der Ton Zeit hat, sich auszubreiten, kommen insbesondere in den Piano-Stellen gut heraus; rasche, figurirte Sätze, Forte- und Fortissimo-Stellen verlieren mehr oder minder an Deutlichkeit. In den raschen und fugirten Stellen der Cantate von Saint-Saëns erwies sich der aus zweihundert Sängern bestehende Chor schon zu stark für die klare Verständlichkeit der Polyphonie; die in so großem Raume erwartete Kraft und Tonfülle erreicht er trotzdem nicht. Die hiesigen Musiker sind darüber einig, daß die Zahl der Choristen auf dreihundert erhöht werden sollte. Dann aber dürften sie wol nur Andantesätze in ganzen und halben Noten singen, um rein und deutlich zu bleiben. Das Nachhallen und Durcheinanderschwirren großer, complicirter Tonmassen wird mehr oder minder in allen übermäßig weiten und hohen Räumen vorkommen. Wie jede künstlerische Wirkung, so ist auch die musikalische an ein gewisses Maß ihrer Mittel und Dimensionen gewiesen, das sie ohne Einbuße an Schönheit und Klarheit nicht überschreiten darf. Trotz der angeblich unfehlbaren Licht-Experimente haben die Architekten des Trocadero-Saales die Aufgabe nicht gelöst: einen außerordentlich großen und dabei doch vollkommen akustischen Concertsaal zu bauen. Herr Charles Blanc, der gelehrte Pariser Akademiker, welcher jener Stellvertretung akustischer Experimente durch optische seine beifällige Aufmerksamkeit geschenkt, rechtfertigt sie durch den schönen Ausspruch: die Natur, so mannichfaltig in ihren Schöpfungen, sei einfach in ihren Gesetzen und habe, weit entfernt, sie zu vermehren, deren Anzahl möglichst reducirt. Wir wissen aber, daß diese einfachen obersten Gesetze sich in der Praxis durch sehr complicirte Bedingungen durcharbeiten müssen und auf die mannichfaltigsten Hemmungen stoßen, die man oft ganz wo anders sucht, als dort, wo sie wirklich nisten. Was für ideale Verwirklichungen der physikalischen Gesetze besäßen wir längst — wenn das Hinderniß der „Reibung" nicht wäre! „Man studire, wie die Lichtstrahlen in einem Gebäude reflectirt werden, und man wird das Geheimniß der Schallwellen in diesem Raume entdeckt haben." Der Satz klingt sehr schön, aber nicht so der Saal, welcher danach construirt ist.

Mit ganz besonderem Interesse habe ich gerade jetzt in dem neuen Buche von Charles Garnier nachgeschlagen, was dieser berühmte Architekt über die Akustik seiner eigenen Schöpfung, des Pariser Opernhauses, aussagt. Es klingt fast entgegen=

gesetzt der doctrinären Glaubenstreue und Ueberzeugung der Trocadero = Architekten, und ist trotz seiner leichtfertigen Ausdrucks=
weise doch ernstlich gedacht und gemeint. Ueber seine akustische
Theorie befragt, antwortet Garnier:

„Ich will es machen wie die meisten Leute und von dem
sprechen, was ich nicht kenne. Es ist nicht meine Schuld, wenn
die Akustik und ich einander nie verstehen konnten. Ich habe mich
nach Möglichkeit um diese bizzarre Wissenschaft bemüht, bin aber
nach fünfzehn Jahren kaum weiter gekommen, als am ersten
Tage. Aus Büchern und einigen Collegien über Physik hatte
ich wol gelernt, daß die Töne sich so und so fortpflanzen, die
Saiten so und so schwingen. Ich sah, wie feine Sandkörner
sich auf einer mit dem Bogen gestrichenen Glastafel zu bestimmten
Figuren ordnen, und wußte, daß die Luft das gewöhnliche Fort=
pflanzungsmittel des Schalles ist. Ich war darin so gut be=
schlagen, wie die meisten Magister, und glaubte, als ich später
meine akustische Bücherweisheit in der Wirklichkeit anwenden sollte,
das sei mittelst einfacher Formeln ganz leicht. Aber ich hatte
gut nachlesen in meinen Heften und Büchern, gut berathschlagen
mit allen Gelehrten — nirgends fand ich eine positive Regel,
die mich leiten konnte; im Gegentheile lauter widersprechende
Angaben. Ich habe während langer Monate Alles gewissenhaft
studirt, geprüft, befragt und bin nach allen diesen Bemühungen
endlich zu folgender Entdeckung gelangt: daß ein Saal, um
gut akustisch zu klingen, entweder lang oder breit sein muß, hoch
oder niedrig, von Holz oder von Stein, rund oder viereckig
u. s. w." Somit im Stich gelassen von den Gelehrten, Pytha-
goras und Euclid bis auf Newton und Chladni, warf sich
Garnier von der Theorie auf die Praxis und begann der Reihe
nach alle europäischen Theater zu besichtigen und zu prüfen.
„In diesem Theater klang die Musik vortrefflich, in jenem,
ganz gleich gebauten, dumpf; hier schien die Holzconstruction
das Beste zu leisten, dort das Mauerwerk. Zwei einander voll=

kommen ähnliche und ganz gleichmäßig construirte Opernhäuser
erwiesen sich völlig verschieden in ihrer Akustik. Der Zufall
allein schien überall das letzte Wort gesprochen zu haben, und
ich sah mich abermals ohne Führer. An diesem Punkte war
ich angelangt — und da stehe ich leider noch heute!" Garnier
bekennt, daß er bei der Construction der Pariser Großen Oper
sich dem Zufalle überlassen habe, wie Jemand, der geschlossenen
Auges sich an das Seil eines aufsteigenden Luftballons klammert.
„Eh bien! Je suis arrivé!" schließt er mit selbstbewußter
Zufriedenheit. „Der Saal der Großen Oper hat eine gute
Akustik, die beste wahrscheinlich von allen Theatern; ich selbst
habe kein Verdienst daran und trage blos die Ehrenzeichen!"
Würde ein Anderer als der gefeierte Erbauer des Pariser
Opernhauses so sprechen, so dürfte man ihm wohl die schaden=
frohe Warnung Mephisto's zurufen: „Verachte nur Kunst und
Wissenschaft, des Menschen allerhöchste Kraft!" So aber ist's
ein Fachmann von gewissenhaften Studien und umfassenden Er=
fahrungen, ein Mann von Geist und Erfolg, der uns bezüglich
der Akustik sagt, er wisse, „daß wir nichts wissen können".
Und zweifellos ist, daß die Wissenschaft von der Akustik der
Gebäude (mitunter auch die weit vorgeschrittenere Akustik der
musikalischen Instrumente) uns noch lange nicht alle Mittel
lehrt, die feindlichen Strömungen, welche jene obersten Gesetze
in der Praxis durchkreuzen, zu erkennen und zu beseitigen. Die
wissenschaftliche Erforschung und die glückliche Empirie, sie
werden beide fortschreiten, allein bis heute sind sie noch nicht
gemeinschaftlich so weit vorgedrungen, um a priori einen großen
Opern= oder Concertsaal zu construiren, dessen gute Akustik
man mit Sicherheit vorausbestimmen kann.

Kehren wir zurück zu unserem Concert. Es ist das erste
von z e h n großen Orchester=Concerten, welche die französische
Ausstellungs=Commission, also die Regierung, in diesem Fest=
saale veranstaltet und deshalb „concerts officiels" nennt

Officielle Concerte sind außerdem (von den Orgel=Productionen, den Aufführungen der französischen Gesangvereine und Har= moniemusiken noch abgesehen) ſechzehn „séances“ für Kammer= muſik im kleinen Trocadero = Saale. In den ſechsundzwanzig officiellen Concerten kommen nur Compoſitionen franzöſiſcher Tondichter, und zwar neuerer Tondichter, zur Aufführung, „um die muſikaliſche Entwicklung in Frankreich von 1830 bis 1878 zu repräſentiren“. Es iſt dies ein großes und nicht unbedenk= liches Unternehmen, denn nur mittelſt einer nachſichtigen Aus= wahl dürften ſechsundzwanzig Inſtrumental = Concerte (jedes zu ſechs Nummern) blos von neueren franzöſiſchen Componiſten zu beſtreiten ſein. Wir wiſſen, daß die Franzoſen heute bei muſikaliſch ſpärlicherer Production noch immerhin mehr Talente für Oper und Ballet beſitzen, als die Deutſchen. Ebenſo gut wiſſen wir aber, daß im Fach der ſymphoniſchen und Kammer= muſik ihre Thaten dünn geſät und nicht immer Heldenthaten ſind. Es iſt ſomit ſehr die Frage, ob die Franzoſen nicht beſſer geſorgt hätten für den Erfolg (den künſtleriſchen und den pecuniären) ihrer Ausſtellungs=Concerte, würden ſie neben ihren eigenen Schöpfungen in jedem Concert auch einige fremde, nament= lich claſſiſche deutſche Compoſitionen auf das Programm geſetzt haben. Bei allem Esprit, aller Feinheit und techniſchen Geſchick= lichkeit, welche die neufranzöſiſchen Inſtrumental = Compoſitionen auszeichnen, wirkt es doch ſehr ermüdend und austrocknend, eine längere Reihe derſelben nach einander zu hören. Könnten wir inzwiſchen je einen herzhaften Zug aus dem klaren Urquell der Muſik, aus Haydn, Mozart, Beethoven, Schubert, Weber, Mendelsſohn thun (ich nenne nur die Namen, welche der Fries des Trocadero=Saales ſelbſt bekränzt), ſo würden wir, erquickt und geſtärkt durch ſolche echte, voll aus dem Gemüthe ſtrömende Muſik, empfänglicher den anders gearteten pikanten und gra= ziöſen Hervorbringungen neufranzöſiſchen Geiſtes lauſchen. Das Concert begann, wie geſagt, mit dem erſten Theil (das Ganze wäre zu lang gewesen) von Félicien David's „Wüste". Eine gute Wahl, denn die „Wüste" und die komische Oper „Lalla Rookh" sind weitaus das Beste, was Félicien David geschrieben, das Einzige wahrscheinlich, was ihn noch eine zeitlang überleben wird. Félicien David war ein sehr begrenztes, aber in dieser Umgrenzung echtes und liebenswürdiges Talent; er gehört noch zu der älteren französischen Schule, welche melodiöse Stunden und Tage und nicht blos lichte Augenblicke hatte. Im Leben war er ein redliches Gemüth, aber ein sehr beschränkter Kopf, dessen unerschütterliche Schweigsamkeit bekanntlich bei dem nicht beschränkten, aber gleichfalls schweigsamen Schumann besonderes Glück gemacht hat. Als zweite Nummer folgte abermals eine größere, mehrtheilige Composition: „Les noces de Promethée", von Camille Saint-Saëns. Es ist dies dieselbe Cantate für Soli, Chor und Orchester, welche bei der Weltausstellung von 1867 unter 102 concurrirenden Cantaten als die beste gekrönt wurde. Mit dem ausgeschriebenen Preise hatte aber der Componist seinen Lohn dahin; es kam damals nicht zu einer würdigen, öffentlichen Aufführung der Composition, für die einmal das passende Local, einmal die erforderlichen Solosänger, dann wieder die nöthigen Choristen fehlten. Die Aufführung dieser für die vorige Weltausstellung componirten Cantate war demnach eine nachträgliche, wohlbegründete Entschädigung und Auszeichnung des Componisten. Dieser selbst hat mittlerweile in den letzten zehn Jahren eigentlich erst seinen Ruf begründet durch eine Reihe interessanter und bedeutender Instrumental-Compositionen, die wol sämmtlich besser sind, als seine Prometheus-Cantate. Günstiger für ihn wäre die Wahl eines seiner Clavierconcerte oder seiner symphonischen Tongemälde gewesen. Die „Hochzeit des Prometheus" leidet an der frostigen, akademischen Haltung, an dem erzwungenen Enthusiasmus und der künstlichen Erhabenheit, die das Erbtheil fast aller preisgekrönten oder preisbemakelten Gelegenheits-Can-

taten bilden. Wie soll ein durch und durch moderner Componist, ein junger Pariser, sich für ein Gedicht begeistern, worin
der von Jupiter angeschmiedete, geierbenagte Prometheus anfangs
seine Seelen und Leberschmerzen vorträgt, bis weiterhin der
„Genius der Humanität" ihn losbindet und ihn unter dem
WeltausstellungsHalloh „aller Nationen" heirathet! In dem
Schlußduett mit Chor flehen die beiden sonderbaren Neuvermählten
die „heilige Gerechtigkeit" an, herabzusteigen, damit an deinen
Brüsten („à ta mamelle" heißt es noch appetitlicher im Original), o himmlische Amme, wir Alle Brüderlichkeit trinken!
Die Musik zu dieser Geschichte ist in allen Einzelheiten sehr
geschickt gemacht und im Ganzen nicht langweilig. Wir schätzen
in SaintSaëns den bedeutendsten und eigenthümlichsten
InstrumentalComponisten des jungen· Frankreich und wären
einem seiner freigeborenen, nichtofficiellen Werke gerne wieder
begegnet. Auf die Cantate folgte ein Zigeunertanz von Georges
Bizet, aus einer älteren Oper („La jolie fille de Perth")
in den letzten Act von „Carmen" eingelegt: eine einfache Tanzmelodie von feinem exotischen Duft.

Die „officiellen" Programme sollen statutenmäßig zunächst die
Werke lebender französischer Componisten berücksichtigen und für
jedes Concert mindestens Eine noch unveröffentlichte Tondichtung ansetzen. In letztere Kategorie gehört „Sappho", eine
„Élégie antique" von L. Lacombe. Dieses „antike" Ragout
besteht aus entsetzlich modernen Chören der Schäfer und der
Priesterinnen von Lesbos, einem ZiegenhirtTenorSchnaderhüpfel
und einem „Sonnenaufgang" nebst Finale. Das Ganze dürfte
höchstens von der Opéra comique der Insel Lesbos aus patriotischen Gründen zur Aufführung angenommen werden; für
das erste officielle Festconcert erscheint die Wahl einer so mittelmäßigen, obendrein bösartig ausgedehnten Arbeit höchst sonderbar.
Das nächste Stück: Ouverture und Chor aus der komischen
Oper „La déesse et le berger" von Duprato (wir sollten

nun einmal aus den griechischen Göttern und Hirten nicht herauskommen) fließt musikalisch leicht auf nicht mehr ungewöhnlichem Wege dahin und mag in der Opéra comique einem wohlwollenden Publicum Beifall entlocken; ein Orchester-Festconcert sollte dergleichen doch nicht bringen. Den Beschluß machten zwei Nummern aus H. Berlioz' fünfactiger Oper „Die Trojaner in Karthago", die einst im Théâtre lyrique aufgeführt und nach wenigen Aufführungen ad acta gelegt wurde. Die beiden Stücke (Marsch der Trojaner und Vocalseptett mit Chor aus dem dritten Acte) dürften ohne Widerspruch das Beste in der ganzen Oper heißen: doch wäre es ästhetische Schuldigkeit gewesen, Berlioz als Sinfoniker, nicht als Operncomponisten vorzuführen und statt mit bloßen Fragmenten mit einem ganzen Werk.

Ueber den großen Trocadero-Saal, den dieses Concert einweihte, that Gounod die Aeußerung, diese Localität werde die nächste Zukunft der französischen Compositionsweise bestimmen und große, massenhafte Tonwerke, in welchen das Solo gänzlich hinter dem Chor und das Anmuthige völlig hinter dem Großartigen verschwinde, hervorrufen. Ob diese Prophezeihung Recht behalten dürfte, ob sie Heil oder Unheil weissagt, wird die Zukunft lehren.

Das erste Orchester-Concert im großen Festsaal des Trocadero besaß einen starken Magnet an der Neuheit des Saales selbst. Schon das zweite (welches eine Ouvertüre von Lalo, Opern- und Balletfragmente von Deldevez und Bizet, eine Sinfonie von Gouvy und schließlich die „Zampa"-Ouverture brachte) versammelte nur halb so viel Zuhörer. Auch die beiden ersten Productionen französischer Kammermusik im kleinen Saal (Salle des conférences) lockten nur ein mäßiges Häuflein Musikfreunde an, das gleich beim Eintritt seltsam fragende Blicke austauschte. Es starren uns nämlich in diesem mäßig großen, viereckigen Saal vier nackte, roth angestrichene

Wände an — keine Säule, kein Bild, keine Arabeske, nicht der kleinste Goldstreifen und, da das Licht von oben einfällt, auch keine Fenster. Diese Oede erzeugte im Publicum sofort eine eigenthümlich trübe, gefängnißweiche Stimmung; ich glaube, wenn Jemand die gute Idee gehabt hätte, seinen Hut und Regenschirm an eine der schamrothen Wände zu hängen, diese Unterbrechung der Fläche wäre mit dankbarer Rührung begrüßt worden. Wir erfuhren allerdings später, daß man den Saal mit werthvollen Bildern auszuschmücken gedenke; trotzdem bleibt uns der erste schwermüthige Eindruck unauslöschlich. Das Programm beeinträchtigte der gleiche Fehler, wie die besprochene Orchester-Production, ein Fehler, der mit jedem weiteren Concert empfindlicher anschwoll: sein ausschließlich französischer Inhalt. Dem Mangel an französischen Original-Sinfonien suchen die großen Orchester-Concerte durch zahlreiche Opernfragmente abzuhelfen, welche natürlich im Concertsaal ihre halbe Wirkung — und sie haben oft nicht mehr — einbüßen. Im kleinen Saal geht man noch einen Schritt weiter und spielt mitunter arrangirte Orchester-Compositionen als „französische Kammermusik“. So zum Beispiele ein Andantino aus Lalo's Oper „Fiesko“, für acht Instrumente arrangirt, ein Bratschen-Concert von Garcin ꝛc. Die erste Kammerproduction eröffnete ein Quintett von Onslow, die zweite ein Quartett von Cherubini. Mit diesen beiden Componisten, dem Halb-Engländer und dem acclimatisirten Italiener, hatten die Franzosen ihre vornehmsten, ja einzigen Berühmtheiten in der Quartettmusik ausgespielt. Alles Uebrige stammte von Meistern, die noch am Leben und, dem Augenschein nach, sogar lebendiger sind, als ihre Werke. Es blinken recht geistreiche graziöse Momente aus diesen Compositionen von Lalo, Deldevez, Garcin, Gouvy, Massenet, Widor, Morel, an Geschicklichkeit fehlt es fast Keinem — aber das Alles ist nicht Musik von der Quelle, sondern abgeleitete, durch Röhren geführt, filtrirt. Wir bleiben durstig dabei und wollen

doch nicht weitertrinken. Dergleichen neufranzösische Instrumentalmusik kann nur in kleinen Dosen, zwischen anderen soliden
Gerichten genossen werden, nicht aber massenhaft und ausschließlich. Ein beliebiger Satz aus einem beliebigen Quartett von
Mozart, Beethoven oder Schubert müßte wie eine feurige Sonne
über diesen bleich flackernden Lichtchen aufgehen und einen Schrei
des Jubels hervorrufen. Das fühlt am Ende jeder musikalische
Mensch, und da doch schließlich Einer dem Andern diese Be-
drängniß eingesteht, so dürften die officiell-französischen Concerte
in ihrem langen Verlauf an Besuch nicht zunehmen. Die Franzosen brilliren in der Oper, nicht in der Instrumentalmusik,
darum begehen sie ein Unrecht gegen sich selbst, indem sie Auber,
Herold, Halévy, Gounod durch sinfonische Stücke repräsentiren. Den einzigen Ausweg, dieser Monotonie halbwegs zu
entkommen, sie mindestens belehrend zu gestalten, hat die französische Commission sich ganz unnöthig mit der Jahreszahl 1830,
dem Ausgangspunkt ihrer Concerte, abgeschnitten. Compositionen
von Lully, Campra, Rameau und Rousseau, hierauf von den
gefeierten Tondichtern der Revolutions- und Kaiserzeit hätten,
chronologisch geordnet, hohes Interesse gewährt und dem französischen Genius keine Unehre gemacht. Ist denn der historische
Sinn hier ganz abhanden gekommen? Konnte er, vom Concertsaal zurückgewiesen, nicht wenigstens ein Asyl im Theater finden?
An den Vorbereitungen zur Weltausstellung arbeitet man seit
drei Jahren. Dieser Zeitraum hätte wol genügt, um einige
der besten französischen Opern älterer Epoche einzustudiren und
die von der Regierung subventionirten drei Opernbühnen dazu
zu verhalten. Das wäre einer Weltausstellung würdig und für
den Ruhm französischer Musik gedeihlicher gewesen, als die lange
Procession officieller Concerte. Ehedem bedurfte es gar keiner
Weltausstellung und keines Auftrags, um die lyrischen Theater
an das ältere Repertoire zu erinnern; sie widmeten ihm in der
Regel den Sonntag. Jetzt denkt die Opéra comique nicht

11*

daran. Die Große Oper vollends hat nie daran gedacht; sie kennt weder „Alceste" noch „Armida", weder „Ferdinand Cortez" noch die „Vestalin", ja ihr Gedächtniß ist so kurz, daß sie sich nicht einmal Auber's mehr erinnert. Als am 29. Januar 1877, nach der Enthüllung seines Denkmals auf dem Père-Lachaise, eine große Erinnerungsfeier für Auber stattfand, war nicht einmal die „Stumme von Portici" vorbereitet; die Große Oper gab nur ein Fragment und dazu ein Pasticcio aus verschiedenen (auch nicht=Auber'schen) Opern. Zeit genug hatte man zur Vorbereitung, denn Auber ist bekanntlich am 13. Mai 1871, also sechsthalb Jahre früher, gestorben. Es ist einfach eine Schande; die Pariser Große Oper hat heute noch*) weder die „Stumme", noch sonst ein Werk von Auber auf dem Repertoire.

Außer der französischen Musik sollen im Trocadero=Saale auch die Compositionen fremder Nationen von eigens eingeladenen italienischen, russischen, spanischen, englischen Orchestern in einer langen Reihe von Concerten repräsentirt werden. Ein anscheinend großartiger Gedanke, in Wirklichkeit ein unpraktischer. Die Holländer haben mit dem Concertiren angefangen; neun Zehntel des großen Trocadero=Saales blieben leer.

Das Unternehmen der großen Trocadero=Concerte ist nicht glücklich organisirt; die französische Commission wollte mit ihren Concerten offenbar zu viel und findet weder bei den Spielern (aus dem Ausland), noch bei den Hörern den gehofften enthusiastischen Zuspruch. Hingegen hat sie versäumt, für die musikalische Belebung des Ausstellungsparkes selbst zu sorgen, wo es 1867 so lustig zuging und jetzt so ernsthaft aussieht. Der Zudrang, welcher hier zu der anspruchlosen Nationalmusik der ungarischen Zigeuner stattfindet, zeigt, welche Art von Musik die Besucher einer Weltausstellung wünschen. Man will Musik

---

*) August 1879.

im Freien hören, frische, nationale Weisen, nicht aber lange, steife Concerte von dritthalbstündiger Dauer im geschlossenen Raum.

Nach den Holländern kamen die Italiener, repräsentirt durch das Scala-Orchester aus Mailand. Sie haben die (hier unentbehrliche) Kunst der Reclame besser verstanden und zahlreicheren Besuch zu Stande gebracht. Die italienische Colonie in Paris ist sehr stark und der Applaus war es ebenfalls. Aber was brachten sie uns? Sinfonien, Märsche und Ouvertüren von Foroni, Catalani, Gomez, Bazzini, Ponchielli, Faccio, Verdi und Rossini. Ist das nicht die verkehrte Welt? Von den Italienern wollen wir Sänger und Opern, nicht aber Orchesterspieler und Sinfonien. Sie sind eine musikalischere Nation als die Franzosen, allein eine noch weniger sinfonistische. Ihr Ruhm ist der Gesang und die Gesangs-Composition. Nun sollen nacheinander Nordamerikaner, Spanier, Schweden und Dänen folgen mit den neuesten Instrumental-Compositionen ihrer Tondichter. Sehr schön — aber wo bleiben Bach, Händel, Haydn, Mozart, Beethoven, Schubert, Mendelssohn, Schumann? Will man wirklich hundertundzwei Concerte (laut officiellem Programm) mit musikalischer Silber- und Kupfermünze bestreiten und uns das Gold verstecken? Ja, sagt man uns, das sind deutsche Tondichter, für die möge Deutschland und Oesterreich sorgen! Mit Verlaub, ihr Herren, das sind nicht deutsche Tondichter in eurem officiellen Sinne, das sind Tondichter der Welt, und wenn die Musik eine Universalsprache ist, so ist sie es durch diese Sprachmeister geworden. Frankreich, als Hausherr, mußte die Perlen classischer Musik von seinem besten Orchester vortragen lassen. Daß Deutschland die Ausstellung überhaupt nicht beschicken werde, das wußten die Franzosen von Anfang her, und wenn sie auf das Philharmonische Orchester von Wien zählten, so hatten sie eben die Rechnung ohne den Wirth gemacht. Die französischen Commissäre, welche dem musikalischen Theil der Weltausstellung eine unvergleichliche Hin-

gebung widmen, beklagen das Ausbleiben unserer „Philharmo=
niker" auf das lebhafteste und wir mit ihnen. Dieses Bedauern
berechtigt uns jedoch nicht, den Philharmonikern ihr Fernbleiben
von Paris zum Vorwurf zu machen. Sie wären „la fine fleur"
dieser Concerte gewesen, klagten mir die Franzosen. Das ist
sehr liebenswürdig und nebenbei auch wahr. Die Wiener
„Philharmoniker" sind so gewiß ein Orchester ersten Ranges,
als Faure ein Sänger ersten Ranges ist. Aber wenn wir
Herrn Faure in Wien hören wollen, müssen wir ihn bezahlen,
und — Herr Faure ist ein reicher Mann. Wir stehen vor
einem angeblich delicaten Punkt, der aber um so herzhafter an=
gefaßt werden muß. Wenn nahezu hundert Musiker, die von
ihrer Kunst leben, die weite Reise nach Paris machen und dort
zwei bis drei Wochen zehren sollen, um zur Verschönerung der
Weltausstellung aufzuspielen — wer entschädigt sie dafür? Kann
man billigerweise verlangen, sie möchten dies auf ihre Kosten
thun? Es war, meinen wir, ein Versehen der französischen
General=Commission, daß sie nicht für jene fremden Orchester,
auf deren Mitwirkung sie Werth legte, eine angemessene Reise=
Entschädigung und Garantie des Concert=Erträgnisses von vorn=
herein bewilligte.

In officiellen Schriftstücken des gegenwärtigen Gouverne=
ments findet sich gegen die Weltausstellung von 1867 der Tadel
ausgesprochen, daß sie die Musik zu wenig berücksichtigt habe.
Und doch folgte im Jahre 1867 ein Preissingen und Preis=
spielen dem andern, und der Wetteifer so vieler fremder Mili=
tärbanden, Gesangvereine, Fanfaren und Harmonie=Musiken
hatte etwas eigenthümlich Frisches, Lebensvolles und Spannen=
des. Man war sogar in dem Musikeifer vielleicht schon zu
weit gegangen, wie der Mißerfolg der Preisausschreibungen für
die beste „Hymne" und die beste „Cantate", desgleichen das
Nichtzustandekommen der projectirten „historischen Concerte" be=
weisen. Das Phantom der Großartigkeit und Vollständigkeit

streckte sich diesmal noch riesiger — es mußte sich als unerreich=
bar erweisen. Die Musik der ganzen Welt sollte in den Ton=
dichtungen, in den Orchestern, Quartett = Gesellschaften und Ge=
sangvereinen aller Nationen ausgestellt werden, endlich auch noch
in den Nationalmusiken aller Völker! Man denke nun, welche
Menge von verschiedenen Völkerschaften allein das Kaiserthum
Oesterreich nach Paris senden müßte, um seinen Reichthum an
Nationalmusik auszulegen! Die Betheiligung fremder National=
musiken („musique pittoresque") ist in Wirklichkeit sehr schwach
ausgefallen und dürfte kein Halbdutzend erreichen. Die russischen
Zigeuner machen Furore, aber sie singen im Tuilerien = Garten,
im Freien, nicht im Trocadero = Saal. Desgleichen ist von
einer vollständigen Vertretung der Orchestermusik aller Nationen
nicht entfernt die Rede. Sie ist nicht möglich und auch nicht
nothwendig in einer Weltausstellung. Sie für möglich ge=
halten und für nothwendig erklärt zu haben, war von An=
fang ein principieller Irrthum der französischen Commission, so
ideale Gesichtspunkte ihr auch dabei vorschweben mochten. Es
läßt sich nicht jede Blüthe fremden Geistes = und Gemüthslebens
beliebig nach Paris transportiren. Ausstellen lassen sich die
fertigen Thatsachen der Kunst und des Kunstgewerbes, und sie
sind hier ausgestellt: die Musik=Instrumente und die Tondich=
tungen aller Culturvölker in den verschiedensten Ausgaben. Die
lebendige Musikthätigkeit selbst — das Thun, nicht blos die
That — wurzelt ungleich fester im heimatlichen Boden. Da
wird sie am schönsten geübt und am besten gewürdigt. Jeder
musikalische Reisende wird sich freuen, in Holland das Orchester
von Amsterdam, in Italien das von Mailand zu hören. Hier
in Paris, in dem Taumel der Weltausstellung, fehlt uns die
Lust und Muße zu anhaltendem Concertbesuch. Zwei bis drei
große Musikfeste, nicht mehr, mit ganz internationalem, nur den
Werth der Compositionen beachtendem Programm hätten genügt
und eindringlicher gewirkt, als dieses „wohltemperirte Clavier"

von vierundzwanzig Musiknationen. Wenn der Erfolg der Pariser Ausstellungsconcerte mehr einer getäuschten als einer er-
füllten Hoffnung gleichsieht, so scheint mir dies weniger an zu-
fälligen Mißgeschicken (wozu die zahlreichen Absagen bereits an-
gemeldeter Orchester zählen), als vielmehr an der ursprünglichen
Ueberspannung der Idee selbst zu liegen. Es ist nicht gut,
bei vorzugsweise industriellen Exhibitionen den Universalitäts-
Gedanken zu weit zu treiben nach Seite der geistigen Production. Aus demselben Principe müßte man verlangen, daß die
besten deutschen Hoftheater hier Goethe und Schiller aufführen
sollten, italienische Schauspieler ihren Goldoni, spanische den
Calderon u. s. w. Man muß der menschlichen Empfänglichkeit
nicht zu viel auf Einmal zumuthen und noch weniger glauben,
es lasse sich das gesammte Tonleben aller Völker in Weltaus-
stellungsform bringen.

X.

Die Rousseau-Feier. — J. J. Rousseau als Musiker.

„Ist den Franzosen denn aller historische Sinn abhanden gekommen?" Dieser Klageruf, den mir meine jüngsten Betrachtungen über das „musikalische" Weltausstellungs- jahr erpreßten, hat eine merkwürdige Bestätigung erfahren: Durch das Rousseau-Jubiläum nämlich, das Paris am 14. Juli 1878, also gerade hundert Jahre nach seiner Geburt, festlich beging. Man feierte Jean Jaques Rousseau mit Reden, Gesängen und Ban- ketten; man feierte ihn als Dichter, als Philosophen, als Social- Politiker — aber man dachte nicht daran, Rousseau's berühmtes Singspiel: „Le devin du village", einst ein Lieblingsstück der Franzosen, aufzuführen. Die Opéra comique, dazu vor Allem berufen und verpflichtet, feierte den Vorabend des Rousseau- Jubiläums mit einer neuen komischen Oper: „Pepita", deren Werth und Erfolg von französischen Kritikern als „sehr schwach" bezeichnet worden. Das bedeutet auf deutsch ungefähr: grenzenlos elend. Das dritte subventionirte Operntheater — denn von dem ersten, der Großen Oper, spricht man nicht — das Théâtre lyrique, dessen ehemaliger Ruhm gerade in der Pflege des Alten bestand, gab zur Rousseau-Feier eine neue komische Oper:

„Le capitaine Fracasse", deren Composition man gleichfalls mit „bien faible" bezeichnen kann. Mit sehr wenig Mühe und ohne alle Kosten hätten diese Bühnen Rousseau's „Dorfwahrsager" aufführen können, dessen ganze Besetzung aus drei Personen besteht — dennoch scheute Paris diese kleine Anstrengung, seinen großen Rousseau als Musiker zu feiern. Nicht einmal der Opéra comique oder des Théâtre lyrique hätte es dazu bedurft, jedes der kleineren Operetten-Theater, welche hier Offenbach, Lecocq und Johann Strauß aufführen, ist musikalisch hinreichend ausgerüstet zur Wiedergabe des Rousseau'schen Singspiels. Ich weiß wol, daß vor fünfzig Jahren ein damit vorgenommener Wiederbelebungs-Versuch vom Publicum verspottet wurde und eine alte Perrücke als stumme Kritik auf die Bühne flog. Aber bei der späteren Aufführung dieses Singspieles 1864, flog jedoch nichts auf die Bühne, und heute, beim Rousseau-Jubiläum, wäre wahrscheinlich ein Lorbeerkranz dahin geflogen. Die Musik wird freilich nicht jünger mit den Jahren, aber die Zuschauer werden doch gescheiter, sollte man glauben. Ein Repertoirestück kann dieser „Dorfwahrsager" nimmermehr werden, aber als Gelegenheitsspiel für eine nationale Rousseau-Feier wäre er unvergleichlich, ja unentbehrlich gewesen. Wenn wir in Deutschland ein Singspiel besäßen, gedichtet und componirt von Schiller, Goethe oder Lessing, jede deutsche Bühne hätte es bei solchem Anlaß gegeben. Rousseau's „Dorfwahrsager" ist aber durchaus nicht, wie vielleicht Mancher argwöhnt, eine blos historische Curiosität, die erst von Gelehrten ins Leben eingeführt werden mußte, er war im Gegentheil ein eminent populärer Erfolg und hat den französischen Componisten jener Zeit fruchtbare Anregung gegeben.

Rousseau ist zuerst als Musiker öffentlich aufgetreten. Kaum noch Jüngling, gab er in Begleitung seines Musiklehrers ein Concert in Lausanne, worin er schon eigene Compositionen spielte. Als er, zwanzig Jahre alt, nach Frankreich ging, dachte er sich dort als Musiker bauernden Unterhalt zu verschaffen. Er schrieb zwei kleine Opern, deren erste: „Les muses galantes", eine frostige Allegorie, wenig Erfolg hatte. Desto größeren Beifall errang die zweite: „Le devin du village", welche zuerst 1752 bei Hof in Fontainebleau gegeben wurde, hierauf in der Académie royale de musique in Paris. Die Handlung dieser kleinen Idylle ist die einfachste von der Welt. Das Bauernmädchen Colette will an ihrem Geliebten Colin zunehmende Gleichgiltigkeit bemerken. In ihrer Besorgniß wendet sie sich heimlich an den alten Wahrsager ihres Dorfes, der ihr den Rath gibt, sich gegen Colin gleichfalls kühl und gleichgiltig zu stellen. Das Mittel wirkt, und nun kommt die Reihe, besorgt zu sein, an Colin. Er befragt gleichfalls den Dorfwahrsager, der nun Beide glücklich einigt und von Beiden das Geld einstreicht. Rousseau hat zu diesem selbstverfaßten anspruchslosen Libretto eine gleich anspruchslose Musik geschrieben. Ein großer Harmoniker war er nicht, seine Begleitung beschränkt sich auf die einfachsten Accorde, die gleichmäßig, schrittweise mit der Melodie gehen. Nach der gestochenen Original-Partitur (die sich auch auf der Wiener Hofbibliothek vorfindet) besteht das Accompagnement fast nur aus dem Streichquartett; bei manchen Stellen gehen die Oboën (ohne daß ihnen eine eigene Linie spendirt wird) unisono mit den Violinen oder die Fagotte mit den Bässen; auch die Violoncelle haben keine eigene Linie, sie verdoppeln lediglich den Contrabaß. Auf dieser sehr primitiven Technik ruhte aber bei Rousseau ein nicht gewöhnliches melodiöses Talent. Aus musterhaft declamirter Rede wuchsen ihm, wie auf schlankem Stengel, zierliche Melodienblüthen empor, bescheiden wie die ersten Frühlingsblümchen, aber lieblich in ihrer Einfachheit. In der Klage der verlassenen Colette gewinnt Rousseau's Melodie einen rührenden Zug; diese erste Nummer des Singspiels („J'ai perdu mon serviteur, j'ai perdu tout mon bonheur") gewann in Paris bald eine unerhörte Popu larität; vom König bis herab zum Gärtnerjungen trällerte Alles diese Melodie. Natürlich findet sich hier noch kein größeres Ensemble oder Finale; die Stelle des letzteren vertritt, wie in allen älteren Singspielen Frankreichs und Deutschlands, die Rundstrophe; jede der drei Hauptpersonen singt ein Couplet, nach welchem Alle in den Refrain einfallen: „C'est un enfant, c'est un enfant!" (L'amour nämlich.) Als Anhängsel zu dem „Intermède", wie Rousseau nach Vorgang der italienischen Intermezzi sein Singspiel nennt, folgt eine Pantomime.*) Musikalisch erregt uns heute das Ganze nur ein schwaches Interesse; allein es haftet auch nichts irgendwie Abstoßendes daran; wir athmen durchweg die reine Luft des Wahren und Einfach-Natürlichen. Es läßt sich vollkommen begreifen, daß diese kleine Dorfoper bei gutem Spiel und ausdrucksvollem Vortrage vor 125 Jahren einen großen, populären Erfolg feierte, ähnlich wie etwas später in Deutschland die einfachen Singspiele des alten Adam Hiller, der ein weit gründlicherer Musiker als Rousseau, dafür aber von französischen Vorbildern bereits geleitet war. Wie die Hiller'schen Singspiele in Deutschland ein willkommener Gegensatz, ein frisches Labsal waren gegen die steifen italienischen Hofopern mit ihren mythologischen Sujets und barocken Castratenschnörkeln, so der „Dorfwahrsager" von Rousseau nach den akademisch frostigen, mit Ballet- und Decorationsprunk überladenen „Tragédies lyriques" von Lully, Campra und Rameau. Die unvergängliche historische Bedeutung des als Composition vergänglichen „Devin du village" liegt in seiner bewußten Tendenz gegen den französischen und für den italienischen Opernstil. Unter dem Ein-

---

*) Rousseau erzählt uns noch, daß ihm die Operette für jene Zeit ziemlich viel Geld eingebracht habe. Er erhielt nämlich hundert Louis'dor vom König und fünfzig von Madame Pompadour, welche in Bellevue eine Aufführung veranstaltete, in der sie die Rolle des Colin übernahm. Fünfzig Louisdor bezahlte ihm auch die Académie royale de musique.

druck von Pergolese's reizendem Intermezzo „La serva
padrona" war Rousseau's Singspiel entstanden; eine epochemachende Proclamation zu Gunsten der italienischen Musik und
ihrer einfachen melodiösen Schönheit. Was Rousseau damit
praktisch als Componist gethan, führte er bekanntlich als musikalischer Kritiker und Theoretiker mit rücksichtsloser Kühnheit
aus. Freilich mit sehr verschiedenem Erfolg. Das hübsche
Singspiel hießen die Franzosen laut willkommen, aber den berühmten „Brief über die französische Musik", in welchem
Rousseau den Franzosen rundweg die Befähigung zur Oper
und ihrer Sprache jede musikalische Eigenschaft abspricht, diesen
Brief konnten sie ihm nie verzeihen. Ein Sturm der Ent-
rüstung begann gegen ihn loszubrechen in Journal-Artikeln,
Pasquillen, Caricaturen und Drohbriefen. Rousseau glaubte
sogar sein Leben bedroht und floh nach Genf.

Als musikalischer Schriftsteller ist Rousseau eine zeitlang
sehr überschätzt worden, jetzt scheint man in Frankreich fast ins
Extrem zu fallen und einer Wirksamkeit, die das ganze Leben
dieses bedeutenden Mannes so energisch durchzog, gar zu wenig
Bedeutung beizumessen. Der Componist des „Devin du
village" besaß musikalisches Talent und musikalische Kenntnisse,
wenn auch beides von etwas oberflächlicher Natur. Eine lebhafte Empfindung für das Schöne in der Musik war ihm an-
geboren, und wo er richtig fühlte, da gewannen seine Ideen
sofort die glänzendste Beredtsamkeit. Es finden sich in seinen
Schriften zahlreiche Gedanken über Musik, die ebenso wahr, als
bestechend und originell sind. Allein man muß Rousseau als
musikalischen Philosophen nicht zu pedantisch, fast möchte ich
sagen, nicht zu ernsthaft nehmen. Insbesondere verträgt er
keine Prüfung auf seine Consequenz. Je nachdem gerade sein
Urtheil auf einen neuen Eindruck besonders lebhaft reagirt, ent-
scheidet er bald so, bald anders und vergißt mitunter, daß er
an anderm Orte vielleicht das Gegentheil gesagt. Kein zweiter

musikalischer Schriftsteller hat sich wol so oft widersprochen, wie
Rousseau. In seiner ersten Periode huldigte er der Musik
Rameau's; in der zweiten ließ er nur die Italiener gelten und
geißelte Rameau; in der dritten endlich stellte er Gluck zuhöchst
und widerrief ausdrücklich oder verschleiert die einschneidendsten
Aussprüche aus seinen zwei früheren Phasen. In seinem
„Essay über den Ursprung der Sprachen" sagt er zum Beispiel:
„Ce n'est pas tant l'oreille, qui porte plaisir au coeur,
que le coeur, qui le porte à l'oreille". Diese Behauptung
hatte er offenbar vergessen, als er in seinem „Dictionnaire de
musique" den richtigeren Satz niederschrieb: „La musique ne
saurait aller au coeur que par le charme de l'oreille."

Rousseau's origineller, aber meisterloser, schweifender
Geist gefiel sich in den stärksten Uebertreibungen, welche oft
genug einen Kern von Wahrheit bis zur Unkenntlichkeit über-
decken. Er erinnert mich oft unwillkürlich an Jean Paul
und an Victor Hugo. In der heillosen Kunst, das Kind mit
dem Bade zu verschütten, war er großartig. Wie er in seiner
Dijoner Preisschrift den Satz verfocht, daß die Künste und
Wissenschaften nur moralisches Verderben in die Welt gebracht
haben, wie er in seinem „Emil" jeder Erziehung den reinen
Naturzustand vorzieht, so geht er auch als Musiker in seiner
Opposition gegen den Mißbrauch der Harmonie so weit, die
Harmonie überhaupt für das Verderben der Musik zu erklären
und sie als Todfeindin der Melodie zu verfolgen. Alle contrapunktischen Combinationen, die Fugen insbesondere, sind ihm
nichts als „schwierige Albernheiten (sottises difficiles), die dem
Ohr wehthun und welche die Vernunft nicht rechtfertigen kann,
Ueberreste der Barbarei und des verdorbenen Geschmacks, die
wie die Portale unserer gothischen Kirchen nur noch zur Schande
ihrer geduldigen Verfertiger aufbewahrt zu werden verdienen".

Rousseau hat, wie gesagt, seine musikalischen Ueberzeugungen wiederholt gewechselt und für jede dieser neuen Reli-

gionen gleich mit dem Eifer eines begeisterten Convertiten los-
geschlagen. Seine hitzige Sprache verräth dann, daß er nicht
blos gegen diesen und jenen mächtigen Gegner, sondern zugleich
gegen sich selbst kämpfe. In einer geistreich und sachkundig
geschriebenen Abhandlung: „La musique et les philosophes
du 18 siècle“, hat Herr Adolphe Jullien die zahlreichen
Widersprüche, in welche Rousseau sich verwickelte, beleuchtet.
Wir dürfen Jullien's scharfe Kritik als vollkommen berechtigt
anerkennen und dennoch zwei unvergängliche Verdienste Rousseau's
hervorheben: seine muthige Parteinahme zuerst für die italienische Musik, dann für Gluck. Es waren zwei Haupt-
schlachten, die er der guten Sache gewann und die, von den
Franzosen anfangs schmerzlich empfunden, doch der Entwicklung
ihrer Musik zugute kamen. Gegenüber der nationalen Eitelkeit,
mit der die Franzosen damals ihre Musik für die vollkommenste
hielten, gehörte ein ungemeiner Muth dazu, ihnen die Unnatur
und Armseligkeit ihres Opernwesens vorzuhalten und die schöne
Klarheit italienischer Melodik als Muster entgegenzustellen. Von
seinen Uebertreibungen hier wie überall abgesehen, hatte Rousseau
damit das Richtige getroffen. Der Glanz seiner Beweisführung
wie die Autorität seines Namens haben, obendrein unterstützt
von dem Erfolg seines „Devin du village“, ohne Zweifel den
Componisten Philidor, Monsigny und Grétry den Weg
geebnet, auf dem sie, durch Inoculation italienischer Melodik
auf den französischen Musikstamm, die eigentliche Opéra comique
schufen. Dieser italienische Einfluß hat sich bis auf Boieldieu
und Auber herab gedeihlich erwiesen für die französische Musik,
welche dadurch mehr sinnliche Frische und plastische Formschönheit
erhielt. Ob der neudeutsche Einfluß, der gegenwärtig an dessen
Stelle getreten, die französische Musik ebenso glücklich befruchten
werde, scheint mir sehr zweifelhaft.

Die zweite rühmliche That des Musik-Kritikers Rousseau
war dessen Parteinahme für den in Paris so heftig bestrittenen

Gluck. Sie ist ihm, dem enthusiastischen Anhänger italienischer Musik, als arge Inconsequenz vielfach verübelt worden. An sich liegt aber kein Widerspruch darin, das Schöne ebensosehr in Gluck als in Pergolese zu bewundern. Kein echter Musiker wird den Einen geringschätzen, blos weil er den Andern liebt, und nicht Consequenz, sondern klägliche Einseitigkeit nennen wir's, wenn heutzutage manche Verehrer „Fidelio's "und der „Euryanthe" es für unschicklich halten, den „Liebestrank" oder „Fra Diavolo" zu loben. Der Vorwurf der Inconsequenz trifft somit nur die crassen Uebertreibungen und die falschen Theorien, mit welchen Rousseau sein Lob der italienischen Musik verbrämte. In seinem leicht auflodernden Enthusiasmus hatte er eben nur die Vorzüge der Italiener gesehen, und durch's Vergrößerungsglas gesehen; ganz ebenso an der französischen Musik die Fehler. Gluck's Werke überzeugten ihn nun, daß auch eine im französischen Sinne gedachte Oper mit Balletten, Maschinerien und Dämonen (Rousseau's leidenschaftlichster Haß) ein echtes Kunstwerk sein und die französische Sprache von Meisterhand auch musikalisch gehandhabt werden könne. Pergolese und Gluck — wol sind sie grundverschieden; aber gegen den französischen Opernstil zu Rousseau's Zeit waren Beide, Jeder von ihnen in seiner Weise, ein unendlich Besseres, und darum durfte Rousseau Beide mit bestem Gewissen feiern. Indem er Gluck's Größe ehrlich bekannte, ging er doch, selbst Gluck zuliebe, nicht ab von seiner frühern Ueberzeugung, daß in der Oper die Musik das Wichtigste sei, und nicht das Wort. „Es ist ein schönes und großes Problem," sagte er bei diesem Anlaß, „zu bestimmen, bis zu welchem Punkt man die Musik könne sprechen lassen und die Sprache singen. Von einer guten Lösung dieses Problems hängt die ganze Theorie der dramatischen Musik ab. Der bloße Instinct hat hierin die Italiener in der Praxis so gut als nur möglich geleitet; und die großen Fehler ihrer Opern kommen nicht her von einem schlechten musikalischen Princip, sondern von

der schlechten Anwendung eines guten." Daß Rousseau gleichwol Gluck mit schwächerem Enthusiasmus preist, als vordem die
Italiener, fast mehr mit dem Kopf als mit dem Herzen, braucht
nicht geleugnet zu werden. Rousseau stand, als er den berühmten Brief über Gluck's „Alceste" schrieb, in vorgerückten
Jahren, die frühere Exaltation hatte einem ruhigeren, versöhn-
lichen Denken, ja einer resignirten Stimmung Platz gemacht.
Gluck kam erst 1774 nach Frankreich, und Rousseau trachtete
dessen inständigem Verlangen nach einer Kritik mit Hinweis auf
seine „seit mehreren Jahren äußerst geschwächten Geisteskräfte"
auszuweichen. Er gesteht auch, daß es für ihn eine große
Mühe sei, eine so überladene und verwickelte Partitur wie
„Alceste" zu lesen. Es haben somit ohne Zweifel auch persönliche Motive, wie so oft bei Rousseau, schließlich mitgewirkt zu
Gunsten Gluck's. Lobenswerthe Motive, wie wir glauben, nämlich persönliche Freundschaft und Dankbarkeit. Gluck war es
(wie wir aus Bachaumont's Memoiren erfahren), der Rousseau
mit den Directoren der Pariser Oper ausgesöhnt und diesen all
ihr Unrecht gegen den großen Mann vorgehalten hatte. Wech-
selnd und unberechenbar, wie jede Regung bei Rousseau, hatte
leider auch seine Freundschaft für Gluck keine Dauer; er sperrt
eines Morgens dem bewunderten Freunde, den er Tags zuvor
mit offenen Armen empfangen, ohne allen Grund die Thür vor
der Nase zu. Gleichviel, Rousseau's beherzte, nicht ohne schwere
Selbstverleugnung vollzogene Parteinahme für Gluck bleibt eine
rühmliche That und sein Brief über die „Alceste" ein dauerndes
Denkmal seiner glänzenden musik-kritischen Begabung.

Es hat mich so sehr verdrossen, bei der Nationalfeier am
14. Juli den Musiker Rousseau vergessen und sein berühmtes
Singspiel ignorirt zu sehen, daß ich wenig Lust verspürte, die
officielle Festlichkeit am Château d'eau mitzumachen. Hingegen
vergönnte ich mir eine stille Privatandacht nach meinem Sinn
und fuhr hinaus nach Montmorency, dem Lieblingsaufenthalt

Jean Jacques'. Hier fand ich, von alten, breitästigen Kastanien beschattet, die „Eremitage", ein verlassenes einstöckiges Haus, mit halbzerbrochenen grünen Jalousien und tiefen Rissen in der Mauer. Fenster und Thüren dicht verschlossen, auf der ausgetretenen steinernen Schwelle dichtes Gras. Dieses stille Haus, ein echter Poetenwinkel, ist mir noch um eines andern Mannes willen theuer: es war der letzte Wohnsitz des Componisten Grétry, der hier 1813 in hohem Alter starb. In ihrem gegenwärtigen Verfall hat die Eremitage, dieses Stück Waldeinsamkeit in der nächsten Nähe von Paris, etwas unbeschreiblich Trauliches und Rührendes. Es verwunderte und freute mich zugleich, daß man das Häuschen nicht modisch renovirt und etwa zu hohem Preis einem reclamelundigen Restaurant überlassen hat. Aber erhalten sollte es bleiben für alle Zeit, zur Erinnerung an zwei seltene Menschen, die zwar beide außerhalb Frankreichs geboren, doch zeitlebens zum Ruhme Frankreichs gearbeitet haben. Nach Paris zurückgekehrt, wurde mir noch am selben Abend die Freude, Rousseau von einer neuen Seite kennen zu lernen. Friedrich Szarvady, dessen Haus man nie verläßt, ohne Schönes und Interessantes gehört oder gesehen zu haben, zeigte seinen Gästen ein von Rousseau's Hand geschriebenes Notenheft. Irgend ein altmodisches Stück von einem verschollenen Componisten, aber geadelt durch das: „Copié par J. J. Rousseau" auf dem Titelblatt. Einzig dürfte dies Beispiel sein, daß irgend eine Composition Interesse und hohen Werth erhält durch den Namen des Abschreibers. War es eine Sonderlingslaune von Rousseau, seinen Lebensunterhalt durch Notenschreiben zu verdienen, so muß man wenigstens gestehen: er hat ihn redlich verdient. Nie sah ich eine schönere Notenschrift. Die Köpfchen so rund und schwarz, so stattlich aufrecht auf zierlichem Stengel und in stets gleichem Abstand — eine wahre Augenweide! Eine mechanische Arbeit, aber man sieht ihr an, daß sie mit Liebe gemacht wurde. Wer so copirt, der muß gern copirt haben. Merkwürdigerweise liegt in diesen Zügen nichts, was das hastige, ungleiche Temperament Rousseau's verrathen würde. Es ist, als ob Alles, was in dem widerspruchsvollen Charakter des Mannes an Schönheitssinn, Anmuth und Seelenfrieden verstreut und versteckt lag, sich in dieser reizenden Notenschrift gesammelt hätte.

XI.

Die „Marseillaise" jetzt und ehedem.

Zum erstenmal erlebte ich endlich die Freude, in Paris die „Marseillaise" singen zu hören. Es war der 30. Juni, der Tag des unvergeßlich schönen Volksfestes; alle Häuser beflaggt, alle Balcone bekränzt und Tausende glücklicher Menschen mit dreifarbigen Bändern, Cocarden, Fähnchen geschmückt. Breite, mit Laubgewinden behängte offene Wagen führen Musikbanden und Sänger durch die Stadt. Da macht ein solcher Musikwagen Halt auf der Place Gaillon, nächst der Avenue de l'Opéra. Der kleine, alte Platz, dessen braune Mauern unter den Blumen und Bänken schier verschwinden, gleicht einem Festsaal. Die Blechmusik auf dem Wagen intonirt die „Marseillaise", und das Volk, Kopf an Kopf dichtgedrängt, singt sie begeistert mit. Jubelnder Hurrahruf nach jeder Strophe — ich weiß nicht, wie oft die Hymne wiederholt wurde. Auf anderen Plätzen dasselbe Schauspiel bis in die tiefe Nacht hinein. Lange genug hatten die Franzosen warten müssen auf diesen Tag, wo sie ihr Nationallied frei auf offener Straße singen durften. Erlaubt hatte man es eigentlich nicht, aber auch nicht gewagt, an diesem Festtag die Freude des Volkes zu stören. Schon wenige Tage später zeigte sich jedoch officielle

Einsprache dagegen. Das große Festconcert der Orphéons (Männergesang-Vereine) im Tuilerien-Garten war zu Ende, und die aus ganz Frankreich zusammengeströmte Sänger-Armee ordnete sich eben zum militärischen Abmarsch, da erhob sich plötzlich ein lautes Rufen, unwiderstehlich, wie aus Einer Kehle: „La Marseillaise!" Mit verzweifelten Gesticulationen versuchten der Hauptdirigent und die Fest-Commissäre dem Publicum dies Verlangen zu wehren — vergebens! Immer mächtiger schwoll der allgemeine Ruf an, bis endlich eine von den vielen Fanfaren, die von Montreuil, den Muth hatte, die verfehmte Melodie zu blasen, worauf dann die Gesangvereine, einer nach dem andern, im Defiliren aus voller Brust einstimmten. Ein grandioses Schauspiel!

Die „Marseillaise" nicht blos zu verbieten, sondern auch sie zu verdrängen, durch ein anderes patriotisches Lied zu ersehen, haben die französischen Regierungen wiederholt versucht. Diese Experimente sind sämmtlich gescheitert. Unter Louis Philippe war der Componist des „Postillon von Longjumeau", Adolphe Adam, mit der Anfertigung einer officiellen Volkshymne beauftragt, die (wie er launig genug in seinen Memoiren erzählt) unter unglaublichen Schwierigkeiten und Nergeleien zu Stande kam, den Autor aber nicht überlebt hat. Noch schlimmere Fehlgeburt brachte die bei der Weltausstellung 1867 von Napoleon III. angeordnete Preisausschreibung einer Friedens-Marseillaise („Hymne de la paix"). Die beste dieser zu Hunderten eingelaufenen Compositionen sollte officielles Volkslied der französischen Nation werden. Wochenlang plagten wir unglücklichen Prüfungs-Commissäre uns mit der Durchsicht dieses Berges von Strophenliedern, um schließlich keinem einzigen den Preis zuzuerkennen. In der von Auber präsidirten Schlußsitzung war noch kleinlaut von den zwei bis drei relativ Besten die Rede, als Berlioz' zorniger Ausruf: „Wir wollen keine Gassenhauer prämiiren!" den Ausschlag gab. Neuestens — es scheint, daß

man in Paris jedesmal auch eine Ausstellungs-Marseillaise
wünscht — ist Gounod dafür auserwählt worden. Die Frau
Marschallin Mac Mahon hatte ihn darum ersucht, und dem
liebenswürdigen Componisten, dem es so schwer fällt, einer hohen
Dame etwas abzuschlagen, wird es nur gar zu leicht, eine Ge-
legenheits-Composition schnell hinzuwerfen. Aber in diesem
Fache gibt es nichts Schwierigeres, als das Leichte. Trotz der
officiellen Protection ist Gounod's „Chant patriotique" seit der
Eröffnungsfeier der Weltausstellung fast vergessen, ja selbst in
den Musikhandlungen nur selten begehrt. Das Hauptunglück
dieser wie fast aller octroyirter Volkshymnen liegt schon im Text:
er ist zahm und altklug. Die bewegende Kraft eines patriotischen Liedes geht immer zunächst vom Gedicht aus; die Forderungen an den Componisten sind sehr bestimmter, aber be-
scheidener Art. „Plus de colères, plus d'excès, abjurons
toute intolérance," ermahnt uns die neue Volkshymne, „tout
se défie, chacun s'exclue; hors mon parti point de salut.
Par vos partis que de souffrence, que de haine que tout
aigrit; et que d'obstacles à ce cri: vive la France!" Und
mit solchen fischblütigen Worten will man den heißen Athem
der „Marseillaise" verdrängen? Gounod's Composition, die in
unpassenden fünftactigen Rhythmen anhebt, aber mit einem
recht kräftigen Refrain schließt, klingt zu simpel, um den Musiker zu interessiren, zu gezwungen, um das Volk mit fortzu-
reißen. „La France" hört zwar die Botschaft, doch fehlt ihr
der Glaube. Die Popularität eines Liedes läßt sich nicht vorausbestimmen — wie die dreißig Jahre vor dem deutsch-fran-
zösischen Krieg componirte und bishin unbeachtete „Wacht am
Rhein" beweist — noch viel weniger läßt sie sich octroyiren.
    Weßhalb aber schilt man die „Marseillaise" und möchte
sie heute noch, im republikanischen Frankreich, verbieten? Ohne
Erfolg bleibt dieser Widerwille, allein — so viel muß man
zugestehen — ohne Grund ist er nicht. Was gegen die förm-

liche Autorisirung der „Marseillaise" als Nationalhymne spricht, sind erstens die daran haftenden blutigen Erinnerungen, von den Jakobinern an bis zu den Communards, sodann der Inhalt des Gedichtes selbst. Napoleon I. hat sie schon verboten, obwol er selbst einmal an das Directorium schrieb: „Ich habe die Schlacht gewonnen, die „Marseillaise" theilte mit mir das Commando." In Paris ertönte sie überall, wo Ströme von Blut in den Straßen flossen. Sie wurde Bundeslied der wildesten Sansculotten, des entmenschtesten Pöbels. Seit dem Thermidor bedurfte es eigener Erlässe, um sie im Theater spielen zu dürfen; aber noch immer ersetzte sie im Lager den Soldaten die Disciplin und das Brot. Von allen Regierungen niedergehalten, schnellte das Lied mit verdoppelter Federkraft bei jeder neuen Revolution empor, um dann mit dieser Revolution selbst wieder gemaßregelt zu werden. Hector Berlioz erzählt in seinen Memoiren sehr lebendig, wie er am Morgen nach der Julirevolution 1830 ein Häuflein Sänger auf der Straße aufforderte, die lang verpönte „Marseillaise" zu singen, und wie die tausendköpfige Volksmenge mit solchem Enthusiasmus einstimmte, daß er selbst, von dem Eindruck überwältigt, ohnmächtig zu Boden fiel. Berlioz haßte für seine Person die republikanische Staatsform, aber der „Marseillaise" widmete er eine begeisterte Verehrung. Er hat sogar ein Arrangement derselben für großes Orchester und Doppelchor gesetzt, welches meines Wissens niemals aufgeführt wurde. Ueber der Gesangstimme steht in seiner Partitur (statt der üblichen Bezeichnung Tenor oder Baß) die Aufforderung: „Alles, was eine Stimme, ein Herz und Blut in den Adern hat." Der junge Berlioz ließ dieses Arrangement wenige Wochen nach der Juli=Revolution in Paris drucken mit der Widmung „an den Autor dieser unsterblichen Hymne", Rouget de l'Isle, welcher damals noch in Choisy=le Roi bei Paris lebte, wo er auch 1836 dürftig und einsam gestorben ist. Mit der Revolution von 1848 und zu=

letzt während des gräßlichen Interregnums der Commune tauchte die „Marseillaise" vorübergehend wieder auf. Unter Louis Napoleon suchte man das von seiner Mutter, der Königin Hortense, componirte Lied: „Partant pour la Syrie" wieder als Volkshymne einzuführen und spielte es bei officiellen Gelegenheiten. Die Composition athmet den leichten, echt französischen Romanzenton und ist bei aller Weichlichkeit nicht ohne eine gewisse vornehme Haltung; sie könnte allenfalls in einer Oper von Méhul oder Isouard stehen als galante Romanze. Aber als National-Hymne ist sie ein Unsinn. Was hat die patriotische Begeisterung unserer Franzosen mit einer Abreise des „jungen und schönen Dunois" nach Syrien zu schaffen und mit seiner angebeteten Isabelle? Mit Napoleon III. verschwand auch die Lieblingsromanze seiner Mutter. Aber was nun? Die „Marseillaise" blieb auch unter der Republik des Thiers und Mac Mahon verboten. Vergebens fragte ich vor einigen Jahren in Paris, was man denn bei feierlichen Gelegenheiten officiell singe oder spiele, und vernahm ungläubig die verlegene Antwort: „Nun, irgend einen Marsch oder Chor aus einer Oper." Frankreich besaß thatsächlich keine Nationalhymne, nicht einmal mehr ein lyrisch-lyrisches Surrogat dafür.

Es ist aber, wie gesagt, nicht blos die auf allen Blutspuren der französischen Geschichte fortschreitende Biographie der „Marseillaise", was sie als Volkshymne bedenklich macht, sondern wirklich ihr Inhalt selbst. Ihr p o e t i s c h e r Inhalt, nicht ihr musikalischer, denn die Musik an sich, ohne factische oder Ideen-Association mit bestimmten Worten, ist — was man auch darüber faseln mag — niemals blutgierig, auch niemals republikanisch oder revolutionär. Vermöchte man die Worte der „Marseillaise" aus dem Gedächtnisse des Volkes zu wischen und ihr andere zu unterlegen, die pathetisch kräftige Melodie würde zum Singen und Marschiren, aber nimmermehr zum Morden aufmuntern. Aber diese Worte! Muß man nicht erschrecken, wenn man im tiefsten Frieden eine tausendköpfige Volksmenge singen hört: „Que leur sang impur abreuve nos sillons!" Wessen unreines Blut soll denn unsere Furchen tränken? Das Gedicht der „Marseillaise" ist ein wild kriegerisches, ist racheburstig, grausam; kaum mehr als die ersten zwei Zeilen kann man heute stehen lassen. Allein welch merkwürdige Erfahrung konnte mit mir Jedermann erleben an jenem festlichen 30. Juni! Die Volksmenge schien in der Freude des Tages, in der Genugthuung, ihre alte ruhmbedeckte Melodie wieder zu singen, den Sinn der Worte völlig vergessen zu haben. Die guten Leute sangen ihr „abreuve nos sillons" mit einer Miene, die von Freude, Wohlwollen und Friedensliebe überströmte. Ein Phänomen, das viel zu denken gibt. Es war, als habe das wilde Lied in hundertjährigem Gebrauch die Bajonnette seiner ursprünglichen Actualität verloren, sei nur mehr eine dem Volke theure Reliquie, die wieder anzusehen und vorzuzeigen es sich freute, etwa wie wir uns an einem ererbten kostbaren Gewehr freuen, ohne deßhalb gleich Jemanden niederzuschießen. Die zahllosen Sänger der „Marseillaise" am 30. Juni empfanden darin offenbar nur ganz allgemein etwas Muthiges, Patriotisches, das vom einstigen Ruhme erzählt und zu neuem anfeuert — „le jour de gloire", das war ihnen der ganze Inhalt. So sang denn das Volk von Paris den ganzen lieben Tag seine „Marseillaise", und doch beging Niemand den kleinsten Exceß, überall herrschte eine entzückende Ordnung und Anständigkeit. Dieser Festtag hat den schwerwiegenden Beweis geliefert, daß ein feuriges Lied wie die „Marseillaise" noch keine Explosion verursacht, wenn nicht das revolutionäre Pulver schon ringsumher aufgehäuft liegt. Wir gelangen zu dem paradoxen und trotzdem richtigen Schlusse: Die „Marseillaise" ist ein für friedliche Zeiten ganz ungehöriger, um nicht zu sagen anstandswidriger Schlachtgesang; aber gerade diese Nichtübereinstimmung, dieses Nichthingehören macht sie dann thatsächlich ungefährlich.

Verderblich wird die „Marseillaise" nur in jenen politischen Ge-
witterstürmen, für die sie paßt, und verdiente somit erst dann
verboten zu werden, wenn sie sich nicht mehr verbieten läßt.
Die „Marseillaise" ist eine tief im Volke wurzelnde historische
Macht, sie ist überdies die einzige wahre Nationalhymne der
Franzosen, das einzige patriotische Lied, das sie Alle auswendig
können und aus freiem Antriebe singen. Weder das Verbot
einer Regierung kann sie verdrängen, noch die Concurrenz von
hundert Gounod's.

Ebensowenig wird aber durch nachträgliche historische Auf-
klärungen etwas beseitigt, was selbst schon eine historische
Macht geworden. So nahe die Entstehungszeit der „Marseillaise" an unser Jahrhundert grenzt, es liegt doch schon auf ihr
und ihrem Autor ein mythischer Schleier, den nicht zu heben
die meisten französischen Geschichtschreiber bemüht waren. Der
berühmte Dichter und Componist der „Marseillaise", Rouget
de l'Isle, war in Wirklichkeit keineswegs der feurige Republikaner, den das Volk in ihm verehrt, und die „Marseillaise" selbst, das französische Revolutionslied par excellence,
hatte ursprünglich eine ganz andere Bestimmung. Neuere Forschungen haben dies überzeugend nachgewiesen; sie sind überdies
durch Rouget's gedruckte Gedichte und beglaubigte Schicksale
leicht zu controliren. Diese etwas enttäuschenden Resultate sind
in Kürze folgende: Es ist bekannt, daß gegen Ende April 1792,
als in Straßburg die Kriegserklärung gegen Oesterreich eintraf,
der Bürgermeister Herr von Dietrich einen in Musik und Poesie
dilettirenden Genie-Officier seiner Tischgesellschaft aufforderte,
ein Kriegslied für die abmarschirende Rheinarmee zu componiren. Dieser damals zweiunddreißigjährige Officier war Rouget
de l'Isle. Er dichtete und componirte den verlangten Gesang noch in derselben Nacht und ließ ihn unter dem Titel:
„Chant de guerre de l'armée du Rhin" drucken. Das erste
Exemplar sendete er dem Marschall Luckner, ein zweites dem

Tondichter Grétry in Paris. Der neue Kriegsgesang wurde sofort den Regiments-Capellmeistern eingehändigt und zum erstenmale am 29. April von der Nationalgarde in Straßburg bei der Parade ausgeführt. Er verbreitete sich zuerst nach Montpellier, von da nach Marseille, wo jeder der sogenannten „Marseillais" (so hieß eine etwas berüchtigte Miliz) ein Exemplar erhielt. Diese Marseiller brachten Ende Juli 1792 das Lied nach Paris, das fortan den Namen „La Marseillaise" behielt und, ursprünglich gegen den auswärtigen Feind gerichtet, nunmehr alle republikanischen Kundgebungen illustrirte. Wie verhielt sich aber der junge Officier dazu? Seinem Soldaten-eid getreu, weigerte er sich, das Decret, welches die Absetzung des Königs verfügte, anzuerkennen. Er wurde entlassen und irrte, um den Verfolgungen zu entgehen, zwei Monate lang obdachlos im Elsaß von Ort zu Ort, Tag über versteckt, des Nachts auf der Flucht. Nach der Proclamation der Republik durfte er durch die Protection des Generals Valence als Freiwilliger wieder eintreten, wurde aber nach der Hinrichtung Ludwig's XVI., als des Royalismus verdächtig, ergriffen und in den Kerker von Saint-Germain-en-Laye geworfen. Hier ließ man ihn ein Jahr und sieben Monate schmachten; erst nach dem Tode Robespierre's erfolgte seine Befreiung. Während Rouget de l'Isle wegen royalistischer Gesinnungen von den Republikanern eingekerkert lag, beuteten diese seine „Marseillaise" zu ihren Zwecken aus. Sie wurde überall gesungen, ja sogar im Theater dargestellt. Im October 1792 gab man sie in der Oper als militärische Scene. Die Bühne angefüllt mit Soldaten, Reitern zu Pferde, Blousenmännern — Alle singend und brüllend. Bei der letzten Strophe: „Amour sacré de la patrie", fiel Alles auf die Knie, Schauspieler und Zuschauer; man machte sogar die Pferde niederknien. Aus Rouget's gedruckten Gedichten spricht klar seine antirepublikanische Gesinnung. Er war von einer wahren Passion besessen, Kriegslieder zu

schreiben, aber keines davon widmete er der Republik. In sei=
ner „Hymne du 9 Thermidor" flucht er Robespierre und sei=
nen Gehilfen. Ein „Kriegslied für die egyptische Armee"
preist den General Bonaparte. An den Kaiser Napoleon rich=
tete er 1812 eine huldigende „Friedenshymne". Ein „Chant
du combat" verherrlicht sogar den 18. Brumaire wiederholt
als den „großen Tag", welcher der Republik ein Ende gemacht.
Noch 1814 besingt Rouget die Rückkehr Ludwig's XVIII. nach
Frankreich: „Dieu conserve le roi, l'espoir de la patrie" etc.*)
Es liegt eine bittere Ironie in diesen Enthüllungen, die man
im heutigen Frankreich nicht gerne hört, noch verbreitet. Sie
können alte Irrthümer der Professoren umstoßen, aber nimmer=
mehr die Verehrung des Volkes für die „Marseillaise" und ihren
Componisten. An die „Marseillaise" wird man immer glauben,
denn wer sie hört, den überzeugt sie, und wer sie mitsingt, der
ist schon überzeugt. Es geht damit ungefähr, wie mit Schiller's
„Wilhelm Tell", dem wir Alle gläubig lauschen, mögen die
Historiker auch längst den Apfelschuß oder gar den Schützen
selbst ins Reich der Fabel verwiesen haben. Sei nun Rouget
de l'Isle Royalist gewesen oder Republikaner, seine „Marseil=

*) Rouget de l'Isle veröffentlichte 1796 „Essais en vers et en
prose"; der kleine Octavband ist gegenwärtig eine große bibliographische
Seltenheit. Er schrieb auch drei Operntexte: „Almansor et Féline",
„l'Aurore d'un beau jour", endlich „Bayard en Bresse" mit Musik
von Champein. Nur letzteres Stück wurde einmal aufgeführt (1791)
und enthielt einige Gesangsnummern von Rouget de l'Isle. Die wichtigste
(jetzt auch schon sehr selten gewordene) musikalische Publication Rouget's
ist ein Folioband: „48 Chants français", Text von verschiedenen
Dichtern, Musik von Rouget de l'Isle. Die patriotischen Lieder sind das
Beste darin. J. B. Weckerlin vermuthet mit Grund, daß Rouget die
Accompagnements zu seinen Melodien nicht selbst gemacht habe. Rouget
de l'Isle war Dilettant auf der Violine und in freundschaftlichstem
Verkehr mit mehreren berühmten Componisten seiner Zeit, insbesondere
mit Ignaz Pleyel.

laife" war von Anfang an das tönende Banner der Republik
und wird es dem franzöfifchen Bolke bleiben.   In dem Augenblicke, da man die projectirte Statue Rouget's in feiner Bater-
ftadt Choify=le=Roi enthüllen wird, find alle anderen Enthüllungen vergeffen, und nicht die Monarchiften, fondern die Republikaner werden diefes Feft feiern.   In gutem Glauben zählen
fie ihn und fein Lied zu den Ihrigen und mögen es fortan,
denn fie haben diefen Glauben mit ihrem Blut befiegelt.

XII.

Der Berlioz=Cultus.

Die Franzosen, leichtbewegt und veränderungslustig im Leben wie in der Politik, sind bekanntlich von einer eigenthümlichen Beharrlichkeit in Sachen der schönen Künste. Namentlich ihre Musik= und Theatergeschichte charakterisirt ein conservativer Zug, ein zähes Festhalten an Traditionen, ästhetischen wie technischen, und anhaltendes Beharren in einmal zweifellos eingeschlagener Geschmacksrichtung. Um so auffallender frappirte mich jetzt ein vereinzelter, ganz unerwarteter Umschlag in dem musikalischen Glaubensbekenntniß der Franzosen: der plötzliche Berlioz=Cultus.

Die Compositionen dieses wunderlichen Romantikers werden gegenwärtig in Paris ebenso eifrig gepflegt und enthusiastisch gepriesen, als sie früher mißachtet wurden. Berlioz hat in der Pariser Musikwelt bis an sein Ende als ein Fremdling gelebt; unverstanden und unbeliebt, ja gemieden und verspottet. Seine Tondichtungen kamen nur zur Aufführung, wenn er selbst, auf eigene Kosten, ein Concert zu diesem Zweck veranstaltete. Nur in Deutschland (zuletzt auch in Rußland) hatte seine Musik Verständniß und Sympathie gefunden; das waren die einzigen Tage künstlerischen Glückes, die Berlioz erlebte.

„Die Franzosen allmälig an meine Musik zu gewöhnen,"
klagte mir einmal Berlioz, „dazu bin ich nicht reich genug."
Und jetzt? Ein allgemeiner Berlioz-Enthusiasmus hat die
Künstler, die Kritiker und das Publicum in Paris erfaßt. Aus
einer plötzlichen totalen Geschmacksumwälzung läßt sich das
Räthsel gewiß nicht erklären, ebensowenig blos aus einem Gefühl der Reue, die an dem Verstorbenen gutmachen möchte,
was an dem Lebenden gesündigt worden — es hätte sonst dieser
Umschwung sofort nach Berlioz' Tode (1869) eintreten müssen.
Damals wagte allerdings Pasdeloup ein und das andere
Stück Berlioz' in sein Concertprogramm aufzunehmen; aber die
allgemeine Pietät, auf die er zählte, war nicht vorhanden, das
Publicum zischte. Und jetzt? Jetzt gibt die „Association
artistique" (von Ed. Colonne als Rivalin der Pasdeloup'-
schen Concerte gegründet) fast nichts als Berlioz! Mit der
Aufführung der „Sinfonie fantastique" veranstalteten im vorigen
Jahre die rivalisirenden Orchester Colonne's und Pasdeloup's
ein förmliches Steeplechase; dieser im „Cirque", jener im
Theater „Châtelet", Berlioz hic et ubique. Colonne gab im
letzten Winter dreizehnmal die „Damnation de Faust"
und viermal das Requiem von Berlioz! Die Concert-
Saison (1878) begann mit der neunzehnten Aufführung
der „Damnation de Faust" abermals bei vollem Hause, unter
begeistertem Applaus und Dacapo-Rufen. Sogar das classisch
exclusive Conservatorium, das vor Berlioz stets ein Kreuz
schlug, schmückt jetzt seine Concerte mit Stücken aus der Romeo-
Sinfonie und der „Verdammniß Fausts". Wer den Musik-
geschmack der Franzosen kennt, muß sofort vermuthen, daß bei
dieser Wendung noch ein anderes als das rein musikalische
Interesse im Spiele sei. Es ist das nationale. Erst nach
dem deutschen Kriege begann der unerwartete Berlioz-Cultus in
Frankreich. Das Pariser Publicum begann nach der Nieder-
lage sparsam zu werden mit dem Applaus für deutsche Ton-

dichter, es wollte französische Componisten feiern, nicht nur wie bisher in der Oper, auch im Concertsaal. Man brauchte einen französischen großen Instrumental=Componisten — und fand diesen, wie durch stillschweigende Uebereinkunft, in dem bisher mißachteten Hector Berlioz. Der eifersüchtige Haß gegen Richard Wagner that ein Uebriges; das musikalische Frankreich glaubte, mit einem ebenbürtigen revolutionären Genie ausrücken zu müssen und feiert in Berlioz fortan seinen eigenen, den französischen Wagner. Hier liegt der eigentliche Schlüssel des Räthsels. Prachtausgaben und neue Arrangements Berlioz'scher Werke werden verlegt, enthusiastische Abhandlungen über Berlioz geschrieben; sogar Berlioz=Festivals im Opernhaus veranstaltet (Charfreitag 1878) und mit feierlichen Reden eingeleitet.

Zum erstenmal wird jetzt sogar nach der musikalischen Genesis dieses Meisters geforscht, den verborgenen Wurzeln seines Stils nachgegraben. Mit Interesse las ich eben im „Menestrel" eine ausführliche gründliche Monographie von Octave Fouque über den alten Componisten Lesueur. Dieselbe führt den Titel: „Un précurseur de Hector Berlioz". Der Verfasser hat offenbar die Empfindung, daß sich heute ein lebhafteres Interesse für den verschollenen Componisten der „Barden" nur hoffen lasse, wenn derselbe als Vorläufer und geistiger Urheber der Berlioz'schen Musik behandelt wird. Wenn Berlioz Gott ist, so war Lesueur sein Prophet — das ist die Grundidee jenes Essay, welcher manche neue und interessante Mittheilung über Lesueur und Berlioz enthält.

Jean François Lesueur, geboren 1763 in einem Dorfe der Picardie, wurde mit 23 Jahren Capellmeister an der Notre= Dame=Kirche in Paris. Eine damals von ihm verfaßte Bro= schüre („Exposé d'une musique une, imitative et par- ticulière etc.") enthält das musikalische Glaubensbekenntniß, dem Lesueur bis an sein Ende (er starb erst 1837) unwandelbar treu blieb. Darin lehrt er, wie man „Poesie" und „Malerei" in die Musik zu legen habe. Für Lesueur war die Musik Nichts, wenn sie nicht etwas Bestimmtes ausdrückte oder malte; als höchstes musikalisches Ziel erklärt er die Nachahmung (imitation). Jede seiner Compositionen verfaßt er nach einem „plan raisonné", den er vor der Aufführung publiciren und vertheilen läßt, damit die Hörer den Inhalt der Composition verstehen können. Lesueur ist durch diesen Vorgang der eigentliche Erfinder der Programm-Musik im Sinne Berlioz'. Lesueur hat die Tonmalerei nicht, wie Beethoven oder Mendelssohn, nebenbei, sondern stets als Kern seiner ganzen Musik behandelt. Berlioz ist der Einzige, der ihm darin vollständig nachfolgte. Auch die Kirchenmusik wollte Lesueur durchaus „une, imitative et particulière"; jede seiner Messen sollte ausschließlich für einen bestimmten Feiertag gelten und dessen Bedeutung erschöpfend ausdrücken. Es grenzt an's Verrückte, was er alles in seinem „Plan zu einer Weihnachtsmesse" ganz detaillirt in der Musik (die doch immer nur auf demselben lateinischen Meßtext gesungen wurde) ausdrücken wollte. Im Jahre 1786 waren solche Anschauungen etwas Unerhörtes. Von der Kirche auf's Theater übertragen, können sie schlechtweg „Zukunftsmusik" heißen. Von Lesueurs Opern hatten einige wie „La Caverne" und „Les Bardes" bedeutenden Erfolg. Das Publicum jener Zeit wiederholte aber doch zustimmend das fliegende Wort: Lesueur habe so viel Dramatisches in seine Kirchenmusik gesteckt, daß er vergaß, etwas davon auch seinen Opern mitzugeben. Hierin ist ihm jedenfalls Berlioz verwandt. Nachdem Lesueur und Berlioz sinfonische und geistliche Musik geschrieben, in welchen man die dramatische Kraft bewunderte, gaben sie uns Opern, worin das Dramatische nur in verschwindend kleiner Dosis vorkommt. Lesueur besaß kein scenisches Talent, er war ebensowenig wie Berlioz für theatralische Musik geboren. Letzterer präsentirt sich in diesem Fach noch viel ungünstiger: seine Opern hatten gar keinen Erfolg, die Lesueur'-

schen wenigstens einen vorübergehenden. Der Verfasser des Essay constatirt auf Grund dieser Analogie — une veritable filiation artistique zwischen Lesueur und Berlioz. Um dahin zu gelangen, das geniale und bizarre Geschöpf „Berlioz" zur Welt zu bringen, bedurfte es einer vorhergehenden Kraft=anstrengung der Natur; diese Kraftanstrengung vollzog sich durch Lesueur. Berlioz ist nur ein gelungener Lesueur, und Lesueur ein mißglückter Berlioz. — Auffallenderweise hat man es in Paris unterlassen, gerade das große Weltausstellungs=Publicum mit Berlioz näher bekannt zu machen. In den officiellen Trocadero=Concerten war fast alles mit unglücklicher Hand und im mißverstandenen französischen Interesse organisirt, so auch die Repräsentation Hector Berlioz'! Anstatt eines seiner sinfonischen Werke vollständig zu geben, riß man ein Fragment aus seiner Oper „die Trojaner" aus dem Zusammen=hang heraus, für das dem allgemeinen Verständniß jeder An=knüpfungspunkt fehlte. Interessanter für uns, und des fran=zösischen Berlioz=Cultus würdiger wäre es gewesen, die „Tro=janer" vollständig als Oper aufzuführen. Dazu mochte sich aber wol kein pariser Theaterdirector verstehen; der Mißerfolg stand zu deutlich in Aussicht. Berlioz selbst hat hart vor seinem Lebensende doch noch die Befriedigung gehabt, seine „Trojaner" im Théâtre lyrique aufgeführt zu sehen. Die Oper erhielt sich nicht lange, woran übrigens auch die mittel=mäßige Aufführung und Ausstattung theilweise Schuld tragen mochte. Der „Rhapsode", der vor Beginn des Stückes mit einer Harfe in den Händen den „Prolog" absingen muß, erschien nur bei den zwei ersten Vorstellungen, dann strich man ihn als gefährlichen Erzeuger allgemeiner Heiterkeit.

Solch' wunderlicher archaïstischer Einfälle, die vor einem modernen Publicum ein gefährliches Spiel spielen, zählte Berlioz' Oper mehrere. Unter andern kam, wie mir Stephen Heller erzählte, ursprünglich ein Preisconcurs der Dido vor, bei

welchem die Zünfte aufmarschirten und jede Zunft in einer anderen griechischen Tonart sang. Ernst Legouvé (der Dichter
der „Adrienne Lecouvreur") und ein Professor der lateinischen
Sprache halfen Berlioz in der Abfassung des Libretto. Berlioz
hatte Stücke aus seiner früher componirten unvollendeten Oper
„die blutende Nonne", von welcher drei Acte fertig waren, in
die Partitur der „Trojaner" aufgenommen. Das Libretto der
„Nonne sanglante" von Scribe (— die albern schauderhafte
Handlung spielt merkwürdigerweise in Prag —) hat bekanntlich
Gounod später componirt und ohne Erfolg in Paris (1854)
aufführen lassen. Berlioz hatte in seinem Testament angeordnet,
daß seine Partitur der „Nonne sanglante" verbrannt werden
solle, was auch geschah.

Interessante, mir größtentheils neue Mittheilungen über
Berlioz erhielt ich von Stephen Heller. Dieser echte Poet
der Claviercomposition, so fein, vornehm und geistreich wie seine
Musik, zugleich gut deutsch und schön französisch. Stephen
Heller also war einer der sehr wenigen Menschen, vielleicht außer dem Musikschriftsteller B. Damcke der Einzige, der mit Berlioz in dessen letzter Zeit intim und
regelmäßig verkehrte. Ich selbst hatte als sehr junger
Mensch eine zeitlang Berlioz' täglichen Umgang genossen,
während seines Aufenthalts in Prag 1846. Als ich ihn zuletzt
1867 in Paris wiedersah, erschrak ich über die Veränderung,
die geistig und physisch über ihn hereingebrochen war. Der
einst so schöne, mächtige Kopf senkte sich matt gegen die Brust;
das Gesicht war runzelig und aschfahl geworden, nur selten
blitzte ein kurzes Aufleuchten aus den einst so feurigen Augen,
und dann war es nur das Aufleuchten einer zornigen Er-
bitterung. Berlioz fühlte sich total vereinsamt in Paris, vergessen, verschmäht; kein Wort schien ihm hart und stark genug
gegen seine unmusikalischen und undankbaren Landsleute. „Ich
arbeite nichts mehr," sagte er am Schluß unseres kurzen Ge-

sprächs mit bitterer Resignation, „Alles, was ich noch zu thun
habe, ist: „Leiden und Erdulden"." An diese meine letzte
traurige Begegnung mit Berlioz anknüpfend erzählte mir Stephen
Heller von dessen Ausgang. Berlioz kränkelte seit seiner großen
Reise nach Rußland. Der Ertrag seiner Petersburger Concerte
sicherte ihm eine bescheidene Revenue, welche ihn seiner tausend-
mal verwünschten größten Qual enthob: Musikfeuilletons
schreiben zu müssen. Zu Rossini und Auber, den „großen
musikalischen Banquiers von Paris", war Berlioz auch in seinen
gesunden Tagen nie gegangen. Wer aber, fügte Heller erklärend
hinzu, nicht in Rossini's Soiréen kam, der war in Paris
„declassé". In seinen letzten Jahren war Berlioz geradezu
„unmöglich" für jede Geselligkeit. Stundenlang saß er schweig-
sam, brütend da, zuletzt auch dann noch stumm, wenn man —
als letzten Belebungsversuch — die Rede auf seine Compositionen brachte. Psychologisch merkwürdig ist die Gewalt,
womit damals eine alte Jugendliebe ihn, den Einundsechzig-
jährigen, wieder erfaßte und zu wahrhaft thörichten Exaltationen
trieb. Als Knabe von zwölf Jahren hatte Berlioz eine heftige
Leidenschaft für ein achtzehnjähriges Mädchen, Estella, gefaßt,
welches ihm natürlich nur mit einem mitleidigen Lächeln antwortete. Etwa fünfzig Jahre lang hatte er nichts von ihr
gehört, war inzwischen zweimal Gatte und Wittwer geworden —
da packt ihn in seiner melancholischen Vereinsamung plötzlich
wieder jene Erinnerung. Nach langen Nachforschungen findet
er seine Estella als Wittwe und Mutter erwachsener Söhne in
Lyon wieder. An diese würdige alte Frau, der er beinahe
fremd ist, schreibt Berlioz Briefe von kindischer rasender Leidenschaftlichkeit. Eines Tages stürzt sich Berlioz, von dieser rasenden Spätliebe bis zur Verzweiflung gefoltert, dem bewährten
Freunde schluchzend an die Brust. Heller verweist ihm mit
mildem Ernst solche Thorheit, die ihn zugleich unglücklich und
lächerlich mache. „Was wollen Sie?" entgegnete Berlioz, „es

ist eine alte Wahrnehmung, daß der im Stiergefecht verwundete Stier sterbend stets zu demselben Thor hinausrennt, durch welches er in die Arena hineingekommen ist."

Merkwürdig war mir auch die Mittheilung Stephen Hellers, daß Berlioz kein musikalisches Gedächtniß besaß und z. B. ein Schumann'sches Trio nach zwei Tagen nicht wiedererkannte. Berlioz brauchte sehr lange, um eine neue Composition zu verstehen, auch componirte er selbst sehr schwer und mühsam.

XIII.

Die französische Regierung und die Musik.

Wenn heute die musikalische Production in Frankreich einen recht trübseligen Eindruck macht, so ist wahrlich der Staat unschuldig daran. Die Regierung vermag keine Talente hervorzurufen, keine Kunstblüthe zu schaffen, das ist eine alte Geschichte. Mehr aber, als man bei uns in Deutschland glaubt, vermag sie beizutragen zur Aufmunterung und Kräftigung der Kunst. Frankreich giebt hierin ein Beispiel; und zwar bleibt die Republik in stetiger Pflege der schönen Künste nicht zurück hinter der Monarchie. In Frankreich gilt dies als eine nationale Ehrensache, und weder die Individualität des Staatsoberhauptes noch die Form der Regierung darf ihr hindernd in den Weg treten. Im Allgemeinen sind moderne Republiken der Kunst nicht günstig; nach dem Nothwendigen sorgen sie vorerst für das Nützliche, und dann noch lange nicht für das Schöne. Wir sehen es am besten an der Schweiz: wie viel thut sie für ihre Schulen, wie wenig für ihre Theater; wie hoch steht ihr Eisenbahnbetrieb, wie tief ihr Concertwesen! Die Republik als solche, die sparsamste, geschäftmäßigste unter den Staatsformen, schwärmt nicht für den

holden Luxus der Künste; in Frankreich bewahrt sie trotzdem
jene ästhetischen Traditionen mit fast demonstrativem Eifer.

Um speziell von der Musik zu sprechen, so hat Louis
Napoleon seine gänzlich unmusikalische Person überall willig
hergeliehen, wo es sich um eine glänzende Ermunterung französischen Musiklebens handelte. Er war im Grunde noch un-
musikalischer als sein großer Oheim.

Von Napoleon I. erfuhr die Musik mitunter einige persönliche Hätschelei, was seine Bewunderer veranlaßte, ihn für
einen großen Musikfreund und Kenner auszugeben. In Wahrheit war es blos der elementarische, sinnliche Reiz des Klanges,
was ihn anzog. Sein besonderes Vergnügen an Trommeln
und Glocken bezeigt dies; nicht viel weniger seine ausschließliche
Vorliebe für weichlich spielende, geistlos melodiöse Musik. Ferdinand Paër, der süßliche italienische Tonsetzer und feine
Höfling, war Napoleon's Lieblings-Componist. Die Musik
that ihm ungefähr den Dienst eines lauen Bades oder
eines weichen Sofas zum Ausruhen nach den Kriegsstrapazen.
Die Würde der Kunst und des Künstlers galt ihm nichts; er
zürnte zeitlebens Cherubini wegen einer bescheiden-freimüthigen
Antwort und bedrohte Zingarelli ob seiner politischen Ueberzeugungstreue. Als General und Consul nahm Bonaparte
nicht den geringsten Antheil an den Hausconcerten seiner Gemahlin Josephine; als Kaiser protegirte er die Musik, weil
(nach den Worten Bourienne's) sein Grundsatz lautete, man
müsse das Volk amüsiren, um es zu beherrschen. Derselbe
Bourienne erzählt in seinen Memoiren: „Bonaparte sang falsch,
und zwar consequent falsch, mochte er aus dem Rathe kommen
oder in seinem Cabinete mit mir allein sein, oder nach seiner
Gewohnheit die Arme seines Lehnstuhles mit dem Messer be-
schnitzeln." Was den Neffen betrifft, so hat Louis Napoleon
allerdings nicht falsch gesungen, weil er überhaupt nie sang;
er protegirte weder einen schlechten Componisten, noch verfolgte

er einen guten, denn für ihn existirte überhaupt keiner. Hof=
concerten wich er nach Möglichkeit aus, und saß er einmal
anstandshalber in seiner Opernloge, so konnte man sicher sein,
daß seine Gedanken weit, weit entfernt schweiften von dem, was
auf der Bühne oder im Orchester vorging. Doch hat er das
Opfer, Musik anzuhören, jedesmal willig gebracht, wenn es für
den Ruhm eines französischen Talents zuträglich schien. Auch
hat die größte individuelle Unempfindlichkeit für Musik ihn nicht
gehindert, manche wohlthätige künstlerische Maßregel in's Leben
zu rufen oder doch zu fördern. Zwei wichtige, eingreifende
Reformen dankt man der Regierung Napoleons III. Die eine
betraf blos Frankreich und bestand in der Aufhebung der
drückenden alten Privilegien bestimmter Theater, also in der
Einführung der „Theaterfreiheit" (1863); die andere, die auf
friedlichem Wege sich bereits die halbe Welt erobert, war die
Einführung einer tieferen, unveränderlichen Orchesterstimmung,
des „diapason normal" (1859). Louis Napoleon erhob ferner
die dritte Opernbühne von Paris, das Théâtre lyrique, dessen
Hauptverdienst in der Einführung classischer deutscher Opern
lag, zum Rang eines kaiserlichen Theaters mit einer jährlichen
Subvention von einmalhunderttausend Francs. Eine andere
reformatorische Maßregel war das Decret vom 4. Mai 1864,
welches die Preisbewerbungen junger Componisten betrifft. Es
bestimmt, daß Letztere die entscheidende Jury von neun Nota-
bilitäten selbst wählen dürfen, und macht es dem Théâtre lyrique zur Pflicht, jedes Jahr einen Concurs zwischen diesen
preisgekrönten Conservatoristen (den sogenannten „grands prix
de Rome") zu veranstalten und den jungen Componisten das
Libretto zu einer dreiactigen Oper zu liefern. Die preisgekrön=
ten jungen Künstler wurden stets vom Kaiser zur Tafel nach
St. Cloud geladen, zur Aufführung ihrer Opern oder Can=
taten fand sich der ganze kaiserliche Hof nebst den Ministern
und General=Intendanten ein. Die letzte zur Aufmunterung

der Componisten erlassene kaiserliche Verordnung datirt vom Jahre 1867 und ist eine Preisausschreibung für drei Opern= werke, welche in den drei subventionirten Theatern — der Großen Oper, der Komischen Oper und dem Théâtre lyrique — zur Aufführung gelangen sollen. Das Libretto selber ist Ge= genstand eines vorhergehenden Concurses, in welchem für die beste Arbeit ein Preis von dreitausend Francs ausgesetzt ist. Es sind dies Regierungsmaßregeln von hoher künstlerischer Libe= ralität. Ueberhaupt erfreuen sich in Frankreich die ausgezeich= netsten Componisten einer völligen Gleichstellung mit den ersten Poeten und Gelehrten. Daß einem berühmten Opern = Com= ponisten lediglich ob dieser Eigenschaft die Würde eines Sena= tors und das Großkreuz der Ehrenlegion zu Theil wird (Auber), also die höchsten im Staate existirenden Auszeichnungen, kommt wol nur in Frankreich vor. Unter Louis Napoleon erhielten vier der schönsten Straßen die Namen Rue Rossini, Meyer= beer, Halévy, Auber, und man hat damit nicht gewartet bis nach dem Tode dieser Männer. Das sind nachahmungs= werthe Vorgänge.

Wie gesagt, die jetzige republicanische Regierung in Frank= reich thut dies Alles auch, und noch mehr. Für das Jahr 1879 bewilligte die Kammer in ihrer Sitzung vom 28. No= vember v. J. die große Summe von 2,028,500 Francs für Theater und Musik. Die Große Oper erhält jährlich 800,000 Francs; die Komische Oper 300,000 Francs; das Théâtre lyrique 200,000 Francs. Das Pariser Conservatorium kostet jährlich 238,200 Francs; die Subvention der größeren Musik= schulen in der Provinz 25,300 Francs.

Gegenwärtig unterhandelt der französische Kunstminister mit der Stadt Paris über die Gründung einer neuen populären Opernbühne (Théâtre lyrique populair), in welcher zu billigen Preisen die besten Opern von den besten Kräften aufgeführt werden sollen.

Die Subventionirung eines oder mehrerer Theater von
Seiten des Staates finden wir, mit Ausnahme von London,
wol in allen namhaften Residenzstädten. Daß aber die Regierung eine Concert-Unternehmung reichlich unterstützt, dürfte
ein Unicum sein. Die französische Regierung hat jetzt eine jährliche Subvention von fünfundzwanzigtausend Francs für die von
Herrn Pasdeloup gegründeten und geleiteten „Concerts po-
pulaires“ bewilligt, weil dieselben einem großen Publicum gute
Orchestermusik zugänglich machen, also die musikalische Bildung
des Volkes befördern. Die Gründung dieser „populären Concerte“ entsprang ohne Frage einem anerkannten Bedürfniß. Die
berühmten Conservatoir-Concerte kommen, wegen der Beschränkt-
heit ihres Locals, nur einem sehr kleinen, bevorzugten Theil des
Pariser Publicums zu Statten; man bewirbt sich oft Jahre
lang um einen Sitz, für den Fall einer Vacanz; und dann erst
vergeblich, da die abonnirten Plätze als ein werthvolles Fami-
lieneigenthum betrachtet und vererbt werden. Pasdeloup, dem
Aussehen nach ein urgermanisch blonder Recke, gründete 1851
seine Concerte, bestritt alle Kosten und theilte den kärglichen
Gewinn unter die ausübenden Orchestermitglieder. Aus ihrem
ersten bescheidenen Local, dem Hertz'schen Saal, übersiedelten
diese Aufführungen zehn Jahre später in den großen (für feinere Musik sogar zu großen) „Circus“. Eine viel stärkere
Orchesterbesetzung wurde nothwendig und machte das Unternehmen kostspieliger. Pasdeloup wies nach, daß ein Concert ihm
4600 Francs koste, und wenn es unter Mitwirkung eines großen Chors stattfindet, sogar 8600 Francs; — die größte Einnahme beträgt aber, bei den niedrig gestellten Eintrittspreisen,
nur 6000 Francs. Ohne Bedenken bewilligte die Kammer
Herrn Pasdeloup die verlangte Subvention von 25,000 Francs,
worüber wir uns schon deshalb freuen dürfen, weil diese Concerte überwiegend deutsche Instrumentalcompositionen, auch
neuesten Datums, zu Gehör bringen. Der gegenwärtige Minister

des Unterrichts und der schönen Künste ging jedoch aus freiem Antrieb noch einen Schritt weiter und verlangte von den Kammern außerdem achtzigtausend Francs für eine neue von ihm geplante Musikunternehmung. Er will regelmäßige, öffentliche Aufführungen von sinfonischen und Chorwerken veranstalten, welche für die Componisten das sein sollten, was der „Salon" (die jährliche Gemäldeausstellung) den Malern ist. Alljährlich wären in sechs großen Concerten alle bemerkenswerthen (remarquables) Tondichtungen aufzuführen, welche im Vorjahre von französischen Componisten geschrieben wurden. Die Budgetcommission erklärte sich „im Princip" mit dem Plane einverstanden, vertagte jedoch die Entscheidung für eine spätere Zeit. Ist aber nicht selbst das „Princip" zu weitgehend? Eingedenk der sehr zweifelhaften Genüsse in den Trocadero-Concerten, welche doch nur „das Beste" der neueren französischen Componisten vorzuführen vermeinten, kann man an diese sechs Concerte, welche uns regelmäßig die ganze Jahresernte der musikalischen jeune France serviren sollen, nicht ohne heimlichen Schauder denken.

Eine besondere Aufmerksamkeit widmet die Regierung dem Musikconservatorium. Durch ein neues Gesetz vom 9. September 1878 ist diese Anstalt auf gleiche Stufe mit der École des beaux arts gestellt, ihre Organisation und die Ernennung ihres Directors nicht mehr wie bisher durch Ministerialdecrete, sondern durch das Staatsoberhaupt selbst verfügt. Daß man dem Director des Conservatoriums, Ambroise Thomas, ein von Mac Mahon unterzeichnetes neues Ernennungsdecret zustellte, ist allerdings eine Formsache, aber diese Form soll die Achtung ausdrücken, welche Frankreich der Musik und den Musikern zollt. Wichtiger sind die praktischen Reformen dieses neuen Statuts: der Unterricht wird durch neue Lehrstühle für Geschichte und Literatur, für Vortrag und dramatische Declamation, endlich für Geschichte der Musik vermehrt.

Statt der bisherigen zwei Klassen „Harmonielehre und Accompagnement" für weibliche Zöglinge gibt es jetzt deren vier. Die Gehalte der Professoren für Composition sind auf dreitausend, die der übrigen Professoren auf fünfzehnhundert bis zweitausend Francs jährlich fixirt. Wie weit entfernt von so sicherer und würdiger Stellung sind die meisten deutschen Conservatorien, welche bestenfalls einen bescheidenen Zuschuß von der Regierung genießen! Dieser inneren Reorganisirung des Pariser Conservatoriums wird demnächst die äußere folgen: Die Vergrößerung des Hauses oder noch wahrscheinlicher ein großer Neubau für das Conservatorium, dem die engen, winkligen Räume in der rue Bergère nicht mehr genügen. Charles Garnier hat die Pläne bereits ausgearbeitet. Die Forderung von sechs bis acht Millionen für den Neubau wird demnächst der Budgetcommission vorgelegt werden. — Bei der alljährlichen Schlußprüfung und Preisvertheilung versäumt es die französische Regierung niemals, ihr Interesse an dem Gedeihen des Conservatoriums demonstrativ kund zu geben. Es hatte für mich etwas Erhebendes, als ich zum erstenmal bei einer dieser feierlichen Prüfungen den greisen Marschall Vaillant (Minister der schönen Künste unter Louis Napoleon) an der Seite Auber's sitzen und die Leistungen der Schüler mit aufmunterndem Beifall verfolgen sah. Manches, womit die französische Regierung ihren Respect vor der Kunst documentirt (— in diesem Ausstellungsjahre war dies allein schon eine furchtbare Arbeit —), besteht allerdings in schönen Reden und kommt mehr der persönlichen oder nationalen Eitelkeit, als dem praktischen Bedürfniß zu statten — möge man es darum nicht geringschätzen, sondern bedenken, daß unter Jenen, welche „nicht vom Brot allein leben", die Künstler obenan stehen. Das gute Beispiel der Regierung wirkt auch auf das Publicum, aus dessen Mitte immer einige Kunstfreunde mit materiellen Unterstützungen nachrücken. So werden alljährlich bei der Schluß-

prüfung des Conservatoriums an die besten Schüler Unterstützungen vertheilt, die aus Privatstiftungen herrühren. In
diesem Jahre wurden z. B. folgende Preise den besten Eleven
zugesprochen: 1) Prix Guérineau 300 Francs. 2) Prix
Nicolai 500 Francs. 3) Prix Georg Hainl 1000 Francs.
4) Prix Erard: zwei Concertflügel. 5) Prix A. Wolf:
vier Concertflügel. 6) Prix Gand: zwei Violinen und
ein Cello.

Natürlich will auch die Gemeindevertretung nicht ganz zu-
rückbleiben hinter der liberalen Fürsorge der Staatsregierung.
Die Stadt Paris bestimmte früher eine jährliche Ausgabe
von 250,000 Francs zur Förderung der „schönen Künste",
worunter jedoch ausdrücklich nur Malerei, Sculptur und Kupfer-
stecherkunst verstanden waren. Die Musik erfreute sich nur einer
Subvention für die sogenannten Orphéons, die Liedertafeln und
Gesangvereine, die von Oben in jeder Weise begünstigt, sich zu
Lieblingen des französischen Volkes aufgeschwungen haben. Im
September 1875 stellte der Municipalrath Hérold (Sohn des
berühmten Opern-Componisten) den Antrag, es sei in das
Budget der Stadt Paris auch für musikalische Zwecke ein Posten,
und zwar von jährlich 10,000 Francs einzustellen. Die Summe
wurde sofort mit Einhelligkeit bewilligt, ihre Widmung soll „einen
allgemeinen Charakter tragen und keine Gattung der Musik aus-
schließen". Sie wird seither alljährlich zur Förderung volks-
thümlicher Musikbildung in Paris verwendet*).

---

*) Die erste Verwendung dieser 10,000 Francs wurde folgender-
maßen beschlossen: 1. Ein Preis von 300 Francs und einer von
200 Francs für jene zwei Volksschullehrer, welche die besten Musikzög-
linge in ihrer Schule aufweisen = 500 Francs. 2. Drei Medaillen zu
500 Francs für die drei vorzüglichsten Privat-Musik-Institute = 1500
Francs. 3. Ein jährlicher Preis von 3000 Francs für das bedeutendste
nichttheatralische Tonwerk (Sinfonie, Cantate x.) = 3000 Francs.

Ich hatte Gelegenheit, einem liebenswürdigen jungen Componisten zum Kreuz der Ehrenlegion zu gratuliren. Er strahlte vor Glück und seine ihn umringenden Freunde und Verwandten strahlten desgleichen, sodaß mir angenehm warm wurde in diesem Strahlenglanz von aufrichtiger Wonne. Man belächelt gern das leidenschaftliche Streben nach der „Ehren= legion" und mag ja damit ganz recht haben; aber wer Land und Leute etwas genauer kennt, der wird das Verlangen der Franzosen gerade nach diesem ihrem heimischen Orden milder beurtheilen. Ob und wann ein Künstler in Deutschland deco= rirt werde, bestimmt meistens der Zufall und die Protection; jedenfalls wird diese Auszeichnung als ein Ausfluß persönlicher Gnade seines Souveräns angesehen. In Frankreich ist die Ordensverleihung vielmehr Sache der öffentlichen Meinung, re= präsentirt viel mehr, als irgendwo sonst, die Achtung der Nation. Wenn ein reichlicher Ordensregen sich über Frankreich ergossen hat, ohne daß dieser oder jener geachtete Künstler davon benetzt wurde, so verlangen seine Collegen für ihn den Orden, und die Journale äußern ganz ungenirt ihr „Erstaunen" oder ihr „lebhaftes Bedauern", daß der Kapellmeister A. oder der Ge= sangsprofessor B. übergangen worden sei. Ich selbst habe als

----

4. Zwei Preise zu 500 Francs für jene Privat=Gesangvereine, welche den besten Frauenchor ausbilden. „Denn wir brauchen in Frankreich," heißt es in der Motivirung, „solche Chöre von Dilettantinnen, um die großen Werke von Bach und Händel regelmäßig aufführen zu können." = 1000 Francs. 5. Zwei Preise zu 1000 Francs für einen einstimmigen, von dem Volke unisono vorzutragenden Gesang patriotischen Inhalts und einen solchen vierstimmigen für die Pariser Orphéons. Die Poeten erhalten für den Text je 500 Francs. „Es sollen keine kriegerischen Lieder sein, sondern vaterländische Gesänge ohne Bezug auf Krieg und Politik" = 3000 Francs. 6. Ein jährlicher Betrag von 1000 Francs soll die Kosten der vorgeschriebenen Musikprüfung für Mädchen bestreiten, welche sich dem Lehramt widmen.

Jurymitglied im Jahre 1867 eine solche Petition für einen
Professor des Pariser Conservatoriums mit unterfertigt, welche
raschen Erfolg hatte. „Ist es denn wirklich ein so großes
Glück," frug ich leise meinen Nachbar in der Sitzung, „das
rothe Bändchen zu bekommen?" „Das eben nicht," antwortete
der Franzose, „aber es ist ein Unglück, es nach mehrjähriger
tüchtiger Wirksamkeit nicht zu bekommen." In jenem Fall
hing sogar die Einwilligung eines widerspenstigen Schwieger-
papas zur Heirat des liebenden Paares an jenem Bändchen.
Wachsen die decorirten Componisten an Jahren und Berühmtheit, so steigen sie auch arf in den Graden der Ehrenlegion.
Auber und Rossini haben sich bis zum Großkreuz, Gounod und A. Thomas derzeit bis zum Commandeurkreuz hin-
aufcomponirt. Für die Franzosen ist das keine Kleinigkeit, vielmehr ein magischer Sporn. Aeußere Anerkennung bleibt dem
französischen Künstler zeitlebens ein Bedürfniß. Er ist eitel,
bei aller Idealität, was übrigens auch bei deutschen Künstlern
vorkommen soll. Den Hauptunterschied zwischen beiden fand ich
darin, daß der Deutsche von einem Orden, den er sich
wünscht, oder den er mit Freuden eingeheimst hat, meist mit
erheuchelter Gleichgiltigkeit und Geringschätzung spricht, während
der Franzose diesfalls seine Sehnsucht wie seine Befriedigung
wenigstens aufrichtig gesteht.

Noch viel lebhafter als das Verlangen nach der Ehrenlegion, ist das Streben des französischen Künstlers nach der Aufnahme in die Akademie der Wissenschaften. Sich „membre de
l'Institut" schreiben zu dürfen, gilt jedem französischen Gelehrten und Künstler als höchstes Ziel des Ehrgeizes. Daß dieses
Ziel auch dem Musiker erreichbar ist, dürfte in wenigen
Staaten außer Frankreich vorkommen. Wie in dem Anspruch
auf die Ehrenlegion, so setzt die französische Regierung auch in
jenem auf die akademische Uniform den Tonkünstler auf gleiche
Stufe mit dem Dichter, Maler, Architekten. In die kaiserliche

Akademie in Wien darf kein Künstler eintreten; selbst die beiden
größten österreichischen Dichter jener Periode, Grillparzer
und Friedrich Halm, fanden nur unter dem Scheintitel von
„Historikern und Philologen" Aufnahme in die Akademie. In
Frankreich sind sechs Fauteuils des „Instituts" für Musiker bestimmt. Unter diesen Glücklichen befinden sich stets Einige,
deren Namen und Leistungen außerhalb Frankreichs kein Mensch
kennt. Nach deutschem Maßstabe sind freilich solche „Akademiker", wie Herr Ernest Reyer, deren ganzer Ruhm in
einer schlechten Oper besteht, schwer begreiflich. Es ist eben
nicht zu vermeiden, daß Cameraderie und Protection auch hier
manchmal ihr böses Spiel treibt und einen ganz mittelmäßigen Componisten unter die „Unsterblichen" erhebt. Allein
es sind doch grundsätzlich jederzeit die sechs vermeintlich oder
angeblich „Besten", · die Frankreich eben zur Verfügung hat;
in ihnen soll das Princip einer Gleichstellung der Künste gewahrt und die Tonkunst als solche geehrt werden. —

	Eine besondere Pflege und Sorgfalt widmet die französische
Regierung gegenwärtig der Bibliothek und dem Archiv
der Großen Oper. Wenn eine solche Sammlung gut geordnet und verwaltet ist (also nicht wie in den meisten deutschen
Hoftheatern), gehört sie zu den wichtigsten Quellen der Musik-
und Theatergeschichte, also zu den wissenschaftlichen Schätzen des
Landes. Wiederholt habe ich mit wahrer Wollust diese Reich-
thümer an Büchern, Partituren, Autographen, alten Theater-
zetteln, Decorations- und Architektur-Modellen betrachtet, welche
hier in lichten, weiten Räumen, in schönster Ordnung aufgestellt
sind. Dem Bibliothekar Herrn Charles Nuitter steht in der
Person des Musikschriftstellers Theodor de Lajarte ein unvergleichlicher Amanuensis zur Seite, einer jener gelehrten, passio-
nirten Bibliophilen und musikalischen Archeologen, welche in der
Anordnung und Katalogisirung einer Bibliothek ihre Lebens-
freude finden. Die Bibliothek der Großen Oper umfaßt über

viertausend Bände und etwa fünfzigtausend Notenhefte. Alle
werthvollen Unica, wie alte Theaterzettel, Autographen u. dgl.
befinden sich unter Glas und Rahmen. In einem sehr großen,
lichten Hemicycle sind die Partituren aufgestellt, von den ersten
Anfängen der französischen Oper bis auf die neueste Zeit. Sie
sind alphabetisch nach dem Titel der O p e r n gereiht (Armide,
l'Africaine, l'âme en peine etc.), eine für praktische Zwecke
sehr vortheilhafte Methode. Im Katalog hat jeder Buchstabe
ein eigenes Heft, jede Oper ihr eigenes Blatt, welches alles
darauf Bezügliche, die Besetzungen, die Anzahl der Orchester-
und Chorstimmen 2c. ausweist. Unter den Partituren befinden
sich auf einer geräumigen Gallerie, zu der mehrere bequeme
Treppen führen, die Bücher; geordnet nach den Hauptkategorien:
Musik, Poesie, Architektur, Geschichte, Tanzkunst, Decorations-
wesen 2c. Darunter finden sich große werthvolle Bilderwerke,
wie T e x i e r ' s „Architecture Byzantine", die „Encyclopédie
des beaux arts", A f f e l i n e a u ' s „Meubles religieux et ci-
vils", L a n g l è ' s „Monuments de l'Hindoustan" und sonst
zahllose ergiebige Quellen für den Decorationsmaler und Co-
stümzeichner. Auch deutsche Werke fand ich darunter, wie
K r e t f c h m e r ' s „Deutsche Volkstrachten" 2c. In schönster
Vollständigkeit paradirt die lange Reihe von Lederbänden des
„Répertoire de l'Opera" sammt allen Textbüchern. In einem
großen langen Saale sind die Chor- und Orchesterstimmen aufbewahrt, in Riemen zusammengeschnürte Fascikel mit großen
Aufschriften; Alles augenblicklich zu finden und herabzunehmen.
Mit besonders pietätvoller Neugierde betrachten wir die zahlreichen Autographen der berühmtesten Opern von Gluck, Cherubini, Spontini, Skizzen von Rossini, Meyerbeer 2c. In der
handschriftlichen Originalpartitur von Rossini's „Tell" sah ich
mit großem Interesse die ursprüngliche, von Rossini später ge-
änderte Form des ersten Finales: die in der Ouvertüre vorkommenden Themen des Sturm's und der Stretta sollten in

diesem Finale vom Chor gesungen werden. Die Skizzen Meyerbeer's zur „Afrikanerin" lassen lehrreiche Blicke in die Werk-
statt dieses Componisten thun; einmal notirt er sich ein besonders interessantes Thema für Ines („J'avais appris, qu'on
t'enfermait"), das aber trotzdem in der Oper nicht vorkommt.
Der von Lajarte verfaßte vollständige Katalog der Opernbibliothek (der Musikalien nämlich, nicht auch der Bücher) macht
diese Sammlung doppelt werthvoll und nutzbringend. Der Katalog reicht von Cambert's „Pomone" (1672) bis zu Délibes Ballet „Sylvia" (1876), — eine vollständige Geschichte
der französischen Großen Oper. Als ich mich anschickte, vom
fünften Stockwerk des Opernhauses, wo die Bibliothek sich
befindet, wieder zur Erde herabzusteigen, neckte ich Herrn de
Lajarte zum Abschied mit der Bemerkung: „Es fehlt Ihnen
nur Eines hier und etwas Wichtiges: ein Ascenseur!" „Der
würde in Kurzem überflüssig sein," lautete die vergnügte Antwort. Die Opernbibliothek wird demnächst aus dem fünften
in das erste Stockwerk übertragen und zwar in den Pavillon,
der ursprünglich für Napoleon III. und seinen Hofstaat bestimmt
war. Das Ministerium hat zur Installation dieser Bibliothek —
ein Kaiser mußte ihr Platz machen — die Summe von hun-
derttausend Francs für das Jahr 1879 festgesetzt. —

III.

Deutſchland.

14*

I.
Richard Wagner's Bühnenfestspiel
in Bayreuth.

1.
Die Dichtung.

Bayreuth, 12. August 1876.

„Wenn das Bayreuther Theater auf Commando Wagner's, lediglich für seine Werke, durch Privatsammlungen bestritten, wirklich zustande kommt, wie es allen Anschein hat, so bildet diese Thatsache allein eines der merkwürdigsten Ereignisse in der gesammten Kunstgeschichte und nebenbei den größten Erfolg, den ein Componist jemals träumen konnte."

An diese Worte, mit denen ich vor mehreren Jahren einen Aufsatz über „Rheingold" schloß („die moderne Oper" Seite 324), mußte ich mich wol erinnern, als ich das fertige Theater Wagner's in Bayreuth erblickte, am Vorabend der ersten Festspiel=Aufführung des „Nibelungenrings". Ein ganz ungewöhnliches theatralisches Erlebniß, ja noch mehr: ein culturgeschichtlich merkwürdiges Ereigniß ist dieses durch vier Abende spielende Musikdrama, die Erbauung eines eigenen Theaters dafür und der tausendköpfige Wanderzug aus halb Europa nach einem abgelegenen, halbverschollenen Städtchen, dessen Namen nunmehr unvertilgbar in der Kunstgeschichte fest-

sitzt. Mag das Werk selbst die Erwartungen der Bayreuth=
Pilger erfüllen oder nicht; in Einem werden sie Alle zu=
sammentreffen, in der Bewunderung der außerordentlichen
Begabung, Energie, Arbeits= und Agitationskraft des Mannes,
welcher jenes Ereigniß selbstständig in's Leben gerufen und
durchgeführt hat.

„Der Ring des Nibelungen" ist die Arbeit von fast
fünfundzwanzig Jahren, eine Arbeit, zu welcher Wagner nach jeder
Unterbrechung („Tristan", „Meistersinger") mit verdoppelter Liebe
wieder zurückkehrte. Schon im Jahre 1848 skizzirte Wagner den
Entwurf eines Nibelungen=Dramas, und bald darauf ging
er an die Ausarbeitung von „Siegfried's=Tod". Im Jahre
1853 vollendet er die aus vier selbstständigen Dramen be=
stehende Dichtung: „Der Ring des Nibelungen" und beginnt
noch im selben Jahre die musikalische Composition derselben.
Zweiundzwanzig Jahre später, im Sommer 1875, leitet er die
ersten Proben in Bayreuth. Und jetzt, wieder ein Jahr später
(1876), erleben wir die vollständige Aufführung.

Unser Bericht muß einige orientirende Bemerkungen über
die Dichtung vorausschicken. Also der poetische Stoff Richard
Wagner's ist die Nibelungen=Sage. Das ist schneller
gesagt, als verstanden, denn dieser Sagenkreis hat in ver=
schiedenen, weit auseinanderliegenden Zeiten und Ländern ver=
schiedene Gestalt angenommen und liegt in sehr abweichenden
Fassungen vor. Es ist genugsam beklagt und bis zur Unge=
rechtigkeit gerügt worden, daß den Deutschen die römische und
griechische Mythologie geläufiger ist, als die altgermanische.
Die rühmlichen Anstrengungen von Sprachgelehrten, Historikern
und Dichtern in den letzten Decennien konnten dem nur allmälig
und theilweise abhelfen. Das größere Publicum ist indessen
mit der Nibelungen=Sage durch drei Schauspiele vertrauter ge=
worden: durch Raupach's „Nibelungenhort", Geibel's „Brun=
hilde" und Hebbel's „Nibelungen". Wer in Wagner's

„Bühnenfeſtſpiel" dieſelbe Handlung vorausſetzt, verfällt bereits in den erſten Irrthum. Schon die Bezeichnung „Nibelungen" bedeutet bei ihm etwas Anderes. In dem deutſchen Helden- gedicht heißen „Nibelungen" ſowol die Zwerge (Niflungen) als auch die Burgunden, und nur Letztere ſind gemeint, wenn von „Nibelungenlied", von „Nibelungennoth", „der Nibelungen Rache" geſprochen wird. In dieſem Sinne brauchen unſere modernen Dich- ter das Wort. Wagner hingegen beſchränkt es auf das Geſchlecht der Zwerge, das in Nibelheim in den Klüften der Erde wohnt. Seine Dichtung kennt keine „Burgunden", ſie hat überhaupt alles Hiſtoriſche getilgt und behandelt alle Vorgänge als ſagenhaft, märchenhaft, zeitlos. Nichts läßt bei Wagner auf das Eindringen des Chriſtenthums ſchließen, welches unſer mittelalterliches Epos wie eine neue Erdſchicht durchdringt und in Hebbel's Tragödie ſo genial benützt iſt. Faſt ſind es nur einige Namen, die wir bei Wagner wiederfinden, und ſelbſt dieſe nicht gleichmäßig; Chriemhild zum Beiſpiel heißt bei ihm, nach der nordiſchen Ueberlieferung, Gutrune. Sie, Gunther und Hagen treten erſt im vierten Drama auf, faſt alle Nebenperſonen. Während unſere modernen Dramatiker aus dem deutſchen Epos das Reinmenſchliche, für alle Zeiten Giltige und Ergreifende herausgearbeitet haben, die treue Liebe Sieg- fried's zu ſeiner Gattin Chriemhild, die ſtarre Vaſallentreue Hagen's, ſchließlich die Rache Chriemhild's, ſehen wir bei Wagner die Menſchen und alles Menſchliche abſichtlich zurück- gedrängt und Götter, Rieſen, Zwerge als handelnde Perſonen in den Vordergrund geſtellt. Brunhilde erſcheint nicht als vielumworbene Königin von Iſenland, ſondern als übermenſch- liche Walküre, als Lieblingstochter des Gottes Wotan; Chriem- hild (Gutrune) tritt nicht als Rächerin auf, Hagen nicht als uneigennützig treuer Lehensmann. Ueberall hält ſich Wagner an die ältere, härtere, uns fernſtehende und befremdende Er- zählung der „Edda"; in den drei erſten Dramen („Rheingold",

„Walküre", „Siegfried") fällt die volle Beleuchtung auf die
über= und unterweltlichen Wesen, die personificirten Naturmächte.
Wir werden sehen, daß diese Auffassung der glänzendsten musi=
kalischen Specialität Wagner's, der Schilderung des Wunder=
baren durch die sublimirteste Tonmalerei, zu statten kommt —
allerdings zum Schaden des Dramas, in welchem wir Men=
schen in menschlichen Verhältnissen finden wollen, Freud und
Leid mit ihnen theilend. Erst am vierten Abend begegnen wir
den uns vertrauten menschlichen Gestalten aus dem deutschen
Nibelungenlied, aber es ist höchst bezeichnend, daß Wagner
dieses von ihm ursprünglich „Siegfried's Tod" betitelte Drama
jetzt „Götterdämmerung" nennt, also auch hier von vornherein
das volle Gewicht nicht auf das Schicksal der handelnden
Menschen, sondern auf jenes der Götter legt.

Sehen wir, alles Nebensächliche vorerst bei Seite lassend,
wie die zusammenhängende Handlung in den vier Dramen sich
uns darstellt. Das erste Drama oder Vorspiel: „Rheingold",
enthält die Vorgeschichte. Die erste Scene geht in der Tiefe
des Rheins vor sich. Die Rheintöchter umkreisen den von
ihnen bewachten Schatz, das „Rheingold"; der häßliche Zwerg
Alberich, der ihnen in lüsterner Verliebtheit nachstellt, er=
blickt das Rheingold, reißt es gewaltsam aus dem Riff und
verschwindet damit. Die Rheintöchter haben dem Gott Loge
(dem diplomatischen Mephisto des nordischen Götterhofstaates)
ihre Noth geklagt und um Wotan's Schutz gebeten. Wotan,
der Allvater, beschließt, Alberich das Gold abzunehmen —
um es für sich selbst zu behalten. Er läßt sich mit Loge in
die Höhle Alberich's hinab, bindet diesen und bemächtigt sich
des kostbaren Geschmeides. Aber die beiden Riesen Fafner
und Fasolt verlangen drohend das Gold, als Lösegeld für die
von ihnen geraubte Göttin Freia. Sie erhalten es schließlich,
gerathen aber wegen des Ringes, welcher „zur höchsten Macht
verhilft", in Streit mit einander; Fafner erschlägt den Fasolt

und zieht mit dem Ring davon. Die Götter schreiten über einen Regenbogen in ihre glänzende Burg.

Wagner bezeichnet das „Rheingold" als Vorspiel, das eigentliche Drama beginnt somit erst am zweiten Abend mit der „Walküre". Siegfried, der Held des Ganzen, erscheint hier noch nicht; das Drama „Walküre" entwickelt erst die Geschichte des Wälsungengeschlechts vor Siegfried's Geburt. Wälse, der Stammvater dieses Geschlechts, ist nach Wagner's Darstellung Niemand anders als Gott Wotan selbst; das Geschwisterpaar Siegmund und Sieglinde sind die „Wälsungen", die gleich zu Anfang dieses Dramas, einander nicht kennend, auftreten. Siegmund, auf der Flucht, geräth in die Wohnung Hunding's, dessen junge, schöne Gattin Sieglinde den Fremdling labt. Die Beiden erglühen in Liebe für einander und thun dieser Gluth keineswegs Einhalt, nachdem sie sich als Bruder und Schwester erkannt haben. Sieglinde betäubt ihren Gatten mit einem Schlaftrunk und verbringt die Nacht mit Siegmund in ungestörter Wonne. Am nächsten Morgen kämpfen Hunding und Siegmund; Beide fallen. Hier tritt Brunhilde in die Handlung, eine der neun Walküren, welche auf das Schlachtfeld reiten und die getödteten Helden nach Walhalla bringen. Brunhilde (nach Wagner die leibliche Tochter Wotan's) hat gegen dessen ausdrückliches Verbot den Siegmund im Kampfe beschützt und wird zur Strafe von Wotan in Schlaf versenkt und mit einem Flammenkreis (der „wabernden Lohe") umgeben. Nur ein Mann, „der das Fürchten nicht kennt", soll sie daraus erlösen und sein Eigen nennen. Mit diesem „Feuerzauber" schließt das Stück.

Das dritte Drama: „Siegfried", dessen Handlung wir uns etwa zwanzig Jahre später als die „Walküre" denken müssen, bringt einen neuen Helden auf die Bühne, den jungen Siegfried, den Sohn jenes Geschwisterpaares Siegmund und Sieglinde. Er wird uns als ein Ideal strotzender Kraft und

Lebensluft vorgeführt, wie er das Schwert „Nothung" schmie=
det, einen Bären hetzt, den als Lindwurm erscheinenden Riesen
Fafner tödtet und seinen Pflegevater Mime erschlägt. Durch
Verkosten des Drachenblutes lernt er die Sprache der Vögel
verstehen, die ihm von der flammenumloderten Brunhilde er=
zählen. Er hat von Fafner den Ring des Nibelungen und
die unsichtbarmachende Tarnkappe erbeutet und bringt durch das
Feuer zu der schlafenden Brunhilde, die er mit einem Kuß er=
weckt. Mit der langen Liebesscene zwischen den Beiden („O,
hehrster Thaten thöriger Hort! Leuchtende Liebe, lachender Tod!")
schließt das Stück.

Es folgt nun das vierte und letzte Drama: „Götter=
dämmerung". Wir sehen Siegfried zu neuen Thaten aus=
ziehen, nachdem er von Brunhilden zärtlichen Abschied genom=
men und ihr den Nibelungenring als Zeichen der Treue an
den Finger gesteckt. Er reitet an den Rhein, wo das stolze
Geschlecht der Giebichungen herrscht. König Gunther's holde
Schwester Gutrune (die Chriemhild des Nibelungenliedes) er=
glüht sofort in leidenschaftlicher Liebe zu Siegfried und reicht
diesem, auf Hagen's Rath, einen Zaubertrank, welcher ihn Brun=
hilden's vollständig vergessen macht. Siegfried begehrt und er=
hält Gutrune zum Weibe, wogegen er verspricht, die nur durch
ihn zu bewältigende Brunhilde für Gunther zu gewinnen. Durch
den Tarnhelm in Gunther's Gestalt verwandelt, zwingt er
Brunhilden in's Brautgemach und entreißt ihr, zum Zeichen
der Vermählung, den Ring. Hagen (bei Richard Wagner ein
Sohn des Zwerges Alberich) will den Ring für sich gewinnen,
und deshalb beschließt er Siegfried's Verderben. Brunhilde er=
kennt ihren Ring an Siegfried's Finger und damit die Treu=
losigkeit des Heißgeliebten. Sie fordert seinen Tod, und Hagen
ersticht ihn meuchlings auf der Jagd. Unmittelbar vor Sieg=
fried's Ende gibt ihm jedoch Hagen abermals einen Zaubersaft
zu trinken, welcher die Wirkungen des Vergessenheitstrankes wie=

der aufhebt. Siegfried erinnert sich plötzlich Brunhilden's und stirbt, einen Gruß an sie auf den Lippen. Gutrune räumt den Platz an Siegfried's Leiche ohneweiteres Brunhilden, die ihr ihn streitig macht und sich hierauf in den für Siegfried's Leiche angezündeten Scheiterhaufen stürzt. Die Rheintöchter ziehen Hagen, der sich des Ringes bemächtigen will, zu sich herab. Gleichzeitig erscheint am Himmel eine rothe Gluth, der Wieder= schein des Brandes, welcher die Götterburg mit all ihrer Pracht verzehrt.

Betrachtet man das Gedicht im Großen und Ganzen, ohne sich bei zahlreichen, theils ermüdenden, theils abstoßenden Einzelheiten aufzuhalten, so muß man den sehr geschickten Auf= bau der Handlung rühmen. Ein Zug von Größe und Strenge, ein starker Hauch entfesselter Naturgewalt zieht durch das Ganze; die Höhenpunkte der dramatischen Wirkung sind mit sicherer, er= fahrener Hand vorbereitet und in die glühendste Beleuchtung gestellt. Als selbstständiges Drama betrachtet, das angeblich der Musik gar nicht bedürfe, um als dramatisches Werk oder Mei= sterwerk dazustehen, wird „Der Ring des Nibelungen" nur von den Unzurechnungsfähigsten unter den Wagner=Enthusiasten an= gesehen werden können. Ohne Musik, nicht gesungen, sondern gesprochen, würden diese stammelnden und stotternden Stabreime überall eine mit Aergerniß gemischte Heiterkeit erregen. Allein, so hat es Wagner auch nicht gemeint, wenngleich er den Text lange vor der Partitur selbstständig veröffentlichte und gelegentlich ver= sichert, seinen Nibelungenring „als durchaus dialogisirte Hand= lung demselben Urtheil unterwerfen zu können, dem wir ein für das recitirte Schauspiel geschriebenes Stück vor= zulegen gewohnt sind." Hätte Wagner dies ernstlich geglaubt, so würde er nicht Musik dazu geschrieben haben. Wir halten uns lieber an die andere Versicherung des Autors, daß „dieses dramatische Gedicht ganz der Möglichkeit einer vollständigen musikalischen Ausführung seine Entstehung verdankt." (Ge=

sammelte Schriften, IX, p. 366.) Vom musikalischen Gesichtspunkte muß man zwar das Störende vieler ungebührlich langer,
mitunter recht prosaischer Dialoge beklagen, andererseits aber dem
Textbuch eine große Zahl imposanter, mit genialem Theaterblick
angeschauter Situationen nachrühmen, welche die höchsten Anstrengungen der Musik herausfordern.

Bezüglich der Grundanschauung und des substanziellen Ge-
haltes des „Nibelungenrings" haben wir unser Hauptbedenken
bereits oben ausgesprochen: es trifft das Zurückdrängen des
Reinmenschlichen zu Gunsten der Götter, Riesen, Zwerge und
ihrer verschiedenen Zauberkünste. Diese Tendenz herrscht am
störendsten, weil ausschließlich, im „Rheingold", wirkt noch vorwiegend in „Siegfried" und „Walküre", läßt aber glücklicherweise bedeutend nach in der „Götterdämmerung", dem poetisch
weitaus gelungensten von den vier Stücken. Die von Wagner's
Interpreten gerühmte „sittliche Hoheit" und „reinigende ethische
Wirkung" dieser Dichtung vermögen wir schwer aufzufinden.
Die treibenden Motive im „Rheingold" sind durchwegs Betrug,
Lüge, Gewalt und thierische Sinnlichkeit; sogar bei den Göttern:
Habsucht, List und Vertragsbruch. Nicht ein Strahl eines
edleren sittlichen Gefühles bricht durch diesen athemversetzenden
Nebel. „Die Walküre" glänzt unter allen vier Stücken zumeist
durch große dramatische und musikalische Schönheiten; das sittlich
Widerwärtige der mit so viel Gluth ausgemalten Blutschande
werden wir aber niemals überwinden. Man kennt die Vorliebe
Wagner's für dergleichen Scenen und Probleme. Hier ist der
Gräuel um so tadelnswerther, als er vollständig unnöthig ist.
Wo liegt die geringste Nöthigung vor, Sieglinde und Siegmund
zu Geschwistern zu machen? Daß es so in den alten Edda-
Gesängen steht? Das verpflichtet nicht im mindesten den Dramatiker, der für seine dichterischen Zwecke frei schalten darf und
soll. Es ist nicht Alles im Drama erlaubt, was im Epos vorkommen darf, und unsere sittlichen Anschauungen sind andere,

als es die des elften Jahrhunderts waren. Den schwächsten
dramatischen Fortgang finden wir in dem dritten Stück „Siegfried“. Die beiden Hauptpersonen, der Zwerg Mime und Siegfried selbst, streifen hier an die Caricatur, der Kampf mit dem
singenden Lindwurm an's Komische. Erst der dritte Act, die
Erlösung Brunhilden's durch Siegfried, hebt sich dramatisch zu
bedeutenderer Höhe. Die „Götterdämmerung“ übertrifft
schon aus dem Grunde die drei vorhergehenden Dramen, weil
sie lauter echt musikalische Situationen enthält. Ueberdies eine
gewaltige Exposition und spannende Steigerung bis zum Ende!
Das Menschliche tritt uns hier näher, die Gespenster der „Edda“
weichen zurück vor den Helden des Nibelungenliedes. Freilich,
wie weit hat Wagner auch in dieser Annäherung an das deutsche Heldengedicht sich wieder davon entfernt und die Charaktere
herabgezogen!

Welch ein widerwärtiges, von Wagner eingeführtes Motiv,
daß Siegfried nicht ein ihm gleichgiltiges Wesen, sondern seine
eigene Geliebte und Gattin für einen Andern bezwingt
und sie, also gezähmt, ihm ausliefert! Mit diesem Moment
schwindet in unserer Brust jede Sympathie für Siegfried, dem
wir sein gewaltsames Ende nicht ungern gönnen. Das Aus-
hilfsmittel mit dem Vergessenheitstrank, den Siegfried einnimmt,
macht den Vorgang nicht weniger häßlich und abgeschmackt.
Wer die Empfindungen in seinem Helden auf physikalischem
Wege, durch Mixturen, hervorbringt, der ist vielleicht ein guter
Apotheker, aber gewiß ein schlechter Poet. Schon in Wagner's
„Tristan und Isolde“ wirkt es abstoßend, daß die Liebe dieser
Beiden lediglich Wirkung eines Zaubertrankes, eines mechanischen Zufalls, ist. Wenigstens läßt Wagner dieses Patienten-
paar bei der Einen Medicin. Dem treulosen Siegfried aber
wird in seiner letzten Stunde wieder ein Erinnerungstrank
als Gegenmittel gegen den Vergessenheitstrank eingegossen,
damit er hübsch sentimental à la Werther mit einer zärtlichen

Rede an die Geliebte verhauche! Das ist kein „Helde", sondern eine Puppe. Ein Entzauberungstrank, durch welchen irgend
ein Schwachkopf sich plötzlich all der Dummheiten bewußt wird,
die in der Verzauberung (oder im Rausche) begangen, ist eigentlich ein Lustspielmotiv. In der Tragödie, wo ein sittlicher
Wille herrschen muß, wird er zum Unding. Ob diese Zauber-
tränke der ältesten Sage angehören, kümmert uns wenig. Wir
lesen ja auf dem Theaterzettel: „Dichtung von Richard Wagner". Wer zwang den modernen Dramatiker, Widriges und
Unmögliches in sein Drama aufzunehmen? Hebbel und Em.
Geibel haben den Mythus ebenso genau gekannt, wie Richard
Wagner, aber wie ganz anders verfahren Beide in ihrer Siegfried-Tragödie! Sie scheiden dasjenige als unnöthig und verwerf-
lich aus, was gerade Wagner's Vorliebe für moralisch Empö-
rendes zur Hauptsache macht. Wenn wir an Hebbel's
Tragödie denken, insbesondere an die rührende Klage der
Chriemhild bei Siegfried's Leiche, der nur sie geliebt, wie
tief sinkt Wagner's Auffassung herab! Die holde, reine
Gestalt Chriemhild's (Gutrune) hat Wagner durch seine Gift-
mischerei um ihre ganze Schönheit gebracht. Hagen, das
Urbild einer rauhen, selbstlosen Vasallentreue, wird unter Wagner's Händen ein goldgieriger, gemeiner Schuft. So bleibt
denn die einzige Brunhild übrig, die unsere Sympathie gewinnt.

Die eigentliche Handlung wird bei Wagner durchflochten
oder durchbrochen von Scenen, welche in die Göttergeschichten
der drei früheren Stücke zurückgreifen und den Zusammenhang
damit herstellen sollen. Dieses Zurückschlingen in die mythologische Vorgeschichte ist ein wahres Unglück für die Tragödie,
weil es gewaltsam, unmotivirt geschieht und dem Zuschauer unverständlich bleibt. Die Verwandlung des ursprünglichen Titels
„Siegfried's Tod" in den gegenwärtigen, „Götterdämmerung",
sagt Alles. Sie zeigt deutlich, wie Wagner die einfachen klaren
Verhältnisse der Siegfried-Tragödie nachträglich verschoben und

verwirrt hat. Im zweiten Bande seiner „Gesammelten Schriften" theilt uns Wagner die ursprüngliche Fassung seiner Tragödie „Siegfried's Tod" mit; darin ist von einer Götterdämmerung nicht die Rede. In der That hat Siegfried's Tod mit dem Ende der Götter, das als geheimnißvolle
Weissagung die deutsche Mythologie durchklingt, gar nichts zu
schaffen. Die Willkür und der Eigensinn, womit Wagner den
Ring als das angeblich einheitliche und treibende Motiv aller
vier Dramen festhält, rächt sich an dem Eindrucke des Ganzen.
Die übernatürlichen Voraussetzungen schaffen hier unnatürliche
und unverständliche Consequenzen. Der Dichter selbst scheint
mitunter einen Vergessenheitstrank geschlürft zu haben. Von
der gepriesenen Macht des Ringes, der die Weltherrschaft verleiht, haben wir bei seinen verschiedenen Besitzern, von Wotan
und Fafner bis auf Brunhild herab, nichts wahrgenommen.
Und Siegfried, den der Zaubertrank jede Erinnerung an Brunhild rauben soll, findet doch sofort den Weg zu ihr zurück und
ruft die ihm Nahende wohlbekannt als „Brunhild!" an. Nicht
im dramatischen Interesse, sondern jener „tiefsinnigen" Urwelts-
mystik zuliebe schuf Wagner die Expositionsscene der „Götterdämmerung": die drei Nornen (Töchter der Erda) werfen einander das Seil zu, in dem sich das Geflecht des Weltenschick-
sals symbolisirt. Hier ist die Verwechslung der Gesetze des
Epischen und des Dramatischen, des blos Symbolischen mit dem
scenisch Darzustellenden auffallend genug.

Ein Unternehmen, das sich wie das Bayreuther auf den
Standpunkt des Niedagewesenen stellt, weist eigentlich jeden vor-
handenen Maßstab der Beurtheilung zurück. Da jedoch die
Form der dramatischen Trilogie sowol in der altgriechischen als
in der modernen deutschen Literatur vorkommt, so drängt die
Analogie sich unwillkürlich auf, und für uns zugleich das treffende Wort Grillparzer's, womit er (in der Selbstbiographie) seine Gestaltung des Medeastoffes tadelt. „Die Tri-

logie oder überhaupt die Behandlung eines dramatischen Stoffes in mehreren Theilen," sagt Grillparzer, „ist für sich eine schlechte Form. Das Drama ist immer Gegenwart, es muß Alles, was zur Handlung gehört, in sich enthalten." Fehlerhaft nennt er deshalb auch die Form von Schiller's Wallenstein, unbeschadet der Vortrefflichkeit dieser Dichtung. An Wagner's Nibelungenring wird sich dies in noch weit höherem Maße erwahren.

~~~~~~~~~

<div align="center">

2.

Das Theater.

</div>

<div align="right">

Bayreuth, 14. August 1876.

</div>

Warum just in Bayreuth?

Ein neuer Theaterbau an diesem Ort war ursprünglich gar nicht in Wagner's Absicht gelegen. Er dachte anfangs das alte Bayreuther Opernhaus, ein stattliches Monument ehemaliger markgräflicher Pracht, für seine Zwecke benützen zu können. Je mehr er aber die nothwendige Umgestaltung überdachte, desto weniger konnte dieses Haus ihm genügen. Wagner erkannte bald, daß er, von Grund aus reformirend, auch von Grund aus bauen müsse, für eine neue Operngattung auch ein neues Theater. Er blieb aber bei dem kleinen, abgelegenen Bayreuth, um durch keinerlei großstädtische Zerstreuung den Zuschauer von seinem Werk abzulenken. Gerade hier zählte er auf die festlichste, denkbar günstigste Stimmung des Publicums. In diesem Punkte scheint sich aber doch, nach übereinstimmenden Aeußerungen zahlreicher Festgäste, der Meister verrechnet zu haben. Ein Städtchen wie Bayreuth ist für so massenhaften Fremdenbesuch in keiner Weise vorbereitet, es fehlt nicht blos überall an Comfort, sondern häufig am Nothwendigen. Ich weiß nicht, ob das wirklich die günstigste Stimmung für einen Kunstgenuß ist, wenn man eine Woche lang unbequem wohnt, elend liegt, schlecht ißt und nach einer

fünf= bis sechsstündigen anstrengenden Opernvorstellung nicht
weiß, ob man sich einen bescheidenen Imbiß werde erkämpfen
können. Auf wenigen Gesichtern ist eine zustimmende Antwort
zu lesen, und manchen in heller Begeisterung hier Angekomme-
nen sahen wir gestern bereits in sehr herabgemunterter Stimmung die glühend heiße, staubige Straße zu dem weit entfern-
ten Wagner=Theater hinaufschleichen. Auch die mitwirkenden
Künstler äußern gerechtfertigte Bedenken. Wie leicht, sagen sie,
hätte mancher erst bei den Generalproben zu Tage gekommene
Uebelstand (ungenügende Besetzung kleinerer Partien u. dgl.)
sich noch beheben lassen in einer Großstadt, während hier eine
Aenderung nicht mehr möglich ist. Ein ausgezeichnetes Mitglied des hiesigen Orchesters hatte das Mißgeschick, mit einem
unterwegs halbzertrümmerten Violoncell anzukommen; in jeder
Hauptstadt wäre es leicht reparirt worden, Bayreuth besitzt aber
keinen Instrumentenmacher. Es soll dieses Capitel nicht weiter
ausgemalt werden, welches mit dem Motto: „Wer nie sein
Brod in Bayreuth aß", sich besser für eine humoristische Behandlung eignet. Nur meine hier gründlich bestärkte Ueberzeugung wollte ich aussprechen, daß ein großes künstlerisches Unternehmen auch in eine große Stadt gehört.

Und die Bestimmung des Wagner=Theaters? Besteht es,
so wird jetzt häufig gefragt, wirklich nur für den „Ring des
Nibelungen"? Wagner's Antwort lautete anfangs: „Diese
neue Institution soll zunächst nichts Anderes bieten, als den
örtlich firirten Vereinigungspunkt der besten theatra-
lischen Kräfte Deutschlands zu Uebungen und Auffüh-
rungen in einem höheren Originalstil ihrer Kunst." Also
Mustervorstellungen als solche. In seinem „Schlußbericht" zieht
Wagner den Kreis schon enger und meint, daß die Bayreuther
Aufführungen „in immer weiterer Ausdehnung vielleicht jede
Gattung dramatischer Arbeiten" aufnehmen dürften, „welche der
Originalität ihrer Conception und ihres wirklich deut-

schen Stiles wegen auf eine besonders correcte Aufführung Anspruch erheben können". Daß hierunter nicht ursprünglich italienische Opern, wie „Don Juan", oder französische, wie „Armida", auch nicht mit gesprochenem Dialog versetzte, wie „Der Freischütz" oder „Fidelio" gemeint sind, weiß jeder in Wagner's Schriften Belesene. Es wäre auch wirklich ein thörichtes Unternehmen, eigens nach Bayreuth zu reisen, um Opern von Mozart, Beethoven und Weber zu hören, die man an unseren Hoftheatern gut genug aufzuführen pflegt. Niemand macht sich mehr eine Illusion darüber, daß der für die Nibelungen errichtete Theaterbau auch fortan nur den Nibelungen gehört. Dabei drängt sich aber unwillkürlich das Dilemma auf: Entweder ist Wagner's „Nibelungenring" wirklich blos in diesem Bühnenfestspielhause aufführbar — dann stünde Wagner's ungeheure Arbeit in gar keinem Verhältniß zu dem schnell verrauschenden Erfolg — oder das Werk kann und soll auch auf anderen großen Theatern dargestellt werden — dann erscheint der Bau eines so kostspieligen eigenen Theaters doch als ein sonderbarer Luxus. So unerbittlich aber Wagner auch unsere Theater verdammt, mit denen er „nie wieder in Berührung kommen" will, es drängt doch Alles zu unserer zweiten Annahme, und Wagner selbst wird sich schwerlich dagegen stemmen. Jedes ernste Kunstwerk will mehrmals gehört sein; es erreicht seine volle Wirkung und Würdigung erst durch den wiederholten, periodisch wiederkehrenden Eindruck. Das Hauptwerk seines ganzen Lebens auf Bayreuth beschränken zu wollen, gliche einem künstlerischen Selbstmord. Die Anzahl der wohlhabenden Bayreuth-Pilger ist lange nicht so groß, als Wagner sie für sein Werk wünschen muß; am wenigsten repräsentiren diese „Patronatsherren" das deutsche Volk, für welches ja der „Nibelungenring" bestimmt sein soll. Will Wagner mit seiner größten Schöpfung nicht blos eine Handvoll Menschen an Einem Orte und ein- für allemal ergötzt haben, sondern damit Wurzel

fassen in der Nation, dann muß er sie ohne weiteres den ver=
wünschten „Opernbühnen“ anvertrauen. Deutschlands erste
Bühnen werden, ohne Frage, das Werk scenisch und musikalisch
befriedigend darstellen können. Sollte der „Nibelungenring“ in
Wien, München, Berlin, Dresden keine Lebensfähigkeit bewäh=
ren, blos weil etwa die farbigen Dämpfe da weniger qualmen
oder die Schwimmmaschinen langsamer rudern, dann müßte es
mit der Hauptsache, mit dem musikalischen Kern des Werkes
schlecht bestellt sein. Je echter und stärker die innere poetische
Kraft eines dramatischen Werkes, desto leichter verträgt es Un=
vollkommenheiten der Darstellung und Ausstattung. „Don Juan“
und der „Freischütz“, „Egmont“ und die „Räuber“ packen die
Gemüther auch in bescheidenen Provinztheatern. Und Wagner's
Opern selbst, diejenigen, welchen er seinen Ruhm, seine Beliebt=
heit und damit die Möglichkeit des ganzen Bayreuther Unter=
nehmens verdankt — „Tannhäuser“, „Holländer“, „Lohen=
grin“ — sie haben auf kleinen Bühnen ihm den größten An=
hang erobert. Der glänzendste Erfolg der „Nibelungen“ in
Bayreuth — er war ja so gut wie affecurirt — ist noch keine
Goldprobe für Werth und Wirkung dieser Composition. Dazu
ist nothwendig, daß nunmehr Bayreuth nach Eu=
ropa reise, nachdem Europa nach Bayreuth gereist ist. Ein=
mal kam der Berg zum Propheten, jetzt wird der Prophet zum
Berge müssen.

Das Wagner=Theater selbst gehört zu den interessantesten
und belehrendsten Sehenswürdigkeiten. Nicht durch sein Aeußeres,
das architektonisch dürftig ist und nur durch seine Lage impo=
nirt, sondern durch die sinnreiche Neuheit der inneren Einrich=
tung. Gleich der Eintritt in den Zuschauerraum überrascht:
amphitheatralisch im Halbkreis aufsteigende Sitzreihen, hinter
welchen eine niedrige Galerie, die „Fürstenloge“, sich erhebt.
Sonst keine Loge im ganzen Hause, an deren Stelle Säulen
rechts und links. Kein Kronleuchter, kein Souffleurkasten. Der

15*

Zuschauer sieht von jedem Sitze gleich gut und ungehemmt die Vorgänge auf der Bühne, und nichts als diese. Bei Beginn der Vorstellung wird der Zuschauerraum vollständig verfinstert; die hellerleuchtete Bühne, auf welcher weder Seiten- noch Fußlampen sichtbar werden, erscheint wie ein farbenglänzendes Bild in dunklem Rahmen. Manche Scenen wirken fast wie Transparentbilder oder Ansichten in einem Diorama. Wagner erhebt damit den Anspruch, „das scenische Bild solle dem Zuschauer in der Unnahbarkeit einer Traumerscheinung sich zeigen“. Am merkwürdigsten ist das unsichtbare Orchester, der „mystische Abgrund“, wie es Wagner nennt, „weil er die Realität von der Idealität zu trennen habe“. Das Orchester ist so tief gelegt, daß man an den Maschinenraum eines Dampfschiffes gemahnt wird. Ueberdies ist es durch eine Art Blechdach fast gänzlich verdeckt. Die Musiker haben nicht den geringsten Ausblick auf die Bühne oder auf das Publicum, nur der Capellmeister kann die Sänger sehen, nicht aber die Zuschauer. Den genialen Gedanken Wagner's, uns in der Oper von dem störenden Anblick all der geigenden, blasenden und schlagenden Musiker zu befreien, habe ich längst und wiederholt gewürdigt und dafür, nach dem Münchener Vorbild, Propaganda zu machen versucht. Die Tieferlegung des Orchesters ist eine der vernünftigsten und bleibendsten Reformen, die wir Wagner verdanken; sie hat sich bereits auch der Schauspielhäuser bemächtigt (wo ihre Nothwendigkeit noch einleuchtender) und ist ein Segen des Wiener Burgtheaters geworden. In seinem Bayreuther Theater scheint mir jedoch damit zu weit gegangen, oder besser gesagt, zu tief, denn ich vermißte das ganze „Rheingold“ hindurch zwar nicht die Deutlichkeit, aber den Glanz des Orchesters. Selbst die stürmischsten Stellen klangen wie gedämpft und verdeckt. Den Sängern geschieht damit ohne Frage eine Wohlthat, aber doch ein wenig auf Kosten der Instrumentalpartie, welcher ja gerade in diesem Werke das Bedeutendste und Schönste anvertraut ist.

Nach dem gedämpften Klang würde kaum Jemand die nume=
rische Stärke dieses Orchesters vermuthen, dessen acht Harfen
zum Beispiel wie zwei oder drei klingen. Aber nicht nur in
Hauptsachen, wie die Stellung des Orchesters, auch in Neben=
dingen ist Wagner bemüht gewesen, neue Anordnungen zu treffen,
um so wenig als möglich an unsere „Operntheater" zu er=
innern. So wird das Zeichen zum Anfang des Stückes und
zu jedem Act nicht durch Glockensignale, sondern durch eine
Trompeten=Fanfare gegeben; der Vorhang geht nicht auf und
nieder, sondern in der Mitte auseinander, und so weiter.

∿∿∿∿∿

3.

Die Musik.

Bayreuth, 18. August 1876.

Gestern hatten wir die „Götterdämmerung" als Schluß
des ganzen Cyklus. Mit der nunmehr vollständigen Aus=
führung des Bayreuther Programms ist die Musik der Zukunft
eine Macht der Gegenwart geworden. Aeußerlich wenigstens
und für den Augenblick. Auf kunstgeschichtliche Weissagungen
läßt der Kritiker sich ebenso ungern ein, als ein ernsthafter
Astronom auf's Wetterprophezeien; so viel jedoch hat uns jetzt
die größte Wahrscheinlichkeit: daß der Stil von Wagner's
„Nibelungen" nicht die Musik der Zukunft sein wird, sondern
höchstens e i n e von vielen. Vielleicht auch nur ein Gährungs=
ferment für neue, zum Alten wieder rückgreifende Entwicklungen.
Denn Wagner's jüngste Reform besteht nicht in einer Be=
reicherung, Erweiterung, Erneuerung innerhalb der Musik, in
dem Sinne, wie es die Kunst von Mozart, Beethoven, Weber,
Schumann gewesen; sie ist im Gegentheil ein Umdrehen und
Umzwängen der musikalischen Urgesetze, ein Stil gegen die

Natur des menschlichen Hörens und Empfindens. Man könnte
von dieser Tondichtung sagen: sie hat Musik, aber sie ist
keine. Um gleich Eines zur vorläufigen Orientirung des Lesers
hervorzuheben: wir hören durch vier Abende auf der Bühne
singen, ohne selbstständige, ausgeprägte Melodie, ohne ein einziges Duett, Terzett, Ensemble, ohne Chöre oder Finale. Die
Ausnahmen verschwinden als flüchtige Momente in dem großen
Ganzen. Dies allein beweist schon, daß hier das Messer nicht
an überlebte Formen, sondern an die lebendige Wurzel der
dramatischen Musik gelegt ist. Opernfreunde, welche „Tristan"
und den „Nibelungenring" nicht kennen, geben sich meistens dem
Argwohn hin, die Gegner dieser Spätgeburten Wagner's seine
Gegner Wagner's überhaupt. Sie denken dabei immer nur an
den „Holländer" oder „Tannhäuser", welche doch von Wagner's
neuester Musik so fundamental verschieden sind, als zwei Dinge
innerhalb derselben Kunst nur sein können. Man kann den
„Tannhäuser" für eine der schönsten Opern und trotzdem die
„Nibelungen" für das gerade Gegentheil halten, ja eigentlich
muß man es dann. Denn was das Glück von Wagner's
früheren Opern machte und zu machen noch fortfährt, ist
die stete Verbindung des schildernden, specifisch dramatischen
Elements mit dem Reiz der faßlichen Melodie, die Abwechslung des Dialogs mit musikalisch gedachten und geformten
Ensembles, Chören, Finalen. Alles, was an diese Vorzüge
mahnt, hat Wagner in den „Nibelungen" bis auf die Spur
getilgt. Selbst die „Meistersinger", in welchen die abgeschlossene
Gesangsmelodie seltener, aber dafür in einigen Pracht=Exem-
plaren auftritt (Preislied, Quartett, Chöre im letzten Act),
erscheinen daneben als ein musikalisch reizvolles und gemein-
faßliches Werk.

Wagner's „Nibelungenring" ist in der That etwas völlig
Neues, von allem Früheren Grundverschiedenes, ein für sich
allein bastehendes Unicum. Als solches, als ein geistreiches,

für den Musiker unerschöpflich lehrreiches Experiment wird das
Werk seine bleibende Bedeutung haben. Daß es jemals in's
Volk bringen werde, wie die Opern Mozart's oder Weber's,
scheint mir aus der Natur desselben ganz unwahrscheinlich.
Drei Hauptpunkte sind es, welche diese Musik von allen bis-
herigen Opern, auch von Wagner'schen, principiell unterscheiden.
Erstens: das Fehlen der selbstständigen, abgeschlossenen Ge-
sangsmelodieen, an deren Stelle eine Art erhöhter Reci-
tation tritt, mit der „unendlichen Melodie" im Orchester als
Basis. Zweitens: die Auflösung jeglicher Form, nicht blos
der herkömmlichen Formen (Arie, Duett 2c.), sondern der
Symmetrie, der nach Gesetzen sich entwickelnden musikalischen
Logik überhaupt. Endlich drittens: die Ausschließung der
mehrstimmigen Gesangsstücke, der Duette, Terzette,
Chöre, Finale, bis auf einige verschwindend kleine Ansätze.

Hören wir des Meisters eigene Worte über seine neue
musikalische Methode in den „Nibelungen". Er habe, sagt
Wagner (IX. Bd., S. 366), „den dramatischen Dialog
selbst zum Hauptstoff auch der musikalischen Ausführung
erhoben, während in der eigentlichen „Oper" die der Handlung
um dieses Zweckes willen eingefügten Momente lyrischen Ver-
weilens zu der bisher einzig für möglich erachteten musikalischen
Ausführung tauglich gehalten wurden. Die Musik ist es, was
uns, indem sie unabhängig die Motive der Handlung in ihrem
verzweigtesten Zusammenhange uns zur Mitempfindung bringt,
zugleich ermächtigt, eben diese Handlung in drastischer Bestimmtheit vorzuführen; da die Handelnden über ihre Beweggründe
im Sinne des reflectirenden Bewußtseins sich uns nicht auszusprechen haben, gewinnt hier der Dialog jene naive Präcision,
welche das Leben des Dramas ausmacht." Das liest sich sehr
schön, aber in der Ausführung ist Wagner's Absicht keineswegs erreicht und die totale Verschmelzung von Oper
und Drama nach wie vor ein Wahn. Wagner unterbindet

durch diese angebliche Gleichberechtigung von Wort und Ton
gleichmäßig die Wirkung des einen wie des andern. Der Ton
will sich ausbreiten, das Wort weiterdrängen, darum gehört
naturgemäß der fortlaufende Dialog dem Drama, die gesungene
Melodie der Oper. Diese Scheidung ist nicht das Wider-
natürliche, im Gegentheile ist Wagner's Methode, beide Kunst-
gattungen in Eine aufzuheben, widernatürlich. Das unnatürliche Singsprechen oder Sprechsingen der Wagner'schen „Nibelungen“ ersetzt uns weder das gesprochene Wort des Dramas,
noch das gesungene der Oper. Ersteres schon darum nicht,
weil man bei den meisten Sängern den Text gar nicht versteht,
und selbst bei den besten nur stellenweise. Da aber der
scenischen Wirkung wegen der Zuschauerraum des „Festspiel-
hauses“ gänzlich verfinstert wird, so entfällt jede Möglichkeit, im
Textbuche während der Vorstellung nachzusehen. Wir sitzen
daher rathlos und gelangweilt diesen unendlich langen Dialogen
der Sänger gegenüber, gleichzeitig dürstend nach der deutlichen
Rede, wie nach der allzeit verständlichen Melodie. Und was
für ein Dialog! Niemals haben Menschen so mit einander
gesprochen (wahrscheinlich auch Götter nicht). Hin- und her-
springend in entlegene Intervallen, immer langsam, pathetisch,
übertrieben, und im Grunde Einer genau wie der Andere.
Ein treffendes Urtheil Fr. Hebbel's über die von Motte-
Fouqué herrührende Siegfrieddichtung „Der Held des
Nordens“ paßt vollständig auf Richard Wagner's Nibe-
lungenfiguren. Fouqué's Gedicht, sagt Hebbel, „leidet an jener
gesuchten Erhabenheit, die ebenso einförmig als unerträglich ist
und die Circulation des Blutes aufhebt, so daß die Menschen
erfroren umfallen wie auf hohen Alpen. Er stellt Geschöpfe
hin, die mit uns gar nicht mehr verwandt sind, weil sie wie
Bewohner des Mondes, wenn er deren hätte, ohne Luft und
Wasser leben können.“
Nachdem im „Musikdrama“ die handelnden Personen nicht

durch den Charakter ihrer Gesangsmelodien unterschieden werden, wie in der alten „Oper" (Don Juan und Leporello, Donna
Anna und Zerline, Max und Caspar), sondern in dem physiog-
nomischen Pathos ihres Sprechtons einander sämmtlich gleichen,
so trachtet Wagner diese Charakteristik durch sogenannte Leitmotive im Orchester zu ersetzen. Bekanntlich gab Wagner
dieser musikalisch=psychologischen Hilfe eine größere Ausdehnung
schon im „Tannhäuser" und „Lohengrin", er steigerte sie zum
Uebermaß in den „Meistersingern" und complicirt sie in den
Nibelungen zum förmlichen Rechen=Exempel. Leicht behält man
die paar melodisch und rhythmisch prägnanten Leitmotive des
„Tannhäuser" oder „Lohengrin". Aber wie gebahrt Wagner
damit in den „Nibelungen"? Darauf antwortet uns eine hier
überall zum Verkauf ausgebotene Broschüre von H. v. Wolzogen:
„Thematischer Leitfaden", ein musikalischer Bädeker,
ohne welchen hier kein anständiger Tourist auszugehen wagt.
Fern von Bayreuth dürfte man ein solches Handbuch komisch
finden; das Ernsthafte und Traurige daran ist nur — daß es
nothwendig ist. Nicht weniger als neunzig Stück Leitmotive
führt Herr v. Wolzogen mit Namen und Noten auf, welche der
geplagte Festspielbesucher sich einprägen und in dem Tongedränge
von vier Abenden überall herauskennen soll. Nicht blos Personen, auch leblose Sachen haben hier ihre Leit= oder Leib-
motive, die bald da, bald dort auftauchen und in die mysteriö-
sesten Beziehungen zu einander treten. Da haben wir das
Ringmotiv, die Motive der Knechtung, der Drohung, des Rhein-
goldes, das Riesen= und Zwergenmotiv, das Fluchmotiv, das
Tarnhelm=Motiv, das Leitmotiv „des matten Siegmund", das
Schwert=, das Drachen=, das Rachewahnmotiv, die Motive
Alberich's, Siegfried's, Wotan's u. s. f. bis Nr. 90. Diese
reiche musikalische Garderobe, die jeder der Helden mitbekommt,
wird aber nur zu seinen Füßen, im Orchester, gewechselt, auf
der Bühne haben sie von Melodieen gar nichts an. Mit wenigen

Ausnahmen (Walkürenritt, Walhalla, Ambosmotiv, Siegfried's Hornruf) sind diese Leitmotive im „Nibelungenring" von geringer melodiöser und rhythmischer Prägnanz, aus wenigen Noten bestehend und einander häufig ähnelnd. Nur ein ungewöhnlich begnadetes Ohr und Gedächtniß wird sie alle zu behalten vermögen. Und gelingt uns dies, haben wir wirklich erkannt, daß das Orchester hier eine Anspielung auf die Götter, dort auf die Riesen, dann auf die Götter und Riesen zugleich macht — was ist damit Großes gewonnen? Ein reiner Verstandesproceß, ein reflectirendes Vergleichen und Beziehen — die Nibelungen-Musik weist fortwährend neben und über sich hinaus. Ein volles Genießen und Empfinden wird unmöglich, wenn Verstand und Gedächtniß ununterbrochen auf der Lauer stehen sollen, um Anspielungen zu fangen. Diese mystisch=allegorische Tendenz in Wagner's „Nibelungenring" erinnert vielfach an den zweiten Theil des Goethe'schen Faust, welcher ja gerade dadurch an seiner poetischen Wirkung einbüßt, weil der Dichter so viel „hineingeheimnißt" hat, was nun als Räthsel den Leser quält. Manches goldene Wort, das Vischer in seinem neuesten Buche über das allegorische Wesen des zweiten Theiles ausspricht, paßt auf den Charakter des jüngsten Wagner'schen Musikdramas. Auch dieses ist in Text und Musik „eine Dichtung, die man ohne gelehrten Schlüssel nicht versteht, die daher bemüht und beunruhigt, statt zu erfreuen". Freilich kommen wir schließlich auch auf Vischer's Resultat, daß, „wo es sich um ästhetische Diagnose handelt, sich durch den Beweis leider nichts erreichen läßt". Ob ein bestimmtes Tonwerk der Tiefe musikalischer Empfindung entquollen sei oder aus der Retorte geistreicher Berechnung, das kann, so evident es dem Einzelnen einleuchtet, wissenschaftlich nicht bewiesen werden. Es scheint mir Vischer's Satz für die Musik ganz vorzugsweise zu gelten, „daß man das Gefühl der Schönheit des poetischen Lebens Niemandem andemonstriren kann". In der alten, vornibelungischen „Oper" folgt die Composition

den allgemeinen Geſetzen muſikaliſcher Logik, bildet eine Reihe
durch ſich ſelbſt verſtändlicher, abgeſchloſſener Organismen. Die
Meiſter gaben uns in der „Oper“ Muſik, die durch ihre Einheit verſtändlich, durch ihre Schönheit erfreuend und dabei durch
ihre innigſte Uebereinſtimmung mit der Handlung dramatiſch
war. Sie haben hundertfach gezeigt, daß die von Wagner verpönte „abſolute Melodie“ zugleich eminent dramatiſch ſein und
in mehrſtimmigen Sätzen, namentlich in den Finales, die fort-
ſchreitende Handlung energiſch zuſammenfaſſen und abſchließen
kann. Den mehrſtimmigen Geſang, Duette, Terzette, Chöre,
als angeblich „undramatiſch“ aus der Oper entfernen, heißt die
werthvollſte Errungenſchaft der Tonkunſt ignoriren und um zwei
Jahrhunderte zurück wieder in die Kinderſchuhe treten. Es iſt
der ſchönſte Beſitz, der eigenthümlichſte Zauber der Muſik, ihr
größter Vortheil vor dem Drama, daß ſie zwei und mehrere
Perſonen, ganze Volksmengen kann zugleich ſich ausſprechen
laſſen. Dieſen Schatz, um den der Dichter den Muſiker be-
neiden muß, wie dies Schiller bei der Dichtung ſeiner „Braut
von Meſſina“ ſo tief empfand, hat Wagner als überflüſſig zum
Fenſter hinausgeworfen. Es mögen im „Nibelungenring“ zwei,
drei oder ſechs Perſonen auf der Bühne nebeneinanderſtehen,
niemals ſingen (von verſchwindend kleinen Ausnahmen abge-
ſehen) zwei zugleich; immer nur, wie bei einer Gerichtsverhand-
lung, Einer nach dem Andern. Welche Qual es iſt, dieſen
geſungenen Gänſemarſch den ganzen Abend zu verfolgen, weiß
nur, wer es ſelber erlebt hat. Indem aber Wagner durch vier
Abende hintereinander die Tyrannei dieſes monodiſchen Stils
fortſetzt, zwingt er uns mit faſt ſelbſtmörderiſcher Deutlichkeit,
den Widerſinn ſeiner Methode zu begreifen und nach der viel-
geſchmähten alten „Oper“ uns zurückzuſehnen. Dazu kommt
noch der Uebelſtand der unerhört langen Ausdehnung der einzelnen Scenen und Geſpräche. Wir verkennen nicht den neuen
Zug von Größe und Erhabenheit, den Wagner ſeinem Werke

dadurch verleiht, daß jeder Act nur zwei bis drei Scenen ent=
hält, die sich in ruhigster Breite entfalten, ja häufig als pla=
stische Bilder stillzustehen scheinen. Von dem unruhigen Scenen=
wechsel und der Ueberfülle an Handlung in unserer „großen
Oper" unterscheidet sich der „Nibelungenring" am vortheilhaf=
testen gerade durch diese Einfachheit. Allein eine geradezu
epische Breite darf das Drama nicht dergestalt auseinander=
zerren. Es ist schwer zu begreifen, wie ein so theaterkundiger
dramatischer Componist plötzlich allen Sinn für Maßverhältnisse
verlieren kann und nicht empfindet, daß Gespräche, wie die des
Wotan mit Fricka, mit Brunhilde, mit Mime 2c., die Geduld
des Hörers auf's äußerste foltern, ihn durch ihre unersättliche
Redseligkeit nachgerade gänzlich abstumpfen müssen. Für die
unerhörte Länge der Walhalla=Scenen im „Rheingold", der
Dialoge im zweiten Acte der „Walküre", der sechs Fragen im
„Siegfried" u. s. w. sucht man vergebens nach einem drama=
tischen oder musikalischen Grunde. Ein beredter und geistreicher
Anwalt Wagner's, Louis Ehlert, räth in seiner Kritik über
„Tristan und Isolde", man möchte, um diese Oper lebensfähig
zu machen, jede Nummer derselben beträchtlich kürzen. Nun
darf man wol fragen: Wo gab es jemals einen wirklich drama=
tischen Componisten, aus dessen Opern man jedes Musikstück
beliebig und ohne Schaden zusammenstreichen kann? Beim An=
hören des „Nibelungenring" gewannen wir aber vollständig
dieselbe Ueberzeugung, daß jede Scene die ausgiebigsten Striche
ohne den mindesten Nachtheil vertrüge, daß sie jedoch anderer=
seits in diesem Stil auch noch beliebig länger ausgesponnen
werden könnte. Die neue Methode des „dialogischen Musik=
dramas" weist nämlich jedes musikalische Maß von sich, sie ist
das formlos Unendliche. Wagner protestirt freilich dagegen, daß
man seine „Bühnenspiele" vom Standpunkte der Musik beur=
theile. Aber warum macht er dann Musik, und sehr viel
Musik, ganze vier Abende lang Musik? An vielen Stellen

tauchen allerdings musikalische Schönheiten von blendender Wirkung auf, Starkes wie Zartes — es ist, als ob sich da der
neue Wagner an den alten erinnerte. Wir brauchen sie kaum
ausdrücklich hervorzuheben diese Glanzmomente: den Gesang der
Rheintöchter im ersten und vierten Stück, das Lenzlied Siegmund's, den Feuerzauber, den Walkürenritt, das Waldweben
u. A. In der Bayreuther Vorstellung konnte man beobachten,
wie jede solche Knospe einer aufblühenden Melodie von den Zuschauern mit sichtlichem Entzücken wahrgenommen und förmlich
an's Herz gedrückt wird. Erscheint gar nach zweistündiger mo-
nodischer Steppe ein Stückchen mehrstimmigen Gesanges — die
Schlußaccorde der drei Rheintöchter, das Zusammensingen der
Walküren, die paar Terzen am Schlusse des Liebesduetts im
„Siegfried", da geht es wie ein freudiger Erlösungsschauer
nach langer Gefangenschaft über die Mienen der Hörer. Das
sind sehr beachtenswerthe Symptome. Sie geben lautes Zeugniß, daß die musikalische Natur im Menschen sich auf die Länge
nicht verleugnen, nicht knebeln läßt, daß die neue Methode
Wagner's nicht eine Reform überlebter Traditionen, sondern ein
Angriff auf die uns eingeborene und durch jahrhundertelange
Erziehung ausgebildete musikalische Empfindung ist. Und mag
dieser Angriff auch mit den glänzendsten Waffen des Geistes
unternommen sein — die Natur widersteht ihm und wirft den
Belagerer gelegentlich mit einigen Rosen und Veilchen zurück.
    Die bildnerische Kraft von Wagner's Phantasie, die er-
staunliche Meisterschaft seiner Orchester-Technik und zahlreiche
musikalische Schönheiten walten in den „Nibelungen" mit einer
magischen Gewalt, der wir uns willig und dankbar gefangen
geben. Die Einzelschönheiten, welche sich gleichsam hinter dem
Rücken des Systems einschleichen, hindern nicht, daß dieses
System, die Tyrannei des Wortes, des melodielosen Dialogs
und der tristen Einstimmigkeit den Todeskeim in das Ganze
legt. Mit dämonischem Zauber umfängt uns die fremdartige

Farbenpracht, der berückende Duft des Orchesters im „Nibelungen=
ring“. Aber wie Tannhäuser im Venusberge nach den lieb=
gewohnten Glockenklängen der Erde, so sehnen wir uns bald
aus tiefstem Herzen nach dem melodischen Segen unserer alten
Musik. „Hör' ich sie nie, hör' ich sie niemals wieder?“

~~~~~~~~~

4.
Die Aufführung und ihr Totaleindruck.

Bayreuth, 19. August 1876.

Der Eindruck von Wagner's „Nibelungenring“ auf das
Publicum ging nicht vorwiegend von der Musik aus, sonst
hätte er wol ein niederdrückender heißen müssen. Wagner's
Vielseitigkeit, ohne Frage die glänzendste Seite seiner Be=
gabung, läßt ihn zugleich mit dem Specialtalent des Musikers,
des Malers, des Textdichters und des Regisseurs arbeiten und
erzielt häufig durch die drei Letzteren, was der Erste allein
nicht bewirkt hätte. Insbesondere die malerische Phantasie
Wagner's arbeitet rastlos in den „Nibelungen“, von ihr scheint
der erste Anstoß ausgegangen zu mancher Scene. Betrachtet
man die Photographien der von Joseph Hoffmann so poesievoll
erfundenen Decorationen, so geräth man unwillkürlich auf den
Gedanken, es mögen in Wagner's Einbildungskraft zuerst solche
Bilder aufgestiegen sein und dann die entsprechende Musik nach=
gezogen haben. So ist es gleich mit der ersten Scene des
„Vorspiels“. Die im Rheine singenden und schwimmenden
Rheintöchter, durch hundertsechsunddreißig Takte lang nur von
dem zerlegten Es-dur-Dreiklang umfluthet, geben für sich ein
Tableau, welches man gar nicht genau auf die Musik ansieht.
Die Scene wirkte in Bayreuth um so günstiger, als die De=
coration und die von unten dirigirte Maschinerie der Schwim=
menden vollständig gelungen war. Diese Rheintöchterscene, ohne

Frage das weitaus Beste des Vorspiels, ist von Haus aus musikalisch gedacht und mit erstaunlicher Kunst ausgeführt. Von da an sinkt der musikalische Reiz des „Rheingold" rasch abwärts, und da parallel damit die Empfänglichkeit des durch nahezu drei Stunden ohne Unterbrechung festgehaltenen Hörers versiecht, so scheidet man mit dem Eindruck tödtlicher Monotonie.

Ueber das unverdauliche Deutsch, das im „Rheingold" gestammelt und für Poesie ausgegeben wird, wollen wir kein Wort verlieren. Es wäre ein Unglück, wenn die Gewöhnung an diesen Nibelungenstil und die kritiklose Bewunderung für Alles, was von Wagner kommt, das Publicum allmälig so weit abstumpfen könnte, daß es die Häßlichkeit solcher Sprache nicht mehr empfindet. *).

Ungemein stimmungsvoll beginnt das zweite Drama, die „Walküre", mit dem Eintritte des verfolgten Siegmund in Hunding's Haus. Die langweilige Breite der Tischscene (Siegmund, Hunding und Sieglinde) verschmerzen wir allmälig im Verlaufe des Liebesduetts zwischen Siegmund und Sieglinde, in welche der B-dur-Satz „Winterstürme weichen dem Wonnemond" wie langentbehrter Sonnenschein einfällt. Da labt uns doch ein Strahl melodiösen, getragenen Gesanges! Mit dem zweiten Acte öffnet sich ein Abgrund von Langweile. Gott Wotan tritt auf, hält erst ein langes Gespräch mit seiner Gemahlin und dann (zu Brunhilde gewendet) einen autobiographischen Vortrag, der acht volle Seiten des Textbuches füllt. Diese im langsamen Tempo, ganz melodielos vorgetragene Erzählung umfängt uns wie ein trostlos weites Meer, in welchem nur die kümmerlichen Brocken einiger „Leitmotive" uns aus dem Orchester entgegenschwimmen. Scenen wie diese mahnen an die im Mittelalter beliebte Folter, den schlaftrunkenen Ge=

---

*) Eine ausführliche Besprechung des „Rheingold" (auf Grund der Münchener Aufführung) findet man in meiner „Modernen Oper".

fangenen, so oft er einnickt, mit Nadelstichen wieder aufzuwecken. Wir hörten selbst von Wagnerianern diesen zweiten Act als ein Unglück für das Ganze bezeichnen — ein sehr unnöthiges Un- glück, da mit zwei Strichen die beiden Scenen getilgt wären, die kaum Jemand vermissen wird. Hat doch die „Walküre" überhaupt nur einen sehr losen Zusammenhang mit der Hand- lung des Ganzen; wir erfahren darin von dem verhängnißvollen Ring nichts, was wir nicht schon im „Rheingold" gesehen haben, und für die Folge ist nur der Schluß der Oper, die Bestrafung und Verzauberung Brunhilde's wichtig. Brunhilde befremdet, um nicht zu sagen beleidigt, gleich anfangs durch ihr unschönes Hojotohoh! Erst die schaurigen Klänge, mit welchen Brunhilde als Todverkünderin auftritt, wirken wieder ergreifend, trotzdem wir das Hauptmotiv (fast die einzige melodische Schönheit im zweiten Act) aus Marschner's „Hanns Heiling" sehr wohl ken- nen. (Königin der Erdgeister: „So bist du verfallen den rächenden Geistern".)

Musikalisch erhebt sich der dritte Act wieder zu bedeuten- derer Kraft und Fülle. Zunächst durch die Walküren, deren allerdings wüstes Miteinander- und Durcheinandersingen die Scene wohlthätig belebt. Der Walkürenritt und der Feuer- zauber sind als zwei Prachtstücke kühner Tonmalerei aus Con- certaufführungen männiglich bekannt. In meinen Berichten über diese Concertaufführungen hatte ich, auf den dramatischen Zu- sammenhang rechnend, diesen beiden Stücken einen noch viel größeren Effect auf der Bühne prophezeit, als sie in Bayreuth zu erreichen schienen. Ein doppelter Grund dürfte dies er- klären: einmal hat der „mystische Abgrund" des Bayreuther Theaters nicht entfernt den hinreißenden Glanz und Schwung eines freistehenden Concertorchesters, sodann bekommt der Hörer diese beiden Effectstücke erst gegen den Schluß der Oper, also von dem Vorhergehenden bereits ermattet und abgestumpft, zu hören.

Wider alles Erwarten machte „Siegfried" in Bayreuth

größere Wirkung als die „Walküre". Ganz unerklärlich ist
diese Ueberraschung nicht. Schon den ersten Act durchweht ein
frischer Ton, etwas Realistisches, Naturburschenhaftes, das zwar
durch maßlose Längen der Scenen und Musikstücke die halbe
Kraft einbüßt, aber trotzdem im Abstich von dem Stelzengang
der beiden früheren Abende erfrischend wirkt. Was soll man
aber zu der langen Scene Wotan's mit dem Zwerg Mime
sagen? Einer gibt dem Andern drei Fragen auf, welche Jeder
von ihnen mit der Ausführlichkeit eines gut eingepaukten Prü=
fungs = Candidaten beantwortet. Die ganze Scene, dramatisch
vollkommen überflüssig, ist von erdrückender Langweiligkeit. Die
Zuhörer sind auf die Unterhaltung angewiesen, die versteckten
Leitmotive aus dem Orchester heraus zu errathen. („Wo ist
die Katze, wo ist der Bär?") Ueberhaupt kann man sicher
sein, daß, sobald nur die Spitze von Wotan's Speer sichtbar
wird, eine halbe Stunde nachdrücklichster Langweile garantirt
ist. Dieser „hehre Gott", der überall das Nöthige nicht weiß
und das Richtige nicht thut, der im ersten Drama seiner herrsch=
süchtigen Frau, im zweiten einem dummen Riesen, im dritten
einem kecken Knaben weichen muß, dieser salbungsvolle Pedant
soll „von dem deutschen Volk" als göttliches Ideal verehrt
werden? Zur Illustration des Schwertschmiedens bringt das
Orchester einige bewunderungswürdige Tonmalereien. Dem viel=
belobten „Schmiedelied" Siegfried's vermag ich wenig Geschmack
abzugewinnen; es hat mehr vom Begräbnißgesang, als vom
fröhlichen Lied. Naive, natürliche Fröhlichkeit kennt Wagner
nicht. Ebensowenig trifft er den Ausdruck des Komischen, wie
wir von Beckmesser her wissen; in der Composition des Mime
ist ihm die Unterscheidungskraft zwischen Komischem und Lang=
weiligem vollends abhanden gekommen. Der zweite Act führt
uns in eine Waldgegend nächst der Höhle des Lindwurms.
Auf eine Scene Alberich's mit Mime, ein Musterbild der ge=
zwungenen, sprachwidrigen Declamation dieser Beiden, folgt der

Glanzpunkt der ganzen Partitur: „Das Waldweben". Sieg=
fried ruht unter einem Baume und horcht dem Rauschen der
Blätter, dem Gesang der Vögel. Wagner's virtuose Tonmalerei
feiert da ihren ächtesten Triumph, weil sie da mit natürlicheren
Mitteln arbeitet und von rein menschlicher Empfindung getränkt
ist. Hier, wie in seinem Concertstück „Siegfried = Idyll" por=
trätirt Wagner den Vogelsang mit einer frappanten Naturwahr=
heit, wie sie weder Haydn in der Schöpfung, noch Beetho=
ven in der Pastoralsinfonie oder Spohr in der „Weihe der
Töne" erreicht haben. Nun kommt der Riese Fafner als Lind=
wurm, brüllend und feuerspeiend, zugleich singend, auf Sieg=
fried zu. Die Scene ist von Wagner mit dem größten Ernst
componirt, wirkt aber, besonders am Schluß, wo der verreckende
Lindwurm sentimental wird und seinem Mörder Siegfried
vertrauensvolle Mittheilungen macht, äußerst komisch. Ein
Waldvogel, dessen Sprache Siegfried nun versteht, weist ihm
den Weg zu der vom Feuerzauber umloderten, schlafenden Brun=
hilde. Der Gesang des Waldvogels zeigt sehr einleuchtend, wie
viel natürlicher Wagner das Orchester singen zu machen weiß,
als die Menschenstimme. Der dritte Act führt Siegfried zu
Brunhilden. Vorher haben wir noch zwei schwere Scenen zu
überstehen. Wotan erscheint im Felsgeklüfte und beschwört die
Erda aus der Tiefe; er befragt sie um wichtige Dinge, die
„Urwissende" weiß aber gar nichts und versinkt ungefähr wie
bei Raimund der „Vater Zephyses". Es scheint mir sehr
zweifelhaft, ob mehr als zehn Menschen im Theater über diese
„Erda" eigentlich im Klaren sind; ich gehöre nicht darunter.
Nun erscheint Siegfried; zwischen ihm und Wotan, der ihm
den Weg zu Brunhilden versperren will, erhebt sich ein Streit
in ziemlich ungenirten Ausdrücken. Schließlich zerhaut Sieg=
fried den Speer Wotan's, worauf dieser göttliche Nachtwächter
sich hilfloser als je davonschleicht. Ein Orchester=Zwischenspiel
von aufrührerischer Kraft, das in blendendem Klangzauber die

Motive des Feuerzaubers und Walkürenritts heraufbeschwört,
führt uns gleichsam durch Feuer und glühenden Rauch zu
Brunhilden's Lagerstätte. Die Scene zwischen Siegfried und
Brunhilde ist von ermüdender Länge. Ueberaus zart schildert
die Musik Brunhilden's Erwachen, auch in dem E-dur-Satze
des Liebesduetts („Ewig bin ich") blüht die Melodie etwas
voller und inniger auf; leider sinkt das Duett gegen den Schluß
durch die unbegreifliche Einführung eines steifen, in Quarten
absteigenden Motivs (C-dur alla breve) kläglich herab.
Widerlich berühren die bei Wagner so beliebten exaltirten Accente einer bis an die äußersten Grenzen lodernden, unersätt-
lichen Sinnlichkeit, dieses brünstige Stöhnen, Aechzen, Auf-
schreien und Zusammensinken. Der Text dieser Liebesscene wird
in seiner Ueberschwenglichkeit mitunter zu barem Unsinn. („Göttliche Ruhe rast mir in Wogen" u. dgl.) Dem Dichter und
Componisten dieser Scene steht es gut an, über den „schwülstigen Schumann" zu spotten!

Die „Götterdämmerung" dünkt uns das dramatisch
gelungenste von allen vier Stücken; hier wandeln wir wieder
auf unserer Erde, unter Menschen von Fleisch und Blut. Es
entwickelt sich vor uns eine wirkliche Handlung, in welcher allerdings die schon bei der Lectüre so peinlich berührende Einschie-
bung des „Vergessenheitstrankes" noch abstoßender und unbegreif-
licher erscheint. Mit wahrem Bienenfleiße ausgeführt, noch
sorgsamer als die vorhergehenden Dramen, fällt die Musik zur
„Götterdämmerung" doch gegen jene merklich ab. Erschienen
uns die drei ersten Dramen steril und unnatürlich in ihrer
musikalischen Methode, zum Theile gewaltsam und abstrus, so
durchströmte sie doch, auf frühere Entstehungszeit zurückdeutend,
ein rascheres, wärmeres Blut, eine ursprünglichere Erfindung.
Auf der „Götterdämmerung" hingegen drückt eine eigenthümliche
Müdigkeit und Ermattung, etwas wie das nahende Mühsal des
Alters. Da will nichts Neues von selbst wachsen und blühen.

Nicht mit Unrecht äußerte Jemand, es sei in der „Götter=
dämmerung" die Handlung eine neue, eine andere, als in den
drei ersten Dramen, die Musik aber im Großen und Ganzen
eigentlich dieselbe. Die Musik baut sich überwiegend aus den
Leitmotiven der früheren drei Abende auf, also aus demselben
Material und genau nach derselben bekannten Methode. Das
wesentlichste musikalische Unterscheidungszeichen der „Götterdäm=
merung" besteht in dem — wenigstens sporadischen — Vorkom=
men mehrstimmigen Gesanges. Insbesondere die unerwartete
Concession eines wirklichen Männerchors muß den so lange homo=
phon gemaßregelten Hörer angenehm überraschen. Das Entzücken,
welches bei dieser tobsüchtigen Lustigkeit von „Gunther's Man=
nen" laut wurde, können wir in der That nur dem elementa=
rischen Reiz des lang entbehrten Zusammenklanges von Männer=
stimmen zuschreiben. Von ungleich schönerer Erfindung und
reinerer Wirkung ist der melodiöse, reizend flimmernde Gesang
der Rheintöchter im dritten Act. An einzelnen schönen, melo=
diösen Momenten fehlt es weder dem ersten noch dem zweiten
Act; leider besitzen sie alle wie Siegfried eine Tarnkappe, unter
der sie, kaum erschienen, sich auch gleich wieder unsichtbar machen
oder in irgend etwas Beliebiges verwandeln.

Im ersten Act macht natürlich der Abschied zwischen Sieg=
fried und Brunhilde relativ den tiefsten Eindruck. Betrachtet
man einzelne Phrasen dieses großen Duetts für sich, losgelöst,
so findet man sie voll Prägnanz und Leidenschaft; im Zusam=
menhange gleicht aber dieser fortwährend zur Ekstase sich auf=
stachelnde Declamationsgesang einer Reihe von ausdrucksvollen
Interjectionen, die keine zusammenhängende Rede bilden. An=
fangs lebhaft angeregt, verfällt der Hörer immer mehr einer
Müdigkeit, die schließlich in völlige Theilnahmslosigkeit über=
geht; er vermag mit bestem Willen nicht mehr aufmerksam zu
folgen und wird zerstreut. Wohlthuend wirkt nach dem Duett
das Orchesternachspiel mit der Hornfanfare des davonreitenden

Siegfried; das Stück hat am meisten musikalischen Reiz und Zusammenhang, namentlich durch den hübschen contrapunktischen Zierrath, der jenen lustigen Hornruf umrankt. Weit weniger befriedigt uns „Siegfried's Tod". Was der Sterbende mit erstaunlicher Lungenkraft singt, erscheint fast überflüssig in dem blendenden Gewoge des Orchesters, das hier mit vier Harfen, Posaunen, Pauken und einschneidendsten hohen Geigentönen den acutesten Nervenreiz hervorruft. Bedeutender und ergreifender als Siegfried's Sterbegesang, ist der Trauermarsch, der nun um den Helden angestimmt wird, ein aus lauter früheren Siegfried = Motiven zusammengesetzter Instrumental = Nekrolog, mehr das Werk geistreicher Reflexion als unmittelbarer schöpferischer Kraft. Eine colossale Scene ist Brunhilden's Monolog an der Leiche Siegfried's. Sie schickt die Raben heim und schleudert die Fackel in den Scheiterhaufen. Wie das Krächzen und Auffliegen der Raben durch gestopfte Trompetentöne und schwirrende Figuration aller Geigen versinnlicht ist, dann das Prasseln des Feuers durch raffinirteste Behandlung der Blech= und Schlaginstrumente, das gehört zu den auserlesensten Kunststücken des in solchen Malereien unübertrefflichen Meisters. Brunhilden's Gesang steigert sich zur äußersten Exaltation; immer in der höchsten Tonlage und gewaltsamsten Anstrengung muß ihre Stimme den Orcan des aufgewühlten Orchesters über= tönen. Einen Augenblick lang schweigt das Orchester zu einer zarten Stelle Brunhilden's, und wir sind gerührt wie von einer überirdischen Offenbarung. Ich mußte an Kaulbach denken, welcher bei der ersten Aufführung der „Meistersinger" in Mün= chen den ganzen Abend schweigend dasaß, bis im dritten Acte die zwei langausgehaltenen C-dur-Accorde vor Walther's Preis= lied kamen. „Das ist schön!" rief er warm und ernsthaft aus. Und nun, nach Brunhilden's Tod, folgt die Götterdäm= merung, das Weltenende; krachend entfesselt Wagner alle Dä= monen des Orchesters und zwingt uns dergestalt nieder, daß wir kaum mehr die Technik zu bewundern vermögen, mit der das Alles gemacht ist.

Die besten Stücke aus der „Götterdämmerung" machten mir einen ungewöhnlichen, geistig anregenden und sinnlich blendenden Eindruck, aber keinen tiefen und nachhaltigen. Die Musik wirkt im günstigsten Falle berückend wie ein Zauber, aber nicht beglückend wie ein Kunstwerk. Gewiß muß man ihnen eine unvergleichliche Gegenständlichkeit und blendende Farbengluth nachrühmen. Man braucht nur das Textbuch zu lesen, um Wagner's malerisches Auge und seinen genialen Sinn für den Theatereffect zu bewundern. Wie ist das Alles nicht nur ausgedacht, sondern leibhaftig angeschaut! Wie Siegfried durch die Flammen gegen den Rhein reitet, nach dem Abschied von Brunhilde, wie diese bei Siegfried's Leichenfeier sich auf das Roß schwingt und in den brennenden Scheiterhaufen sprengt — das sind Bilder, denen nichts Aehnliches auf der Bühne vorangegangen ist. Dieser Mission entsprechend ist Wagner's Musik vorzugsweise malend, decorativ, das Orchester in seinem höchsten Klangraffinement die Hauptsache; die Singstimmen wechseln zwischen monotoner Declamation und Explosionen maßloser Leidenschaft. Diese stammelnde Brunst inmitten des Gewoges von betäubenden und nervenaufreizenden Instrumentaleffecten vermag man nur kurze Zeit ohne Erschlaffung anzuhören. Die meisten Hörer fühlten sich schon nach dem zweiten Acte der „Götterdämmerung" mehr oder minder ermattet; wer vermöchte vier Abende hinter einander diesen Sturm des Außersichseins auszuhalten? Die Diction der „Götterdämmerung" ist weniger gewaltsam und ungeschickt als im „Rheingold", obwol in ihrer alterthümelnden Ziererei noch immer verschroben genug. Wendungen wie „Ich geize ihn", „Mich hungert sein", „Schweigt eures Jammers jauchzenden Schwall" (Accusativ) und andere streifen an's Komische. Den musikalischen Stil der „Götterdämmerung" kennt man aus den früheren Theilen, er ist voll-

ständig in Manier erstarrt. Wagner ist Manierist, ein geist-
voller und genialer, aber doch ein Manierist. Seine Manier
des Declamirens, Modulirens, Harmonisirens nöthigt er jeglichem
Stoff auf. In diesem Stil vermöchte er wol 'ohne viel Kopf-
zerbrechen und ohne übermäßige Begeisterung noch zehn Opern
zu componiren. Obwol in dieser Musik die leidenschaftlichste
Exaltation sich noch nicht zu genügen scheint, wird es uns doch
schwer, überall an ihre Wahrheit und innere Nöthigung zu
glauben. Sie erinnert an manche Poesien von Victor Hugo,
Ausgeburten innerer Kälte, welche sich glühend und begeistert
stellen. Die Musik zur „Götterdämmerung" charakterisirt ihren
Autor neuerdings als eine glänzende Specialität, eine Specialität mehr neben als in der Musik. Es ist undenkbar, daß
diese Methode, wie Wagner meint, fortan die alleingiltige des
Opernstils sein werde, „das Kunstwerk der Zukunft" schlechtweg. Ist eine Kunst in der Periode äußersten Luxurirens angelangt, dann befindet sie sich im Niedergang, nicht im Auf-
steigen. Wagner's Opernstil bewegt sich nur mehr in Super-
lativen; kein Superlativ hat aber eine Zukunft, er ist das
Ende, nicht der Anfang. Richard Wagner hat sich, vom „Lohengrin" abwärts, einen neuen Weg gebahnt, mit Lebensgefahr,
aber dieser Weg ist nur für ihn; wer ihm nachgehen will,
bricht den Hals, und das Publicum wird diesem Unfall gleichgiltig zusehen.

Nur mit flüchtigen Strichen ist hier der Eindruck der vier
„Nibelungen"-Dramen wiedergegeben; von einer eingehenden
Analyse dieser viertheiligen Riesenoper kann keine Rede sein.
Uebrigens hat man an rein musikalischen Eindruck, wie gesagt,
nicht zu denken. Wagner fühlte wol, daß der Genuß des Hö-
rens, dieses Hörens, für so lange Theaterhaft unzureichend
wäre, er gibt daher dem Publicum gar Vielerlei zu sehen.
Niemals zuvor ist in einer Oper solche Häufung scenischer
Wunder vorgekommen. Kunststücke, welche man bisher für un-

möglich gehalten oder richtiger, an die man überhaupt gar nie
gedacht, folgen einander Schlag auf Schlag: die tief im Wasser
schwimmenden Rheintöchter, die über einen Regenbogen spazie-
renden Götter, die Verwandlungen Alberich's in einen Lindwurm, dann in eine Kröte, der feuerspeiende, singende Drache,
der Feuerzauber, die Götterdämmerung u. s. w. Damit hat
der Dichter dem Componisten den weitesten Spielraum für dessen
glänzende Virtuosität, die Tonmalerei, eröffnet. Sollte es aber
wirklich der höchste Ehrgeiz des dramatischen Componisten sein,
zu einer Reihe von Zaubermaschinerien Musik zu machen? Ein
erklärter Anhänger Wagner's, Karl Lemcke, beklagt in seiner
überaus wohlwollenden Kritik des „Nibelungenring" den
schädlichen Einfluß dieser „nach Bosco's Zaubersaal schmecken-
den Kunststücke", welche einfach zum „Zauberpossencul-
tus" führen. In der That hat Wagner's „Nibelungenring"
am meisten Aehnlichkeit mit dem Genre der Zauberstücke und
„Feerien". Zu der reinen Idealität, welche Wagner seinem
Werke nachrühmt, stehen diese sehr materiellen Effecte in selt-
samem Widerspruch. Wagner arbeitet überall auf den stärksten
sinnlichen Eindruck hin, und das mit allen Mitteln. Noch ehe
der Vorhang aufgeht, soll das geheimnißvolle Wogen und Klingen des unsichtbaren Orchesters den Hörer in einen leisen Opium-
rausch versetzen — noch bevor, bei aufgezogenem Vorhang, eine
der handelnden Personen den Mund öffnet, werden wir dem
anhaltenden Eindruck einer magisch beleuchteten Märchen-Deco-
ration hingegeben; in den zahlreichen Nachtscenen beleuchtet
grelles elektrisches Licht die Gestalt der Hauptperson, und far-
bige Dämpfe wallen ab und zu, jetzt zusammengeballt, dann
sich theilend über die Bühne. Diese Dämpfe, die im „Rheingold" sogar die Stelle des Zwischenvorhangs vertreten, bilden
eine Hauptmacht in Wagner's neuem dramatischen Arsenal.
Als formlos phantastisches, sinnlich berückendes Element entspricht der aufquellende Dampf ganz besonders dem musikalischen

Principe Wagner's. Vergleicht er doch selbst die aus seinem unsichtbaren Orchester erklingende Musik den „unter dem Sitz der Pythia entsteigenden Dämpfen", welche den Hörer „in einen begeisterten Zustand des Hellsehens versetzen"! Von da ist nur noch Ein Schritt zur künstlerischen Einführung bestimmter Düfte und Gerüche auf die Scene — sind sie ja von der Psychologie als besonders stimmungserregend und verstärkend anerkannt. Wir sprechen im vollen Ernste. Wer wüßte nicht aus den Kindermärchen, daß Feen ein süßer Rosenduft umgibt und der Teufel regelmäßig mit Schwefelgestank abzieht? Das Princip, in der Oper alle stimmungsvoll wirkenden Reize zur Verstärkung bestimmter Empfindungen und Vorstellungen zusammenwirken zu lassen, sollte auch die Geruchsnerven zu Mitleid und Mitfreude heranziehen. Alle modernen Fortschritte angewandter Naturwissenschaft hat sich Wagner dienstbar gemacht; mit Staunen haben wir die riesige Maschinerie, die Gasapparate, die Dampfmaschinen auf und unter der Bayreuther Bühne gesehen. Vor Erfindung des elektrischen Lichtes konnten Wagner's „Nibelungen" ebensowenig componirt werden, als ohne die Harfe und Baßtuba. So ist es das Colorit im weitesten Sinne, das in Wagner's neuestem Werke die dürftige Zeichnung verdeckt und eine unerhörte Selbstständigkeit usurpirt. Die Analogie des Musikers Wagner mit dem Maler Makart und dem Dichter Hamerling liegt auf der Hand. Durch ihren sinnlich berückenden Zauber wirkt diese Musik als directer Nervenreiz so mächtig auf das große Publicum, das weibliche zumal. Dem Fachmusiker bleibt das Interesse an der hochgesteigerten Orchestertechnik, das gespannte Aufhorchen, wie das Alles „gemacht" ist. Wir halten das Eine wie das Andere nicht für gering; nur darf keines gewaltsam vorherrschen. Weder die technische Gourmandise des Capellmeisters, noch der Haschischtraum der Schwärmerin erfüllen das Wesen und den Segen echter Tondichtung; sie beide sind denkbar und gar oft vorhanden ohne die Seele der Musik.

Mit welchen Hoffnungen oder Befürchtungen man nun immer nach Bayreuth gewandert sein mochte, darin vereinigte sich die Ueberzeugung Aller, daß wir ein außerordentliches theatralisches Ereigniß erleben würden. Aber auch diese Erwartung ist nur sehr unvollständig in Erfüllung gegangen. Die sinnreichen Neuerungen Wagner's in der Anordnung des Theaters haben wir gebührend anerkannt, bezüglich der Maschinerie auch die Scene der schwimmenden Rhein-Nixen im Vorspiel. Von da an ging es jedoch allmälig abwärts. Daß gleich die erste Verwandlung versagte und von allen Seiten in's Stocken gerieth, wollen wir nicht hoch anschlagen, das kann jedem Theater passiren, wenn es auch gerade dieser seit Jahr und Tag vorbereiteten und ausposaunten Bayreuther „Mustervorstellung" hätte lieber nicht passiren sollen. Allein Beispiele von geradezu unrichtiger und mangelhafter Scenirung gab es, und auf den entscheidendsten Stellen. Der Regenbogen, über welchen die Götter nach Walhalla promenirten, stand so niedrig, daß man ihn für eine bemalte Gartenbrücke nahm. Der Zweikampf Siegmund's mit Hunding und die Einmischung Wotan's in der „Walküre" ging weit hinten in solcher Dunkelheit vor sich, daß kein Zuschauer von diesem entscheidenden Vorgang eine Ahnung bekam. Die Walküren erschienen keineswegs zu Pferde, sondern zogen in sehr mißlungenen, undeutlichen Dissolving-views über den Horizont. In München hatte man junge Stallknechte, als Walküren gekleidet, über dicke Teppiche hin- und zurücksprengen lassen; ihr Ritt, gespenstisch schnell und lautlos, war von ungewöhnlicher Wirkung. Was so ein schnödes Hoftheater zuwege bringt, das sollte die Musterbühne von Bayreuth doch auch treffen. Die Feuerwand, welche Brunhilde ringsum einschließen soll, loderte in Bayreuth nur hinter ihr auf, von drei Seiten lag die Schlafende vollkommen frei und zugänglich da. Auch wie das gemacht werden soll, hat die Münchener Oper vor Jahr und Tag gezeigt. Wir übergehen das lächer-

liche Widdergespann der Göttin Fricka, das altersschwache Pferd-
chen, das von Brunhilde nicht geritten, sondern am Zügel
geführt und mittelst einer Schnur unter dem Podium festgehalten wurde, desgleichen die zahlreichen mißlungenen Beleuch-
tungseffecte, und erwähnen blos die Schlußscene der „Götterdämmerung", in welcher die scenische Kunst des Wagner-Theaters ihr Höchstes leisten sollte und wollte. Wer hätte sich nicht
auf den Augenblick gefreut, wo Brunhilde nach ausdrücklicher
Versicherung des Textbuches „sich stürmisch auf das Roß schwingt
und mit einem Satz in den brennenden Scheiterhaufen springt"?
Statt dessen führt Brunhilde ihre jämmerliche Rosinante gelassen zwischen die Coulissen und denkt nicht daran, weder sich
zu „schwingen", noch zu „springen". Auch der kühne Hagen,
der sich „wie wahnsinnig in die Fluth stürzen" soll, schreitet
zur rechten Coulisse heraus und erscheint erst einige Augenblicke
nachher mitten im Rhein. Dieser Rhein endlich, der, „mächtig
angeschwollen, seine Fluthen bis in die Hallen wälzt", wackelte
mit seinen schlecht gepinselten und sichtbar oben angenähten
Wellen wie das Rothe Meer in einer Provinzvorstellung von
Rossini's „Moses". Wenn in solchen Hauptscenen die Aufführung nicht vermag, nicht leistet, was Wagner ausdrücklich
im Textbuche vorschreibt und dem Zuschauer verspricht, dann
läßt sich von einer „Mustervorstellung" nimmermehr sprechen.
Weitaus das Gelungenste waren die ebenso malerischen wie
originellen Decorationen von Joseph Hoffmann; sie hätten
bei ganz getreuer Ausführung und zweckmäßigerer Beleuchtung
ohne Zweifel noch bedeutender gewirkt. Der Decorationsmaler
hat nur eine Hälfte des Effectes in der Hand, die andere hängt
an der Kunst der Beleuchtung, sie gleicht der Instrumentirung
eines musikalischen Gedankens. Diese zweite Hälfte war in
Bayreuth nicht voll, und Hoffmann's Ideen erscheinen in den
Photographien melodischer gedacht, als sie in dem Festspielhaus
geklungen haben.

Um die musikalische Ausführung hatten bekanntlich das größte Verdienst der Dirigent Hanns Richter und die Sängerin der Brunhilde, Frau Materna. Vortrefflich war das Ensemble der drei Rheintöchter, sehr tüchtig Frau Jaïde in der kleinen Rolle der Erda, unbedeutend die Darstellerin der Sieglinde, unzureichend die der Gutrune. Im Ganzen zeichneten sich die Herren mehr aus, als die Damen; insbesondere die Herren Vogel (Loge), Schlosser (Mime), Niemann (Siegmund), Betz (Wotan), Hill (Alberich) und Reichenberg (Fafner).

Daß die große Majorität der Bayreuther Pilgerschaft nach jedem der vier Dramen in jubelnden Applaus ausbrach, ist selbstverständlich, sie war ja mit diesem Vorsatze hergekommen. Meine im ersten Bericht ausgesprochene Ueberzeugung, daß Wagner's neuestes Werk seine Lebensfähigkeit und seine Wirkung auf das Publicum erst auf anderen Bühnen werde erproben müssen, bleibt aufrecht.

II.

Kritische Nachfeier von Bayreuth.

Die erste Broschüren = Lawine war bereits Wochen und Monate vor dem Bayreuther Festspiel uns auf's Haupt gestürzt, die zweite gerieth gleich nach demselben in's Rollen. Sie gefällt uns weit besser als jene — schon darum, weil ihre Verfasser zuerst gehört und dann geschrieben haben. Die trompetend vorausreitenden Abhandlungen hatten schon dadurch etwas Verstimmendes, Aufreizendes, daß sie moralische Pression ausübten auf Alle, so da kommen sollten, die „Nibelungen“ zu hören oder gar zu beurtheilen. Jeder, der Wagner's Trilogie nicht bis in die letzte Note, die letzte Silbe für ein unvergleichliches Wunderwerk und das Bayreuther Bühnenfest nicht für eine Wiedergeburt des deutschen Volkes ansehen würde, war diesen Orthodoxen des Zukunftsdramas ohne Weiteres ein Cretin oder ein Bösewicht. Mit etwas sparsamerem Verbrauch von Weihrauch für den „Meister“ und von Schimpfreden gegen alle Anderscomponirende oder Andersdenkende könnte diese enthusiastische Leibgarde ihrem Oberhaupt unendlich mehr nützen, als sie thatsächlich thut; aber wie der Herr, so der Knecht — Beide sind jeder Mäßigung unfähig und wüthen gerade durch diese Maßlosigkeit gegen ihr eigenes

Intereſſe. Diejenigen Kritiker, welche, wie **Ehlert**, **Mohr**, **Lindau**, **Naumann**, **Schletterer**, **Engel**, **Ehrlich**, **Kalbeck**, ruhig und unbefangen das Bayreuther Feſtſpiel beurtheilt und dabei auf jede polemiſche Wiedervergeltung ver= zichtet haben, erringen unſere Achtung ſchon durch dieſe Selbſt= beherrſchung, denn nach der Lectüre der mit der Peitſche „vor= bereitenden“ Flugſchriften von **Nietzſche**, **Porges**, **Wol= zogen**, **Hagen** ꝛc. war es ſchwer, in ganz ungereiztem Ge= müthszuſtand das Weichbild von Bayreuth zu betreten. Der Philologe **Friedrich Nietzſche**, durch Talent und Bildung wol der hervorragendſte, in ſeinen Uebertreibungen zugleich der abenteuerlichſte unter Wagner's Kämpen, betrachtet dieſen gar nicht als Tondichter — er ſcheint ſich für Muſik kaum zu intereſſiren — ſondern als großen, neben Goethe geſtellten Dichter, als nationalen Helden, als Stifter einer neuen er= löſenden Religion und Philoſophie, mit Einem Wort, als einen Meſſias, an dem zu zweifeln Frevel iſt. Das Bayreuther Feſtſpiel iſt ihm „die erſte Weltumſeglung im Reiche der Kunſt, wobei nicht nur eine neue Kunſt, ſondern die Kunſt ſelber entdeckt wurde. Alle bisherigen modernen Künſte ſind dadurch halb und halb entwerthet“. Seine Sorge iſt nur, „ob die, welche das Feſtſpiel erleben, ſeiner würdig ſein werden“! Es fehlt nur, daß die Zuhörer verhalten würden, früher das Altarsſacrament zu empfangen, um „im Stande der Gnade“ Alberich und den Rheinnixen entgegenzutreten. Herrn Nietzſche ſind wirklich die Beſucher des Wagner=Theaters „geweihte Zuſchauer, Menſchen, die ſich auf dem Höhenpunkte ihres Glückes befinden“, und Bayreuth bedeutet ihm „die Morgen= weihe am Tage des Kampfes“. Und weiter heißt es: „Lernt es, ſelbſt wieder Natur zu werden, und laßt euch dann mit und in ihr durch meinen Liebes= und Feuerzauber verwandeln! Es iſt die Stimme der Kunſt Wagner's, welche ſo zu dem Menſchen ſpricht. Daß wir Kinder eines erbärmlichen Zeit=

alters ihren Ton zuerst hören durften, zeigt, wie würdig des
Erbarmens gerade dieses Zeitalter sein muß. Mußte die
wahre Musik erklingen, weil die Menschen sie am allerwenigsten verdienten, aber am meisten ihrer bedurften?"
Man sieht, Nietzsche schlägt genau denselben Ton an, fast dieselben Worte, womit unsere Religionsbücher von Jesus Christus
sprechen. Mit ähnlichem Pathos, nur mit mehr musikalischem
Interesse und Verständniß, versucht Heinrich Porges in die
tiefsten Tiefen Wagner'scher Kunst- und Weltbedeutung zu
bringen. Nachdem er den „Ring des Nibelungen" neben
Dante's „Divina commedia", neben Goethe's „Faust" und
Beethoven's Neunte Symphonie gestellt, proclamirt Herr
Porges schließlich Wagner's Werk als „im Stile der monumentalen Kunst hervortretende Wiedergeburt der griechischen Tragödie auf Grundlage des durch das Christenthum zum Repräsentanten des allgemein menschlichen Wesens erhobenen national-
deutschen Volkscharakters". Das sind ästhetische Rheingold-
Dämpfe, in welchen gewöhnlichen Sterblichen wol der Athem
ausgehen darf.

Sprechen Nietzsche und Porges als eine Art Ober-
priester ihres Gottes, so begnügt sich Hanns v. Wolzogen
(Sohn des wahrscheinlich nicht sehr erfreuten Kunstschriftstellers
Alfred v. Wolzogen) mit der Mission eines Wagner-Cicerone
und explicirt in seinem „Thematischen Leitfaden" die neunzig
verschiedenen Leitmotive der „Nibelungen" und in seiner
„Poetischen Laut-Symbolik" die psychische Wirkung jedes von
Wagner irgendwo verwendeten Consonanten und Stabreims*).

____

*) So erklärt Wolzogen zum Beispiel bei der ersten „Rheingold"-
Scene: „Alberich's lockender Ruf an die Nixen trägt den harten, bissigen
N-Laut zur Schau, der seiner ganzen Art als der negativen Macht im
Drama so trefflich entspricht, wie er den schärfsten Gegensatz bildet zum
weichen W der Wassergeister. Als er dann den Mädchen nachzuklettern
sich anschickt, da bezeichnen drastisch die Stäbe Gl und Schl, im Bunde

Hat vielleicht Jemand diese beiden Bücher durchgelesen, ohne irrsinnig geworden zu sein, so ist das nicht die Schuld des Herrn v. Wolzogen.

Aber es erschien noch Stärkeres „zur Vorbereitung" der blöden Bayreuth=Pilger. Ein Herr Edmund v. Hagen schrieb einen ganzen Octavband „über die Dichtung der ersten Scene des Rheingold"! Auf welche Spitze der Arroganz und Besessenheit sich dieser, wahrscheinlich noch sehr junge Mann hinaufarbeitet, möge man aus folgenden Schlußzeilen seines Buches entnehmen: „Blick' auf, staubgeborenes Geschlecht, zur sonnigen Höh'! Dort in seliger Oede steht Plato, da steht Kant, da steht Schopenhauer. Seht, da stehen sie, die einsamen Genien der Menschheit, allgewaltig, riesengroß. Alle aber überragend der Genius Richard Wagner! Heil dir, Plato! Heil dir, Kant! Heil dir, Schopenhauer! Heil euch Genien allen! Dreimal Heil aber dir, Richard Wagner!" Und viermal Heil, setzen wir hinzu, dem, der das begreift!

Man muß diese, dem Bayreuther Fest vorausgeschickten Jubel = Brandbriefe kennen, um ganz das Verdienst jener Schriftsteller zu würdigen, welche trotzdem nach dem Festspiel unbefangen, ohne Gereiztheit das neue Werk beurtheilten. Es liegt eine Reihe solcher, aus Zeitungsberichten nachträglich zu= sammengestellter Broschüren über das Bayreuther Festspiel vor. Keiner von diesen Kritikern spricht anders, als mit der größten Achtung von Wagner, alle sind die Anhänger seiner früheren Opern, alle heben die großen Einzelschönheiten des „Nibelungen= rings" mit Wärme hervor, theilweise sogar mit Enthusiasmus — aber sie sind keine Götzendiener, opfern nicht Vernunft und

---

mit dem leichten, schlüpfenden F das Abgleiten am schlüpferigen Gestein. Woglinde ruft ihm gewissermaßen ein Prosit auf sein Prusten und Niesen mit dem passendsten Stabe Pr (Fr) zu." Und so geht es fort durch die ganze Oper.

Gefühl schlechtweg einem gefeierten Namen und verharren un-
geblendet vor großsprecherischen Phrasen.

Worin zu unserer besonderen Befriedigung alle diese Broschüren übereinstimmen, das ist der Protest gegen die Behauptung, es sei das Bayreuther Festspiel eine Angelegenheit der
ganzen Nation und das Publicum in diesem Wagner'schen
Privat-Theater das deutsche Volk gewesen. Paul Lindau
nennt das Bayreuther Unternehmen „die stärkste individuelle
Leistung, die zu denken ist", aber gerade dieser ihr eminent
persönlicher Charakter bildet den Gegensatz zum Nationalen.
Es ist eine blanke Unwahrheit, diese Luxusvorstellung für reiche
Bankiers, Aristokratinnen und Berichterstatter ein nationales Fest
und ihre kosmopolitische Gesellschaft das deutsche Volk zu nennen.
Allein ebenso einhellig wird von verschiedenen, in ihrer Anschauung
ganz unabhängigen Kritikern bestritten, daß Wagner mit seinen
„Nibelungen" dem deutschen Volke ein wahrhaft nationales
Kunstwerk gegeben habe. Hören wir zuerst Louis Ehlert,
den man nach seiner Kritik über „Tristan und Isolde" zu den
entschiedenen Anhängern Wagner's zählen mußte. Er nannte
damals diejenigen, die mit Wagner's neuestem Stil sich nicht
zu befreunden vermögen, geistige Marodeurs. Nun, Ehlert
selbst scheint uns von Bayreuth recht marode zurückgekommen.
So sehr er Einzelnes, wie den ersten Act der „Walküre",
bewundert, seine Bedenken gegen das Ganze überwiegen doch
gewaltig. Die dem „Nibelungenring" vindicirte nationale
Macht und Bedeutung nennt er eine Illusion. Der Nibelungen-
Mythus sei vorherrschend epischer Natur und „Wotan's, Siegfried's, Brunhildens Schicksale für uns von geringer Bedeutung".
Auch müßte Wagner erst für ein Geschlecht von Wälsungen sorgen,
das seine Wälsungen-Oper auszuhalten vermag. „Die menschliche
Constitution, ich nehme die Species der Wagnerianerin hier natürlich aus, hat nicht die Nervenkraft, einen $2^3/_4$ stündigen Act
(„Rheingold") von so aufregendem Inhalte zu ertragen."

Zwei Axiome der Wagnerianer gibt es, deren Haltlosigkeit unseres Erachtens noch immer nicht mit der gebührenden Ent-schiedenheit demaskirt worden ist: erstens, daß Wagner's Opern der Ausdruck oder Abdruck der Schopenhauer'schen Philo-sophie seien, und zweitens, daß wir Wagner als unglücklichen Märtyrer und Dulder zu beklagen haben.

Was Schopenhauer's Philosophie betrifft, so ist es für den Kunstkritiker ganz gleichgiltig, ob Wagner für seine Person Anhänger derselben sei oder nicht. Daß aber durch Musik keine philosophischen Lehren auszudrücken sind, daß die in der Oper handelnden Personen wirkliche Menschen von Fleisch und Blut, nicht abstracte Begriffe, wie „Wille", „Vorstellung", „Intellect" u. s. f., darstellen können, sollte doch jedem ABC-Schützen der Aesthetik klar sein. Weil aber Wagner in seinen Schriften (insbesondere in jener über Beethoven) Schopen-hauer'sche Philosophie treibt, so glauben seine Anhänger in jeder Person des „Nibelungenringes" Schopenhauer'sche Abstractionen herausdeuteln zu müssen. „Wotan", belehrt uns Herr v. Hagen, „ist als Personification des Schopenhauer'schen Grundprincipes aufzufassen; die aus der Tiefe aufsteigende Erda ist die Reprä-sentantin der „Vorstellung" u. s. w. Nach Nietzsche will Richard Wagner jetzt nur noch Eins: „In Tönen philo-sophiren; „Tristan und Isolde" ist das eigentliche Opus metaphysicum aller Kunst". Es freute uns, in der Broschüre von Ehrlich den Satz zu finden: es gebe „nichts Sonder-bareres" (der Ausdruck ist noch zu schwach), „als wenn Musiker ihre Kunstanschauungen aus Schopenhauer schöpfen". Nach Schopenhauer's Lehre ist das Ansich des Lebens der Wille, ein stetes Leiden, theils jämmerlich, theils schrecklich, die Ver-neinung des Willens daher die einzige Rettung vom Elend des Daseins. „Was hat diese Verneinung", fragt Ehrlich, „mit der Kunst zu thun, die doch die schönste Erhebung über die Misère des Lebens bietet?!"

In Wahrheit gehört es zu den unerträglichsten Affectationen der Wagnerianer, ihren Meister stets in Verbindung mit dem Philosophen des Pessimismus zu bringen. Der Entdecker oder Erfinder dieses Zusammenhangs war, wenn ich nicht irre, Herr Friedrich Nietzsche in Basel, welcher in seiner haarsträubenden Abhandlung „Die Geburt der Tragödie aus dem Geiste der Musik" die „wiedererwachte Tragödienmusik" Wagner's als eine Art musikgewordenen Schopenhauer feiert. An „dionysischer" Extase übertrifft er dabei alles bisher Erlebte. „Wer könnte sich einen Menschen denken", ruft Herr Nietzsche (Seite 121 der genannten Schrift), „der den dritten Act von „Tristan und Isolde" ohne alle Beihilfe von Wort und Bild rein als ungeheuern symphonischen Satz zu percipiren im Stande wäre, ohne unter einem krampfartigen Ausspannen aller Seelenflügel zu verathmen? Ein Mensch, der wie hier gleichsam das Ohr an die Herzkammer des Weltwillens gelegt habe, der das rasende Begehren zum Dasein von hier aus in alle Andern sich ergießen fühle, er sollte nicht jählings zerbrechen? Wenn dies Alles aber dennoch möglich sei, ohne Verneinung der Individual-Existenz, wenn eine solche Schöpfung geschaffen werden konnte, ohne ihren Schöpfer zu zerschmettern" — u. s. w. Man glaubt in einem Narrenhaus zu sein.

Schopenhauer selbst würde sich ohne Zweifel am entschiedensten gegen die Ehre verwahrt haben, der Urquell der Zukunftsmusik zu sein. Um das Willkürliche und Abgeschmackte dieser Anexion Schopenhauer's seitens der Wagnerianer zu erkennen, braucht man nur in Schopenhauer selbst nachzuschlagen. Da wird man finden, daß er vorzugsweise die reine Instrumentalmusik im Auge hat, wo er sich über das Metaphysische der Tonkunst ausspricht. Die „Große Oper" ist ihm „das Erzeugniß des etwas barbarischen Begriffes von Erhöhung des ästhetischen Genusses mittelst Anhäufung der Mittel, Gleichzeitigkeit ganz verschiedener Eindrücke und Verstärkung der Wirtung durch Vermehrung der wirkenden Masse". In den „schalen, nichtssagenden, melodielosen Compositionen des heutigen Tages" findet er „denselben Zeitgeschmack wieder, welcher die undeutsche, schwankende, nebelhafte, räthselhafte, ja sinnleere Schreibart sich gefallen läßt, deren Ursprung hauptsächlich in der miserablen Hegelei und ihrem Scharlatanismus zu suchen sei" *). Der rein musikalische Geist verlange es nicht, daß man der reinen Sprache der Töne Worte, sogar auch eine anschaulich vorgestellte Handlung zugeselle und unterlege **). So gewiß die Musik, weit entfernt, eine bloße Nachhilfe der Poesie zu sein, eine selbstständige Kunst, ja die mächtigste von allen sei, und daher ihre Zwecke ganz aus eigenen Mitteln erreiche, so gewiß bedürfe sie nicht der Worte, des Gesangs oder der Handlung einer Oper ***). Wenn die Musik zu sehr den Worten sich anschließen und nach den Begebenheiten zu modeln suche, so sei sie bemüht, eine Sprache zu reden, welche nicht die ihrige sei. Von diesem Fehler habe keiner sich so rein erhalten, wie Rossini, daher spreche seine Musik so deutlich und so rein ihre eigene Sprache †).

Man kann sich nach diesen Aussprüchen des für Rossini begeisterten Philosophen ungefähr denken, ob er in Wagner's Nibelungen sein, Schopenhauer's, Ideal vom Wesen der Musik wiedergefunden hätte. Allein ganz abgesehen von diesem persönlichen Verhältniß Schopenhauer's zur Musik und abgesehen von der Frage, in wie weit seine Philosophie mit jener Wagner's stimme, — man verschone uns nur endlich mit der angeblich tiefsinnigen Anwendung Schopenhauer'scher Kathegorien und Terminologien auf Musik, also auch auf Wagner's Musik. Ein

---

*) Parerga und Paralipomena. 2. Auflage. II. Seite 464.
**) Ebendaselbst. S. 465.
***) Die Welt als Wille und Vorstellung. 3. Auflage. II. Seite 510.
†) Ebendaselbst. I. Seite 309.

Musikstück, eine Scene aus einer Wagner'schen Oper wird nicht besser noch geringer, wenn man sie als „Wille" oder als „Vorstellung" definirt, oder nachweist, daß in diesem Takt die „Bejahung" in jenem die „Verneinung des Willens" steckt. Solche von falschem Geist und seichter Gelehrsamkeit producirte Spielereien scheinen mir gleichmäßig die Musik wie die Philosophie zu compromittiren.

Nächst der Verschopenhauerung Wagner's würden wir in den Schriften seiner Apostel auch mit besonderem Dank endlich die Klagen über das Märtyrerthum des Meisters vermissen. Sie machen der Wirklichkeit gegenüber einen unwiderstehlich komischen Eindruck. Gegen die Bezeichnungen „der große Dulder", „der deutsche Märtyrer", welche jetzt noch aus Anlaß des Bayreuther Festspiels — dieser größten Huldigung, die je ein Künstler erlebte — von Wagner's Partei beliebt werden, wendet sich Emil Naumann, indem er erinnert, daß weder Gluck noch Mozart oder Beethoven von ihrer Mitwelt solche Opfer und solche Ovationen dargebracht wurden, wie sie Wagner seit Jahren erlebt. „Man hat diesen Meistern keine besonderen Theater gebaut u. dgl. Die Partei verschone uns daher künftig mit dem Märtyrer-Antlitz des von seiner Mitwelt unverstandenen und gemißhandelten Künstlers."

Die Zukunft der Bayreuther Festspiele scheint unsern Gewährsmännern allen sehr fraglich. Wir citiren diesfalls wieder L. Ehlert, welcher für diese Zweifel den gemäßigsten Ausdruck findet. „Eine Vereinigung der außerordentlichsten Anstrengungen hat die Darstellung in Bayreuth ermöglicht. Ist es denn denkbar, daß sich ein derartiges Aufgebot aller Mittel wiederholen oder gar als jährliche Gewohnheit einbürgern wird? Eine Folge von vier Abenden solcher Musik widerstrebt außerdem der Natur des normalen Menschen."

Treffend ist Mohr's Vergleich der Musik Wagner's mit jener Mozart's, gegen welche sie sich verhält, wie gebranntes Wasser zu reinem und lauterm Wein. „Sie erhebt nicht, sondern entzündet das Blut, sie läutert nicht, sondern steigt zu Kopf, und ihr allzu häufiger Genuß stumpft gegen Edleres ab und macht die Geister zornig und rachsüchtig, wie echte Schnapstrinker."

Wie richtig namentlich die letztere Beobachtung ist, beweist eine Broschüre, betitelt: „Die Tragödie in Bayreuth und ihr Satyrspiel". Verfaßt ist sie wieder von unserem lieben jungen Wolzogen, der hier den „Satyrn", d. h. allen nicht unbedingt anbetenden Kritikern des Bayreuther Festspiels, gar erschrecklich den Text liest. Gleich anfangs bringt er ein „Axiom", das gleichsam die Quintessenz des ganzen Büchleins enthält und uns das Weitere zu lesen erspart. Dieser merkwürdige, mit fetten Lettern gedruckte Wahrspruch heißt: „Nur wer Wagner liebt, darf über ihn urtheilen." Der Beweis lautet: „Man darf nur beurtheilen, was man versteht; wer aber Wagner versteht, der muß ihn lieben: der Liebende also als der Verstehende ist auch allein der Urtheilsfähige." Bis zum Erscheinen dieses neuen Dogmas lagen wir in dem Wahn befangen, blinde Liebe sei das beste Recept für einen Bräutigam, nicht für einen Kritiker. Herr v. Wolzogen beweist uns das Gegentheil durch seine eigene fruchtbare Production; nur fehlt seiner Anleitung, in vierundzwanzig Stunden ein vollkommener Wagner-Kritiker zu werden, noch eine Kleinigkeit: Das erste Gebot „Du mußt Wagner lieben", ist in dieser Fassung offenbar nicht vollständig; es muß lauten: Du darfst keinen Andern lieben als Wagner allein!

Es mußte recht niederdrückend wirken im Lager der Wagnerianer, daß das auf alljährliche Wiederkehr berechnete Bayreuther Festspiel schon nach dem ersten Jahre sistirt wurde, was doch bei einiger Aussicht auf hinreichende Theilnahme sicherlich nicht geschehen wäre. Es sind mehr als drei Jahre verflossen, ohne daß eine Wiederholung des Festspiels in Bayreuth gewagt worden wäre. Eine große Agitation begann gleich nach dem

erſten Jahre, um mit den erdenklichſten Mitteln das erlöſchende
Intereſſe wieder anzufachen. Man traut ſeinen Augen nicht,
wenn man das Rundſchreiben lieſt, welches die Geburt eines
neuen „Allgemeinen Patronat-Vereins zur Pflege
und Erhaltung der Bühnenfeſtſpiele zu Bayreuth"
verkündigt. Dieſes Verſorgungshaus für invalide Nibelungen
ſchlägt zweierlei Mittel vor zu dem genannten Zwecke: Erſtens
finanzielle: jedes Mitglied hat jährlich einen Beitrag von zwanzig
Mark zu leiſten, wofür es „ein Loos erwirbt, welches ihm die
Anwartſchaft auf den Gewinn einer Einlaßkarte zu einer Serie
der Feſtſpiele eröffnet". Gewiß eine beglückende „Anwartſchaft" — wie aber, wenn das Feſtſpiel nicht ſtattfindet? Als
geiſtige Mittel ſollen zweitens „Wagner-Vereine mit lehr-
hafter Wirkſamkeit" organiſirt werden, welche, wie das
Rundſchreiben ſagt, „die Kenntnißnahme von Wagner's Schöpfungen und die Liebe zu denſelben zu verbreiten", ferner
„für die Feſtſpiele in Bayreuth wohlvorbereitete Hörer heran-
zubilden haben". Nach § 11 der Statuten hat dieſer neue
Allgemeine Patronat-Verein „allerorten auf Gründung und
Förderung localer Wagner-Vereine mit künſtleriſcher Lehrthätig-
keit hinzuwirken". Ich geſtehe, daß ich Wagner, dem es doch
an Selbſtgefühl nicht fehlt, mehr Künſtlerſtolz zugemuthet hätte.
Ein Mann von der Berühmtheit und den Erfolgen Wagner's
hätte wol ein gutes Recht, ja eine Pflicht, ſich dergleichen äſthe-
tiſche Bevormundung zu verbitten. Gibt es etwas den Künſtler
Compromittirenderes, als ſolche in Paragraphe gefaßte bureau-
kratiſche Maßregeln, um allenthalben die Liebe für ſeine Werke
einzuimpfen? Der hierzu vorgeſchriebene Impfſtoff beſteht in
„Vorleſung der Wagner'ſchen Dichtungen durch einen geübten
Leſer oder mit vertheilten Rollen", „Vorleſung und Beſprechung
der kunſtphiloſophiſchen Schriften Wagner's", „Vorträge über
Wagner", nach dem Muſter mehrerer im Leipziger Wagner-
Verein bereits abgehaltenen, „über den Charakter des Wotan

im Nibelungenring", „über den Charakter der Brunhilde bei
Wagner", „Wagner's Sprache in philologischer und laut-
symbolischer Beziehung", „Wagner's Verhältniß zur Schopenhauer'schen Philosophie", „Wagner als Dichter überhaupt" ꝛc.
Kurz, nichts als Wagner, Wagner, Wagner bis zum Kopf-
schmerz. Und das Alles statutenmäßig als alleiniger Zweck
eigens dafür gegründeter Vereine!

Nun fragen wir, fragen den gesunden Menschenverstand
ohne Unterschied der musikalischen Confession: Wie muß es mit
der gerühmten, Alles bezaubernden Schönheit und Allgewalt der
Wagner'schen „Nibelungen" bestellt sein, wenn durch solche armselige Maßregeln „die Liebe" dafür fabricirt werden muß?
Durch eigene Vereine sorgt man, daß die Hörer „liebend" und
„wohlvorbereitet" die „Nibelungen" hören. Es klingt gerade,
als wenn es sich um eine Confirmation handelte, nicht um eine
Opernvorstellung. Hier ist wirklich ein Rückblick auf die großen
Künstler aller Zeiten und aller Nationen erlaubt, und damit
die Frage: Wo und wann hat es je Musik eines wirklichen
Genius gegeben, Theatermusik obendrein, welche nöthig gehabt
hätte, durch ein Netz von Vereinen in dieser Art „verstanden"
und „geliebt" zu werden? Gluck's „Iphigenie", Mozart's „Don
Juan", Beethoven's „Fidelio" erstanden doch gewiß in ihrer
Zeit als etwas ganz Neues, Eigenartiges, Befremdendes und
Alles Ueberragendes — hätten trotzdem die Meister es nicht
für eine Schmach gehalten, diesen Werken durch andere als
durch eigene Kraft Erfolge zu verschaffen und mit ihren Namen
eigene Vereine zu patronisiren, von denen sie selbst wieder pa-
tronisirt sein wollten? Die Erfindung solcher „Patronat-Ver-
eine", welche, halb Lehramt, halb Gottesdienst, Einem einzigen
Künstler dienen, war erst unserer Zeit vorbehalten und leider
unserer Nation. Schwerlich würde in Frankreich, England,
Italien ein solches Spinnennetz von Vereinen sich ausbreiten
können, welche auf ästhetischen Terrorismus hinarbeiten und die,

je stärker sie anwachsen, doch nur desto lauter die innere
Schwäche ihrer Sache verrathen. Natürlich darf der vereins-
mäßig betriebene Wagner-Götzendienst nicht ganz ohne Reclame
für die Priester bleiben: es werden in unserem Manifeste die
vorzulesenden Vereinswerke — gleichsam symbolische Bücher, auf
die geschworen wird — namhaft gemacht: die Wagner-Bro-
schüren von Nohl, Porges, Hanns v. Wolzogen, Nitzsche u. dgl.

Aber dieser Rattenkönig von Wagner-Vereinen und Wag-
ner-Broschüren erschien noch immer nicht hinreichend, es mußte
noch ein ständiges und regelmäßiges literarisches Organ ausschließlich für Wagner-Interessen geschaffen werden. Dieses
Organ sind die monatlich erscheinenden „Bayreuther Blätter", welche „unter Mitwirkung von Richard Wagner" in Bayreuth redigirt werden. Wir bedauern es, daß
Richard Wagner sich dazu hergegeben hat, persönlich an der
Spitze eines Blattes zu sein, welches doch nichts anderes enthält als Wagner-Vergötterungsaufsätze und Schmähartikel gegen
alle Nicht-Wagnerianer. Die Isolirung in dem kleinen Bayreuth, das so unerwartet schnell aus triumphirendem Festlärm
in die kleinlaute Stille eines unbekannten Städtchens zurück-
gesunken ist, scheint in Wagner die Neigung zum Größenwahn
ungemein verstärkt zu haben. Es ist kein erfreulicher Anblick,
einen Mann von solcher Begabung und solchen Erfolgen grollend
auf Schloß Wahnfried sitzen und die Redaction einer zu seiner
ausschließlichen Verherrlichung gegründeten Zeitschrift überwachen
zu sehen. Aber für den künftigen Musikhistoriker werden diese
„Bayreuther Blätter" eine unschätzbare Quelle sein für Beurtheilung und Schilderung des Wagner-Cultus in Deutschland. Bemerkenswerth erscheint mir, daß jener voll und frisch
klingende Herzenston der Begeisterung, der die Jugend charakterisirt und wie ihn z. B. der ehrliche Wagner-Enthusiast
Peter Cornelius anschlug, hier fast gänzlich fehlt; die
„Bayreuther Blätter" charakterisirt vielmehr der hochmüthig alt-

kluge Ton des Besserwissens, der greisenhafte Dünkel der Un-
fehlbarkeit. Jede Nummer überbietet die vorhergehende; in
einer der gemäßigtesten wird zum Beispiele behauptet, daß Wagner's Nibelungen-Tetralogie „durch philosophische Tiefe
ihrer Ideen und durch vollendete Verkörperung
derselben dem Goethe'schen „Faust" ebenbürtig
zur Seite steht". Dem Panegyricus folgt der unvermeid-
liche Schmähartikel, betitelt: „Vom gebildeten Deutschen".
Darin wird unter Anderem Louis Ehlert verhöhnt und ge-
geißelt, obwol er zu drei Viertheilen Wagnerianer ist, eben weil
er es nicht ganz und nicht bedingungslos ist. Mit jedem Hefte
wird die Monotonie dieses Götzendienstes unerträglicher.

Eine leise Empfindung dieser Stoffarmuth mag auch die
Herausgeber in schwacher Stunde überkommen und so haben
sie denn neuestens, nachdem ja alle Componisten von Wagner
längst hingerichtet sind, — sich über die deutschen Schriftsteller gemacht, sie auf Wahnfried's Altar zu opfern. „Ueber
die Verrottung und Errettung der deutschen Sprache", heißt
ein im dritten Bayreuther Heft erschienener Aufsatz von Hanns
v. Wolzogen. Diese Arbeit ist von Richard Wagner
selbst inspirirt, protegirt und mit einem Vorwort eingeleitet.

Da wird unseren Schriftstellern ob ihres fehlerhaften,
schlechten Stils gehörig der Text gelesen. Unter den von Herrn
v. Wolzogen auf allerhöchsten Befehl gezüchtigten Schulknaben
finden sich folgende Namen: Paul Heyse, Karl Gutzkow, Ju-
lius Rodenberg, Paul Lindau, Otto Gumprecht, Ru-
dolph Gottschall, Ferdinand Kürnberger, Otto Ro-
quette, Fanny Lewald, Franz Dingelstedt und Andere.
Wenn einem Stilvirtuosen wie Paul Heyse oder Dingelstedt
einmal eine leichte Incorrectheit entschlüpft, so hat dies kaum
so viel zu bedeuten, wie das zufällige Danebengreifen eines
Concertspielers vom Range Liszt's oder Rubinstein's. Sie
sind und bleiben doch Meister auf ihrem Instrument, diese spie-
lenden wie jene schreibenden Virtuosen. Richard Wagner und

Wolzogen hingegen greifen als Stilisten nicht blos daneben — das würde man kaum bemerken — es fehlt ihnen geradezu jede Empfindung für Schönheit des Stils, für rhythmischen und melodischen Reiz der Sprache.

Zwischen Richard Wagner selbst und seinen Schildknappen wissen wir gar wol einen Unterschied zu machen. Was Wagner in seinem ungenießbaren Stil vorbringt, sind immer Ideen, sind seine Ideen. Die Bayreuther Jünger und Apostel hingegen copiren Wagner's Stil (obendrein in karrikirter Uebertreibung) ohne eigene Ideen zu haben. Die seltsame Thatsache ist oft genug bemerkt worden, daß gerade ein Musiker wie Richard Wagner, dem man das empfänglichste und geübteste Ohr für den Wohlklang zuschreiben sollte, einen so unerträglich schwülstigen, verworrenen, melodieverlassenen Stil schreibt. Beispiele brauchen wir nicht anzuführen, jeder unserer Leser ist damit wol reichlich versehen. Und dieser selbe Schriftsteller Wagner, das stilistische Abbild seines schwerfällig sich fortschiebenden, geifer= und feuerspeienden Lindwurms, errichtet nun in Bayreuth ein literarisches „peinliches Gericht" und setzt den jüngsten seiner Knappen, Hanns v. Wolzogen, den Erzeuger der längsten Perioden, förmlich zum obersten Richter ein in Sachen des deutschen Stils!

Wäre Richard Wagner ein guter Stilist und zugleich ein aufrichtiger Freund, er müßte zu Wolzogen sagen: „Mein lieber Hanns, machen Sie vorerst aus jedem Ihrer Sätze ungefähr fünf, und streichen dann davon zwei oder drei; auch von je sechs Beiwörtern können Sie getrost drei herauswerfen. Haben Sie auf diese Weise das ärgste Gestrüpp Ihres Stiles gelichtet, so werden Sie wenigstens sehen, was da noch Alles fehlt." Leider hat Wagner nicht also gesprochen, und wir fürchten, es werde die deutsche Nation, bis er ihr nicht bessere Stilmuster schickt, die alten „Verotter" noch den neuen „Erettern" vorziehen.

III.

Ein Brief von Richard Wagner.

———

„Und standen Sie mit Richard Wagner niemals in persönlichem Verkehr?" fragte mich der Verfasser der „Nüchternen Briefe", Paul Lindau, als wir nach dem zweiten Nibelungenabend in einem entlegenen Wirthshausgärtchen zu Bayreuth über das Erlebte plauderten.

Meine Bekanntschaft mit Wagner ist von altem Datum, erwiderte ich, aber von sehr kurzer Dauer. Als Student hatte ich in Prag den Clavierauszug vom „Fliegenden Holländer" mit leidenschaftlichem Interesse durchgespielt und gleichzeitig die Berichte der „Augsburger Allgemeinen Zeitung" über die erste Aufführung des „Tannhäuser" verschlungen. Da nahte die goldene Ferienzeit, und „nach Dresden!" rief es in mir mit tausend Stimmen. Zunächst wollte ich den von mir schwärmerisch verehrten Robert Schumann von Angesicht sehen, — eine freundliche Einladung von ihm dünkte mir ein königlicher Geleitsbrief —, sodann winkte mir die Hoffnung, in Dresden eine Aufführung des „Tannhäuser" zu erleben. Es war im Sommer 1846. Schumann, den ich um Wagner befragte, antwortete, daß er selten mit ihm zusammenkomme; Wagner sei zwar ein sehr unterrichteter und geistreicher Mann, rede aber unaufhörlich und das könne man doch auf die Länge nicht aushalten. Wagner seinerseits äußerte gegen mich: „Schumann ist ein hochbegabter Musiker, aber ein unmöglicher Mensch. Als ich von Paris hierher kam, besuchte ich Schumann, erzählte ihm von meinen Pariser Erlebnissen, sprach von den französischen Musikverhältnissen, dann von den deutschen, sprach von Literatur und Politik, — er aber blieb so gut wie stumm fast eine Stunde lang. Ja, man kann doch nicht immer allein reden! Ein unmöglicher Mensch!" Diese Aeußerungen, die fast wie Klage und Einrede klingen, charakterisiren schlagend die grundverschiedene Natur der beiden Meister und erklären — da die Beschwerde des Einen ebenso begründet war, wie die des Andern —, daß sich ein näheres Verhältniß zwischen Wagner und Schumann niemals zu gestalten vermochte.

Zu meiner großen Freude war für den Abend im Dresdener Hoftheater „Tannhäuser" angesagt. Vom Morgen bis zur Theaterstunde saß ich auf der Brühl'schen Terrasse und studirte, oder verschlang vielmehr, die Tannhäuserpartitur, die mir Schumann für den Tag geliehen hatte. Welch unvergeßlicher Abend! Robert und Clara Schumann saßen neben mir im Parquet, Richard Wagner dirigirte, Tichatscheck, Mitterwurzer, Johanna Wagner sangen die Hauptrollen. Die Oper und ihre treffliche Aufführung machten auf mich einen berauschenden Eindruck, den einige Längen und Schroffheiten nur vorübergehend abkühlten. Wie gerne hätte ich aus Schumann's Nachbarschaft Vortheil gezogen und seine Ansicht über den „Tannhäuser" gehört. Seine gewöhnliche Schweigsamkeit schien aber diesmal noch gesteigert durch eine gewisse diplomatische Vorsicht. „Die Oper ist voll schöner effectvoller Sachen, aber sehr ungleich. Ja, wenn Wagner so viel melodische Erfindung hätte als dramatisches Feuer". — Das war Alles. Schumann, welcher diese Andeutungen später in einem Privatbriefe näher ausführte, fand also schon im „Tannhäuser" ein Deficit von melodiöser Erfindung. Was würde er vom „Ring der Nibelungen" gesagt haben?

Im Herbst desselben Jahres war ich zur Vollendung meiner Universitätsstudien nach Wien gezogen und empfand es als eine wahre Schmach, daß Schumann und Wagner daselbst nur dem Namen nach gekannt waren. Ich wollte mein Scherflein dazu beitragen, diese beiden Tondichter in Wien rascher bekannt zu machen. Es glückte mir, die einzige damals in Wien existirende Partitur des „Tannhäuser" (Liszt's Eigenthum) für einige Tage zur Durchsicht zu erhalten; ich vertiefte mich darin und legte meine Ansicht in einer langen, mit Notenbeispielen reich gespickten Kritik nieder. Dieser Aufsatz, mit der ganzen Unreife eines vorlauten jungen Davidbündlers geschrieben, sollte, meiner Absicht nach, den „Tannhäuser" einziehen helfen in die Hallen des Hofoperntheaters. Unser vormärzliches Wien hatte aber bekanntlich mit solchen Dingen keine Eile, „es konnte warten" und wartete wirklich volle 13 Jahre mit dem inzwischen in ganz Deutschland populär gewordenen „Tannhäuser" *). Ich hatte mich somit kläglich verrechnet, freue mich aber heute noch darüber, der Erste in Oesterreich gewesen zu sein, der für eine Aufführung des „Tannhäuser" plaidirt und dieses Plaidoyer unermüdlich fortgesetzt hat. Es verstand sich von selbst, daß die Nummern der Musik-Zeitung, in welchen ich mir mit der Analyse des „Tannhäuser" so viel Mühe gegeben, Richard Wagner zugeschickt werden mußten.

„Und hat Wagner geantwortet?" fragte der Verfasser der „Nüchternen Briefe".

---

*) Wagner's „Tannhäuser" wurde im Herbst 1859 im Wiener Hofoperntheater zum ersten Male (mit Grimminger in der Titelrolle) gegeben. Eine Vorstadtbühne hatte mit unzulänglichen Kräften den Versuch schon 1857 gewagt.

Ja, er hat geantwortet. Wagner stand dazumal noch
nicht auf der Höhe seines Ruhmes; er war bei allem Selbst-
gefühl doch ein Mensch, noch kein Gott, wie seit der Bayreuther
Himmelfahrt, er dankte noch den Leuten, die ihn grüßten, und
antwortete zuweilen denen, die an ihn schrieben. Er erwies
mir, dem unbekannten jungen Menschen, sogar die Ehre eines
langen, ausführlichen Antwortschreibens, das meines Erachtens
zu dem Merkwürdigsten und Besten gehört, was aus seiner
Feder geflossen ist. Wagner gibt darin Aufschlüsse über sein
persönliches Verhalten zur Kunst, wie über seine künstlerische
Methode. An Klarheit und Unbefangenheit scheint mir diese
briefliche Darstellung das Meiste zu übertreffen, was der Autor
später über denselben Gegenstand nur allzuredselig drucken ließ.

Schon der Anblick der feinen geistreichen Handschrift machte
auf mich einen ganz eigen angenehmen, bestechenden Eindruck.
Wie graziös, scharf und gleichmäßig reihen die kleinen Buch-
staben sich aneinander an, kein Wort corrigirt, kein Komma
ausgestrichen! Nur ein so zierlicher und überlegter Schreiber
konnte es wagen, seine Opernpartituren autographiren, anstatt
stechen zu lassen; er wußte, daß er an dem Geschriebenen nichts
zu ändern, der Leser daran nichts zu rathen habe. Dieses
Wagstück hätte Beethoven mit seiner cyklopischen Handschrift und
seinen wilden Correcturen ihm nicht nachgemacht. Wagner's
Brief bedarf keiner erklärenden Randbemerkungen; die einzelnen
musikalischen Punkte, an welche Wagner seine Ausführungen
knüpft, sind leicht zu errathen. Es sind die Stellen im „Tannhäuser", die selbst meine so warme Beurtheilung als Schwächen
und Mängel des Werkes erkennen mußte, so z. B. die Unter-
jochung des musikalischen Elementes unter das declamatorische,
insbesondere in der ermüdenden Scene des Sängerkrieges; der
Mißbrauch mit verminderten Septimaccorden, die in manchen
Scenen oft allein die Kosten des leidenschaftlichen Ausdrucks
tragen u. dgl. Was den gereizten Ausfall gegen Meyerbeer

am Schluß von Wagner's Brief betrifft, so war er dadurch hervorgerufen, daß ich den „Tannhäuser" für das „bedeutendste Erzeugniß der Großen Oper seit den Hugenotten" zu er= klären wagte, ein Ausspruch, der mir heute noch kein übles Compliment zu sein scheint. Wagner's Brief ist aus Dresden am 1. Januar 1847 datirt und lautet wörtlich, wie folgt:

„Nehmen Sie, bester Herr Hanslick, meinen aufrichtigsten Dank für Ihre Zusendung, die heute früh am Neujahrstag bei mir eintraf. Die mir so höchst günstige Intention Ihrer so um= fangreichen Besprechung meines „Tannhäuser" ist mir besonders aus der Rücksicht erfreulich, daß sie mich über den Eindruck nicht zweifeln läßt, den meine Arbeit auf Sie machte. Wollen Sie die Wirkung erfahren, die ich bei Durchlesung Ihres Auf= satzes empfing, so muß ich der Wahrheit zulieb gestehen, daß diese eine beängstigende war. Mag ich Lob oder Tadel über mich lesen, mir ist es immer, als ob Einer in meine Eingeweide griffe, um sie zu untersuchen; ich kann mich in diesem Punkte einer jungfräulichen Scham noch nicht erwehren, in der ich meinen Leib für meine Seele halte: eine Aufführung meiner Oper vor dem Publicum ist für mich stets ein Kampf so grenzenloser in= nerer Aufregung, daß ich öfter schon zu Zeiten, wo ich mich diesem Kampfe nicht gehörig gewachsen fühlte, Aufführungen, wenn sie bestimmt waren, zu verhindern suchte.

„Vollkommen bin ich überzeugt, daß Tadel dem Künstler selbst weit nützlicher ist als Lob: wer vor dem Tadel zu Grunde geht, war dieses Unterganges werth, — nur wen er fördert, der hat die wahre innere Kraft; daß Lob wie Tadel aber den Künstler, dem die Natur selbst den heftigsten Sporn der Leiden= schaft gab, auch am peinlichsten berührt, muß erklärlich gefunden werden.

„Jemehr ich mit immer bestimmterem künstlerischen Bewußt= sein producire, jemehr verlangt es mich, einen g a n z e n Menschen zu machen; ich will Knochen, Blut und Fleisch geben, ich will den

Menschen gehen, frei und wahrhaftig sich bewegen lassen, — und nun wundre ich mich oft, wenn sich Viele nur noch an das Fleisch halten, die Weiche oder Härte desselben untersuchen. Lassen Sie mich deutlicher reden; nichts hat mich — um von einem einzelnen Gliede zu sprechen — mehr befriedigt, als die Wirkung, die in den meisten Vorstellungen des „Tannhäuser" (ob grade auch in der Vorstellung, der Sie beiwohnten, entsinne ich mich nicht genau) die ganze Scene des Sängerkriegs auf das Publicum hervorbrachte: ich habe erlebt, daß jeder der einzelnen Gesänge darin mit lebhaftem Beifall aufgenommen wurde, daß dieser sich bei den letzten Gesängen und dem schließlichen Ausbruche des Entsetzens der Versammelten auf das ungewöhnlichste steigerte; — ich sage, mich befriedigte diese Wahrnehmung in hohem Grade, weil mich diese Wahrnehmung größter Naivetät des Publicums darin bestätigte, daß jede edle Absicht erreicht werden kann. Die Wenigsten konnten sich klar sein, wem sie diesen Eindruck verdankten, dem Musiker oder dem Dichter, und mir kann es nur daran liegen, diese Bestimmung unentschieden zu lassen.

„Ich kann nicht den besonderen Ehrgeiz haben, durch meine Musik meine Dichtung in den Schatten zu stellen, wohl aber würde ich mich zerstücken und eine Lüge zu Tage bringen, wenn ich durch meine Dichtung der Musik Gewalt anthun wollte. Ich kann keinen dichterischen Stoff ergreifen, der sich nicht durch die Musik erst bedingt: mein Sängerkrieg, wenn das dichterische Element darin vorwaltet, war meiner höhern Absicht nach aber auch ohne Musik nicht möglich.

„Ein Kunstwerk existirt aber auch nur dadurch, daß es zur Erscheinung kommt: dies Moment ist für das Drama die Aufführung auf der Bühne, — so weit es irgend in meinen Kräften steht, will ich auch diese beherrschen, und ich stelle meine Wirksamkeit zu diesem Zweck den übrigen Theilen meiner Productivität fast vollständig zur Seite. In diesem Sinn kann

mein Gelingen sich nur in dem unmittelbaren Erfolg der Auf=
führung, sobald das Fremdartige und Ungewohnte derselben
von der größeren Masse überwunden ist, aussprechen und es
beruhigt mich, bei edlem Zweck das Gelingen nur durch edle
Mittel erreichbar zu wissen. Wo ich das Gelingen nicht er=
reicht sehen konnte, erkannte ich stets einen Fehler, nicht jedoch
in dem einzelnen Mittel, sondern im wesentlichen Ganzen.

„Eines noch ist wohl zu erwägen: da, wo die Musik mit=
wirkt, drängt sich dieses mächtig sinnliche Element so lebhaft in
den Vordergrund, daß die Bedingungen ihrer Wirksamkeit als
einzig maßgebend erscheinen müssen. Ob nun aber die Musik
durch ihr eigenstes Element im Stande ist, überall dem zu
entsprechen, was eine Dichtung — so musikalisch sie auch immer
sei — darbietet, wage ich noch nicht zu entscheiden.

„Glucks Dichtungen machten keineswegs einen erschöpfenden
äußersten Anspruch an die Leidenschaftlichkeit der Musik, sie be=
wegen sich mehr oder weniger in einem gewissen gefesselten Pa=
thos — dem der Racine'schen Tragödie — und da, wo dieser
vollkommen zu überschreiten war, bleibt Glucks Musik uns un=
verkennbar viel schuldig. Die Dichtungen der Mozart'schen
Opern rührten noch weniger an diesen äußersten Grundfesten der
menschlichen Natur; die „Donna Anna" ist ein einzelner Mo=
ment, der das Gebiet bei weitem noch nicht erschöpft. Dem,
was sich Spontini im zweiten Acte der „Vestalin" (Scene
der Julia) und Weber in Einzelnem der „Euryanthe" (z. B.
der Moment nach dem Verrath ihres Geheimnisses an Eglan=
tine ꝛc.) bot, konnten beide nur mit jener so getadelten „ver=
minderten Septimen=Accord=Musik" entsprechen, und ich meines=
theils muß wenigstens an dem, was unsere Vorgänger geleistet,
hier eine Grenze der Musik erkennen.

„Daß wir bei solchen Vorgängen das Höchste und Wahrste
der Oper — nicht für ihren rein musikalischen Theil, sondern
als dramatisches Kunstwerk im Ganzen — bei weitem noch

nicht erreicht haben, muß unbezweifelt bleiben, und in diesem
Sinne und von dem Standpunkt meiner von mir selbst weit
eher bezweifelten als überschätzten Kräfte aus, gelten mir meine
jetzigen und nächsten Arbeiten nur als Versuche, ob die Oper
möglich sei?

„Schlagen Sie die Kraft der Reflexion nicht zu gering
an; das bewußtlos producirte Kunstwerk gehört Perioden an,
die von der unseren fernabliegen: das Kunstwerk der höchsten
Bildungs = Periode kann nicht anders als im Bewußtsein producirt werden. Die christliche Dichtung des Mittelalters z. B.
war diese unmittelbare, bewußtlose: das vollgültige Kunstwerk
wurde aber damals nicht geschaffen, — das war Goethe in
unserer Zeit der Objectivität vorbehalten. Daß nur die reichste
menschliche Natur die wunderbare Vereinigung dieser Kraft des
reflectirenden Geistes mit der Fülle der unmittelbaren Schöpfer-
kraft vereinigen kann, darin ist die Seltenheit der höchsten Erscheinungen bedingt, und wenn wir mit Recht bezweifeln müssen,
daß für das von uns besprochene Kunstgebiet eine solche Be-
gabtheit so bald sich zeigen werde, so ist doch die mehr oder
weniger glückliche Mischung beider Geistesfähigkeiten schon jetzt
in jedem der Kunst wirklich förderlich sein sollenden Künstler als
auffindbar vorauszusetzen, — und die Getrenntheit dieser Gaben
als zum höhern Zweck, genau genommen, unwirksam anzusehen.

„Was mich um eine Welt von Ihnen trennt, ist Ihre
Hochschätzung Meyerbeers. Ich sage das mit vollster Unbefangenheit, denn ich bin ihm persönlich befreundet, und habe allen
Grund, ihn als theilnehmenden, liebenswürdigen Menschen zu
schätzen. Aber wenn ich Alles zusammenfasse, was mir als innere Zerfahrenheit und äußere Mühseligkeit im Opern=Musik-
machen zuwider ist, so häufe ich das in dem Begriff „Meyerbeer" zusammen, und dies umsomehr, weil ich in der Meyerbeer'schen Musik ein großes Geschick für äußerliche Wirksamkeit
erkenne, die umsomehr die edle Reise der Kunst zurückhält, als

ste mit aller Verleugnung der Innerlichkeit in jeder Farbe zu
befriedigen sucht. Wer sich in das Triviale verirrt, der hat es
an seiner edleren Natur zu büßen; wer es aber absichtlich
aufsucht, der ist — glücklich, denn er hat es an nichts zu
büßen. —

„Sie sehen, wie geschwätzig Sie mich gemacht haben!
Lassen Sie mich dabei aber schließlich nicht die Hauptsache vergessen, damit ich Ihnen nochmals meinen Dank ausspreche.
Leben Sie wohl und lassen Sie bald wieder etwas von sich
hören.   Der Ihrige   Richard Wagner."

Dieser gütigen Aufforderung folgte ich nicht, und habe auch
niemals wieder ein Lebenszeichen von Richard Wagner erhalten.
Da es den Meister so sehr verstimmt hatte, in einer überaus
lobenden Beurtheilung seines „Tannhäuser" auch einem Lob der
„Hugenotten" zu begegnen, so mußten ihm meine Aufsätze über
seine ersten theoretischen Schriften und späteren Opern noch
weit unwillkommener sein.   Seit 20 Jahren bin ich mit Wagner
nicht in Berührung gekommen.   Um so lieber übergebe ich der
Oeffentlichkeit jenen Brief aus jungen Tagen, in welchem sich
die schönste Seite von Wagners Thätigkeit so offen darlegt: der
sittliche Ernst und die unbeugsame Energie, mit welcher er seinen,
einmal für richtig erkannten Weg verfolgt.   Es ist mir angenehm mit jenem Document Zeugniß ablegen zu können für
den Geist und die Ueberzeugungstreue eines Mannes, dessen
neuesten übermenschlichen Nimbus ich gleichwol nach bestem
Wissen und Gewissen bekämpfen muß.

IV.

Richard Wagner's „Nibelungen-Ring" im Wiener Hofoperntheater.

Im Wiener Hofoperntheater wurde die „Walküre" schon im März 1877 gegeben, dann „Rheingold" im Jänner 1878, „Siegfried" im November 1878, endlich im Februar 1879 die „Götterdämmerung". Unsere viel ange-fochtene Vorhersage ist somit schnell in Erfüllung gegangen: der Prophet kommt zum Berge, und Bayreuth, nachdem es Europa bei sich zu Gaste gesehen, begibt sich nun auf die Wanderschaft nach Europa. Die Behauptung, auf welche man das kostspielige Wagner-Theater baute, es sei nur dort der „Ring des Nibelungen" darstellbar, ist durch die Wiener Auf-führungen schlagend widerlegt.

Nicht Alles, was von Bayreuth aus glänzte, war gedie-genes Gold. Wie Wagner's Musik selbst, so kranken auch seine genial ersonnenen Bühnen-Reformen an dem Fehler des Uebermaßes und der Uebertreibung. Ideen, an sich geistvoll und stichhaltig, mußten dort ihre eigensinnig überspannte Aus-führung an ihrer Wirkung büßen. Daß man dieselben in Wien wieder auf richtige Grenzen zurückführte, gedieh der Auf-führung nicht zum Schaden, sondern zum Vortheil. Vergegenwärtigen wir uns diese Factoren. Zuerst das Orchester. Wagner hatte in Bayreuth das absolut unsichtbare Orchester eingeführt; in kellerartige Tiefe versenkt, war es obendrein durch ein Blechdach gedeckt. Der also gemaßregelte Ton machte nun allerdings einen poetisch mysteriösen Eindruck, aber einen musikalisch abgeschwächten. Um den Glanz des Orchesters war es geschehen, auf dem Jauchzen der Geigen, dem Schmettern der Hörner lag es wie ein schwarzes Tuch. In Wien war die seit Kurzem hier eingeführte wohlthätige Vertiefung des Orchesters (nach Münchener Muster) unverändert beibehalten, wodurch der Klang kräftiger und glänzender als in Bayreuth hervordrang. Kräftiger und glänzender trotz der numerisch schwächeren Besetzung; denn in Bayreuth verursachte eben die künstliche Dämpfung, daß man nur die halbe Anzahl von Instrumenten zu hören glaubte*).

Eine andere sinnreich gedachte, jedoch in ihrer drakonischen Ausführung peinliche Reform Wagner's war die Verfinsterung des Zuschauer=Raumes, in welchem man seinen Nachbar nicht sah, während die Bühne im grellen Licht und wechselndem Farbenspuck schmerzlich blendend aufleuchtete. Im Hofoperntheater war Beides gemildert, die Beleuchtung oben und die Entleuchtung unten, man befand sich weit besser dabei. Gehen wir weiter, zur Dauer der Vorstellung. In Bayreuth begann man um 4 Uhr, in Wien glücklicherweise erst um Sechs. Und trotzdem währten die ersten Vorstellungen der „Walküre" hier

---

*) In Bayreuth spielten 16 erste und 16 zweite Violinen, 12 Bratschen, 12 Violoncelle, 6 Harfen. In Wien nur 14 erste und 14 zweite Violinen, 10 Bratschen, 8 Violoncelle, 2 Harfen. Die Harmonie war hier wie dort gleich besetzt. Trefflich bewährte sich bei der Wiener Aufführung die von Hans Richter versuchte neue Anordnung des Orchesters, welche alle Geigen zu Einer compacten Masse zusammenrückt, auf der linken Seite des Orchesters, während die rechte den Bläsern und Schlag=Instrumenten eingeräumt ist.

bis gegen halb Elf! Auf allen Mienen war die vollständigste Erschöpfung ausgeprägt, rechts und links hörten wir von Musikfreunden, die nach dem ersten Acte entzückt applaudirt hatten, die Aeußerung, das sei kein Genuß mehr, sondern eine Qual.

Indem wir die Wiener Aufführung mit der Bayreuther vergleichen, übersehen wir keineswegs, daß durch die Bauart des Wagner-Theaters (keine Logen, kein Kronleuchter, größere Höhe und Entfernung der Bühne ꝛc.) eine vollkommenere, für alle Zuschauer gleichmäßige scenische Illusion erreicht wurde; selbst durch Nebendinge, wie die Verbannung des Souffleur-kastens. Trotzdem vertheidigen wir die Beibehaltung dieser bescheidenen Gedächtnißhilfe, da wir noch menschlich mit Menschen empfinden. Wir möchten den Sängern, welche in den „Nibelungen" Hunderte von widerhaarigsten Versen zu lernen haben, ebensowenig den Souffleur entziehen, als unsere trefflichen Musiker zu der unterirdischen Sklavenpresse von Bayreuth verurtheilen. Dergleichen an den gekrönten Tondichter Nero erinnernde Maßregeln wollen wir Bayreuth nicht nachmachen und sollten wir auch darüber ein kleines Stückchen Illusion einbüßen. So weit wird es ohnehin aller ästhetische Despotismus niemals bringen, daß das Opern-Publicum total vergesse, in einem Theater zu sein; das ist auch gar nicht nothwendig. Daß man aber mit ausreichendem Wissen und Können auch auf den von Wagner so leidenschaftlich geschmähten und verdammten Opernbühnen die „Nibelungen" aufführen und sehr gut aufführen kann, das hat Wien bewiesen.

Dem „Rheingold" kam in Wien offenbar die Unregelmäßigkeit zu statten, daß — dem Zusammenhang der Dichtung entgegen — die „Walküre" früher aufgeführt und das Publicum dadurch an die Wunderlichkeiten des Wagner'schen Nibelungenstils gewöhnt worden war. Bedeutungsvoll als bloßes Vorspiel zu der eigentlichen Nibelungen-Trilogie („Die Wal-

küre", „Siegfried" und „Götterdämmerung"), ist „Das Rheingold" doch an und für sich von allen vier Stücken das un-
erquicklichste. Einen einzigen Vorzug, und keinen unwesentlichen, hat „Rheingold" vor der „Walküre" voraus: es ist
bedeutend kürzer. Der Hörer verläßt das Theater nicht in
jener äußersten Erschöpfung, welche ihm nach der „Walküre"
selbst die Erinnerung an ihre schönen Einzelheiten vergällt.
In Bayreuth, noch mehr in München, wo man auf den
Bühnenfestspielstil noch nicht gefaßt und obendrein ungenirter
in seiner Empfindung war, befand sich das Auditorium
allerdings auch nach „Rheingold" in einer tödtlichen Nerven-
abspannung. In Wien gestaltete sich dieses Ungemach weit
mäßiger, weil man endlich den Muth gehabt, sich an eine eigen-
sinnige Vorschrift des Componisten nicht zu halten. Wagner
läßt nämlich das ganze „Rheingold" in Einem Zug, ohne
Zwischenact, aufführen und gestattet nicht einmal einen kurzen
Ruhepunkt, wie nach den einzelnen Sätzen einer Sinfonie, oder
eine Generalpause während des Scenenwechsels. In München
und Bayreuth spielte die ganze Oper buchstäblich von Anfang
bis zu Ende, also über dritthalb Stunden lang, ohne Pause
fort. Nun kann man wol eine Oper, aber nimmermehr einen
Act von dieser Länge aushalten. In Wien fällt man nach der
ersten Walhallascene dem bei Wagner rastlos fortgaloppirenden
Orchester mit einem Schlußaccord in die Zügel und gönnt uns
einen Zwischenact von zehn Minuten. Man wird sich mit
der Zeit gewiß noch weiter emancipiren, namentlich von seinem
Verbot, irgend einen Tact zu streichen. Ein Theater ist kein
Sclavenschiff, und Musiker wie Zuhörer sind doch auch Menschen
sozusagen.

Weitaus den vortheilhaftesten Eindruck machte hier wie
überall die erste Scene der Rheintöchter, dieses blendende In-
und Durcheinander poetischer, malerischer und musikalischer
Reize. Im Uebrigen hörte man in Wien, gerade so wie in

München, Bayreuth u. s. w. weit mehr von den Ausstattungs-
wundern reden, als von der Musik. Ein Gewinn für die Bühnen-
technik entspringt sicherlich aus den neuen und großen Aufgaben,
die Wagner ihr stellt; seiner weit ausgreifenden Phantasie verdankt die scenische Kunst bereits namhafte Fortschritte. Zu beklagen ist nur, daß all dies Schaugepränge für die ernste Oper
verwerthet wird, anstatt für's Ballet, wohin es gehört. In
der Oper zieht es ab von der Musik und dem dramatischen
Gehalt; ein Reichthum, dem man es ansieht, daß er Armuth
zu verhüllen hat. Es gibt keine zweite Oper, deren Erfolg, ja
deren Existenz so abhängig wäre vom Ausstattungswesen, wie
„Rheingold". In diesen scenischen Wundern und Ueberraschungen
hat Wagner einen Nibelungenring erobert, welcher das ganze
Geschlecht der Oper in's Verderben reißen wird.

Im Wiener Hofoperntheater gelang die Aufführung musikalisch vortrefflich; Decorationen und Maschinen erzielten, so
weit sie erreichbar ist, die gewünschte Wirkung. Für nicht erreichbar halte ich die täuschende Herstellung des Regenbogens
am Schlusse der Oper; er war lächerlich in München, in Bayreuth und — in Wien. Baut man den Regenbogen so massiv
und stellt ihn so niedrig, daß wirklich ein Halbdutzend lebendige
Götter und Göttinnen über denselben promeniren können, dann
wird es nimmermehr einem Regenbogen gleichen, sondern einer
angestrichenen Parkbrücke, wo nicht einer siebenfarbigen Leber-
wurst. Gleicht er aber einem richtigen Regenbogen, dann können
unmöglich, dicht vor unseren Augen, Menschen darüber gehen.
Wäre es nicht der beste Ausweg, diesen bösen Regenbogen nach
Art der Dissolving-views oder der wilden Jagd im „Freischütz"
als ein Spectrum auf den Horizont zu projiciren?

„Rheingold" wurde bei der ersten Aufführung im Hofoperntheater mit jubelndem Beifall aufgenommen, spielte aber
schon am folgenden Abend vor halbleeren Bänken.

Ungleich größer und nachhaltiger war, wie vorauszusehen,

der Erfolg der „Walküre", welche man, wie bereits erwähnt, dem „Rheingold" gleichsam ad captandam benevolentiam vorausgeschickt hatte. In der That bedarf „Die Walküre" weder des vorausgehenden „Rheingold", noch des nachfolgenden „Siegfried"; sie ist für sich vollkommen verständlich, soweit diese unserer heutigen Cultur völlig entrückten Wagner'schen Göttergeschichten überhaupt einem modernen Publicum verständlich sind. Vom Rheingold und dem Fluch des Ringes — dem angeblichen Hauptmotiv der ganzen Trilogie — ist in der „Walküre" keine Rede mehr, und was mit dem noch ungeborenen Sohn Siegmund's und Sieglinden's (Siegfried) zwanzig Jahre später geschehen werde, das hat mit der in der „Walküre" abgeschlossenen Geschichte des geschwisterlichen Ehepaares nichts zu schaffen.

Jener Dämon der Maßlosigkeit, welcher Wagner gegen sein eigen Fleisch wüthen heißt, bis sich an seinen größten Intentionen Faust's Ausspruch: „Vernunft wird Unsinn, Wohlthat Plage", erwahrt: dieser Dämon zeigt sich am geschäftigsten in der großen Ausdehnung der Wagner'schen Musikstücke. Im zweiten Acte der „Walküre" führt Wotan nacheinander zwei lange Dialoge, zuerst mit Fricka, dann mit Brunhilde, welche mit ihrer prosaischen Ausführlichkeit und unsäglich langweiligen Musik die Geduld des Hörers auf eine starke Probe setzen. Die entsetzliche Redseligkeit dieses geistesschwachen Pantoffelhelden, eines „Gottes", für den Nestroy zu früh gestorben ist, dies seitenlange Breittreten von Dingen, die mit wenigen Worten leicht zu erledigen waren, stimmte in Bayreuth selbst Anhänger der „heiligen Sache" bedenklich. Dort durfte natürlich kein Wörtchen gestrichen werden, in Wien that man es, und zwar zum entschiedensten Vortheil des Werkes. Die Erzählung Wotan's trafen zwei Striche, die zusammen fünfzehn Seiten des Clavierauszuges ausmachen (p. 107 bis 119 und 247 bis 248), eine tüchtige Amputation, und dennoch ist die

Scene noch immer zu lang für ihr geringes dramatisches Interesse.

. Die sorgfältige, in den Rollen der Sieglinde (Frau Ehnn) und Brunhilde (Frau Materna) ganz eminente Besetzung trug zu dem großen Erfolg der Walküre in Wien ebensoviel bei, als die virtuose Leistung des von Hanns Richter dirigirten Orchesters und die treffliche Scenirung. Der so wichtige Vorgang des Zweikampfs im zweiten Act, in dem Bayreuther Arrangement ganz unverständlich, wirkte in Wien ebenso deutlich, als effectvoll. Die auf schnellen Rossen über die Bühne sprengenden Walküren bieten ein wildmalerisches Bild, während die Bayreuther Schlachtjungfrauen, unberitten, nur von ihren Pferden prahlten. Sogar das Widdergespann der „hehren“ Fricka, in Bayreuth ein Gegenstand ironischer Heiterkeit, zieht hier in schönstem Trab die göttliche Geheimräthin.

„Siegfried“ vermochte in Wien nicht den Eindruck zu machen und zu behaupten, den man nach den Bayreuther Erfahrungen prophezeit hatte. Das Stück erreichte in Wien nicht entfernt die Wirkung der „Walküre“ und spielte bald vor einem sehr zusammengeschmolzenen Publicum. Und doch konnte die Aufführung musikalisch wie scenisch musterhaft heißen. Für die Rolle des Siegfried und nur für diese war auf Wagner's Geheiß sogar eigens der Tenorist Jäger berufen worden. Durch seine hohe, kräftige Gestalt wie geschaffen für diese Rolle, wirkt Jäger als Sänger durch die Energie des Vortrags und Deutlichkeit der Aussprache. Die Stimme hat wenig Reiz und ist bereits stark beschädigt, wahrscheinlich in Folge des vielen Siegfried-Singens. Es ist charakteristisch für diesen „Wagner-Sänger“ par excellence, daß er in keiner andern Rolle genügte, ja als Josef in Méhul's Oper, nahezu mißfiel.

Am 14. Februar 1879 wurde im Hofoperntheater der vierte und mächtigste Gang der musikalischen Riesenmahlzeit von Bayreuth aufgetragen: die „Götterdämmerung“.

In dem Maße, als die „Götterdämmerung" an dramatischer Lebendigkeit die drei früheren Dramen des Nibelungenrings übertrifft, erwies sich auch die Theilnahme der Zuschauer
reger und anhaltender. Die Einleitungsscene der drei Nornen
(deren Seil-Zuwerfen in Bayreuth fast eine komische Wirkung
hervorbrachte) wurde in Wien weggelassen, was zumal mit Rücksicht auf die unerträgliche Länge des ersten Acts nur zu billigen
ist. Dasselbe Verfahren erlaubte ich mir gegen eine zweite,
ebenso überflüssige Scene zu empfehlen, welche dem Publicum
keine geringere Geduldprobe auferlegt: die Scene Waltraute's.
Diese in der „Götterdämmerung" ganz unerwartet auftauchende
Walküre besucht Brunhilden, um ihr eine sehr bewegliche Schilderung von dem schlechten Befinden des erhabenen Wotan zu
machen. Wir vermuthen, daß die Mehrzahl des Publicums
sich (offen oder heimlich) beglückwünscht, diesen Wotan wenigstens am vierten Abend los zu sein, somit auf jede sentimental
ausgedehnte Schilderung von seiner Melancholie und Appetit-
losigkeit gerne verzichtet. Aehnlicherweise überraschend taucht auch
der Zwerg Alberich ganz episodisch wieder aus der Versenkung auf,
um in einer martervoll dissonanzenreichen Scene längst Bekanntes
dem Hagen zu erzählen. Schon bei der zweiten Aufführung der
„Götterdämmerung" in Wien wurden außer der Nornenscene auch
noch die Scene von Waltraute und jene Alberich's gestrichen. Als
das Bedenklichste erwies sich wieder das Ende: das unmotivirte, dem
Zuschauer unverständliche Hereinbrechen der „Götterdämmerung",
die doch mit dem uns allein interessirenden Ausgang von Siegfried und Brunhild schlechterdings nichts zu schaffen hat. Die
ganze Katastrophe ist förmlich über's Knie gebrochen. Während
Wagner sonst im Retardiren aller Situationen das Unglaub-
lichste zu leisten liebt, überstürzt er die Schlußscenen der „Götterdämmerung". Die Tödtung Gunther's durch Hagen, der
Opfertod Brunhild's, Hagen's Salto mortale in den Fluß, die
Rheintöchter, unten die Ueberschwemmung, oben die Götterdäm-

merung in der „Walhalla" — das Alles stürzt mit so mate-
rieller Hast, so balletmäßig überraschend auf und über einander,
daß es dem Zuschauer kaum möglich ist, sich über diese Vorgänge klar zu werden. Wie am Schlusse das Bild der Götterdämmerung scenisch herzustellen sei, darüber scheint Wagner selbst
nicht ganz mit sich einig. In Bayreuth war das Tableau un-
schön, unklar und mißlungen wie in Wien, aber es war ein ganz
anderes Bild als in Wien, wo doch Alles nach Wagner's
neuesten Vorschriften unter unmittelbarer Aufsicht öffentlich be-
glaubigter und auch geheimer Agenten des Meisters scenirt wurde.
Wieder andere Versuche wurden in anderen deutschen Theatern
mit dem Schlußtableau gemacht, mit nicht viel besserem Erfolge. Der Grund des Uebels liegt ohne Frage schon in der
Dichtung; Wagner's Absichten sind hier über die Grenzen des
Möglichen, wenigstens des richtig Ausführbaren hinausgeschossen.
Durch zwei kleine Striche wäre die Unklarheit dieses vierten
Dramas erheblich zu verringern: ein Strich durch den Titel
„Götterdämmerung" (zu Gunsten des früheren: „Siegfried's
Tod") und ein zweiter über das diese „Götterdämmerung" dar-
stellende Wolkentableau.

Die „Götterdämmerung" fand in Wien anfangs eine lär-
mend beifällige Aufnahme. Ob dieser Erfolg ein nachhaltiger,
bleibender sein werde, muß die Zukunft lehren. Die „Meistersinger", bei ihrer ersten Aufführung noch enthusiastischer
begrüßt, fanden bald einen spärlichen Zuspruch, erschienen immer
seltener, bis sie endlich jetzt (mit Unrecht) ganz vom Repertoire
verschwunden sind. Und doch stehen die „Meistersinger", nach
meiner Empfindung, hoch über dem ganzen „Nibelungenring", im Text wie in der Musik. Die natürliche Empfindung
des Dichters und die schöpferische Kraft des Musikers erscheinen
darin, gegen die „Götterdämmerung" gehalten, in einer wahren
Glorie von Jugendfrische und Gesundheit. —

Im Mai 1879 wurden im Wiener Hofoperntheater die

vier Nibelungendramen schließlich auch unmittelbar nach=
einander als zusammenhängender Cyclus gegeben und damit
die letzten Forderungen jener mächtigen Musikpartei erfüllt,
welche Hans Hopfen so hübsch die „elegante Verschwö=
rung" nennt.

So sehen wir ganz entgegen der ursprünglichen Versicherung
Wagners, es könne und dürfe diese Tetralogie nur in dem
Bayreuther „Bühnenfestspielhaus" dargestellt werden, dieselbe
seit Jahr und Tag wie eine riesige Wanderspinne ganz Deutsch=
land mit ihren weißen Fäden überziehen. Ueberall begleiten un=
ermeßlicher Andrang und Enthusiasmus die ersten Vorstellungen,
erhalten sich aber, wie es scheint, nicht auf die Dauer. Ein
ansehnlicher Theil des Publicums findet, nachdem es seine erste
Neugierde gestillt, daß es doch ein gar zu anstrengender, ja auf=
reibender Genuß sei, dem man sich nur selten gewachsen fühle.
Ein kleinerer Theil gesteht sogar aufrichtig, die Totalwirkung
eines solchen Nibelungen = Abends oder gar mehrerer hinter
einander sei überhaupt kein Genuß zu nennen, sondern eine
Qual. Zu dieser unglücklichen Fraktion gehöre auch ich. Als
ein rein persönliches Erlebniß möchte ich, aufrichtig und ohne
alle kritische Anmaßung, meinen Lesern diesen Eindruck bekennen.
Der Kritiker kann ja nicht den Anspruch erheben, über so un=
gewöhnliche, die öffentliche Meinung gewaltsam spaltende Kunst=
erscheinungen endgiltig abzuurtheilen; er gibt nur ein individuelles
Urtheil, für dessen Wahrhaftigkeit, nicht Richtigkeit er seinen
Lesern verantwortlich ist. Ueber Wagners Musikdrama stehen
sich bekanntlich die Urtheile der Kritik schroff gegenüber, fast
wie Ankläger und Vertheidiger im Proceß; der Gerichtshof,
welcher dem Einen oder dem Andern Recht gibt, ist die Zeit,
oft ein ziemlich langer Verlauf der Zeit. In dem unmittel=
baren Wirbel der Gegenwart vermag der Kritiker kaum Anderes
und gewiß nichts Heilsameres zu thun, als nach gewissenhafter
Vorbereitung sich selbst unter dem Eindruck des Werkes zu be=

obachten und diesen aufrichtig zu schildern. Obwol der erste
Eindruck meistens der entscheidende und richtige ist, erließ ich
mir doch weder die Mühe noch die Selbstverleugnung, an dessen
nachträglicher Rectificirung, gleichsam an meiner Nibelungen-Er-
ziehung zu arbeiten. Eine erste Vorstellung hört der Kritiker
nicht ohne Aufregung; das Anspannen der ganzen Aufmerksamkeit, begleitet von dem unwirschen Gedanken, morgen darüber
schreiben zu müssen, macht ihn ein wenig reizbar. Kommen
noch andere, äußere Widerwärtigkeiten hinzu, wie in den Tagen
von Bayreuth, so mag vielleicht jene Reizbarkeit zur Gereiztheit
werden und trübt unwillkürlich seine Aufnahmsfähigkeit, wie eine
leicht angehauchte photographische Platte. Ich dispensire mich
in solchen Fällen niemals von der Gewissenserforschung, ob der
Fehler, der Grund des Mißfallens nicht in mir selber steckte.
Das Himmelhoch-Aufjauchzen von tausend Wagner-Enthusiasten
und sein Niederschlag in zahllosen Vergötterungs-Brochüren macht
überdies leicht irre. Dazu das stets bereite Spottwort der
Enthusiasten: „Ja, tadeln ist leicht!" Nein, ihr Herrn, tadeln
ist nicht leicht und noch weniger angenehm mitten in einer ent-
zückten Menge, deren Wonnen man ja so gerne mitempfände.
So besuchte ich denn, von Bayreuth zurückgekehrt, in den letzten
Jahren wiederholt die trefflichen „Rheingold"- und „Walküre"-
Vorstellungen im Wiener Opferntheater; ich wollte sie behaglich
und unbefangen wieder hören, lediglich zur eigenen Besserung
und womöglich zum eigenen Vergnügen. Allein — Besserung
und Vergnügen wollten sich nicht einstellen. Es war schon ein
bemerkenswerthes fatales Anzeichen, daß ich mich jedesmal zwingen
mußte zum wiederholten Anhören jener Werke. Lassen doch alle
echten Kunstwerke, selbst anfangs befremdende oder widerstrebende,
in uns das Verlangen zurück, sie nochmals zu hören. Vollends
die Tondichtungen von classischer reiner Schönheit — hört man
sie je genug? Hier aber mußte ich mir gestehen, daß ich außerordentlich lange und sehr glücklich leben könnte, ohne je wieder

eines der vier Bayreuther Musikdramen zu sehen. So oft ich seit
der ersten „Rheingold"-Aufführung in München, also seit neun
Jahren, an verschiedenen Bühnen eine „Nibelungen"-Oper hörte
mit dem redlichen Vorsatze, alles Schöne darin lebhaft zu empfinden und mir dankbar einzuprägen — erlebte ich das Gegentheil: die glänzendsten Stellen verloren, da sie doch meistens als
überraschender Orchester-Effect wirken, bei wiederholtem Hören von
ihrem ursprünglichen Reiz, und alles Uebrige berührte mich nur
immer unangenehmer. Es ist dies, wie ich wiederholen muß,
einfach ein individuelles Bekenntniß; ich mißgönne oder miß-
deute Niemandem das Entzücken an dieser Musik, noch weniger
beabsichtige ich, irgend wen zu bekehren. Mich selbst wollte ich
bekehren, und ohne Scheu hätte ich meine neugewonnene Ueberzeugung bekannt, gerne selbst den Partezettel meines Irrthums
ausgegeben, wenn dieser wirklich in mir gestorben wäre. Für
unfehlbar halten sich doch nur Narren — und noch Jemand.
Allein, es half nichts, und trotz aller glänzenden und geistreichen
Einzelheiten erschienen mir Wagner's Nibelungen-Opern jedesmal
unwahrer, unnatürlicher, unschöner. Immer klarer wird mir die
Ueberzeugung, immer drückender die Empfindung, daß hier eine
ungewöhnliche Begabung eigensinnig sich eingesponnen hat in ein
falsches System, das die Oper nicht reformirt, sondern um-
bringt. Diesem System des neuen „Musikdramas" zuliebe, wol
auch im Gefühle versiegender Melodieen-Ader, will derselbe Tondichter, der in den besten Stücken seiner früheren Opern echt
dramatischen Ausdruck mit musikalischer Schönheit zu vermälen
wußte, uns fortan blos mit „dramatischer Wahrheit" ergötzen,
einer dürren, reizlosen Wahrheit, deren Wirkung nur Langeweile
ist. „Scandalöse Langeweile" heißt das qualificirte Wort, das
aus Speidel's letzter Kritik wie ein Meteorstein in's Lager der
Wagnerianer herabfiel. Nicht unempfindlich für die einzelnen
Schönheiten der „Nibelungen", verließ ich doch jede der vier
Vorstellungen mit dem unbezwinglichen Gefühl, nicht sowol einen

Genuß als eine Marter hinter mir zu haben. Ja, eine Marter ist's, durch fünf Stunden eine theils armselige, theils widerwärtige Handlung wie „Siegfried" oder „Rheingold" in einem entsetzlichen Deutsch von abgedankten Göttern, häßlichen Zwergen und lächerlichen Zauberthieren mühsam fortschleppen zu sehen. Eine Marter ist's, einer zwischen Trunkenheit und Oede auf- und niedersteigenden Musik lauschen zu müssen, die in peinlich ruheloser Modulation, in ewig überreizter Chromatik und Enharmonik, in dem jammernden Einerlei schneidiger Nonen- und Undecimen-Accorde an unseren Nerven zerrt. Eine Marter ist's, eine lange Oper ohne Chor, ohne Ensembles und Finales, ja im „Siegfried" bis hart gegen den Schluß, ohne Frauenstimmen hören zu müssen — eine Oper, in der die Sänger nicht singen, sondern in den unnatürlichsten Intervallensprüngen declamiren und uns dennoch nur mit Hilfe unausgesetzten Textbuchlesens erkennen lassen, was sie declamiren. Und eine Marter, lieber Leser, ist es schließlich, über das Alles zum soundsovieltenmale auch noch schreiben zu müssen.

V.

Neue deutsche Opern.

────────

1.

Der Widerspenstigen Zähmung.

Komische Oper, nach Shakespeare's Lustspiel, von H. Götz.
(Erste Aufführung in Wien 1875.)

Am leichtesten gelingt die Wirkung eines Shakespeare=
Lustspiels da, wo die Handlung einfach, nicht (wie oft
bei ihm) eine aus mehreren Stoffen zusammengesetzte
ist. Die Bezähmte = Widerspenstige ist also das sicherste
Shakespeare=Lustspiel und auch das populärste." Dieser Aus=
spruch Laube's klingt uns heute wie die unbeabsichtigte Recht=
fertigung eines Componisten, der sich Shakespeare's „Wider=
spenstige" zum Opernstoff erwählt. Denn die Einfachheit einer
überhaupt musikfähigen Handlung ist ja Haupterforderniß für
den Operncomponisten, welcher Platz braucht zu lyrischer Aus=
breitung. Und daß jenes Lustspiel sich dem Tondichter von
Haus aus verlockend präsentirt, wird Niemand bestreiten. In
Katharina und Petruchio findet er zwei Hauptpersonen von un=
vergleichlicher Lebendigkeit, immer in Kampf und Leidenschaft,
der Kampf nicht ernsthaft, die Leidenschaft nicht tragisch, als
rastlos schwingendes Triebrad der komischen Handlung. Der

günstigste Gegensatz dazu liegt in dem sanften Liebespaar Bianca und Lucenzio fertig vor. Als komische Figuren gruppiren sich in charakteristischer Abstufung Papa Baptista und der Geck Hortensio, Grumio und der Schneider um jenes Quartett; Alles wie vorgebildet für die komische Oper. Die scharfe psychologische Motivirung, der feine Regenschauer Shakespeare'scher Witze und Antithesen gehen freilich verloren; wo diese fehlen, muß sich eben „zu rechter Zeit" eine Melodie einstellen. Das Libretto des Herrn Widmann bewegt sich durchaus logisch und gewandt, die Act= und Scenenfolge des Originals getreu einhaltend. Hierzu erfunden ist nur die echt opernmäßige Exposition mit der Serenade der beiden Nebenbuhler, weggelassen die Figur Tramio's (in der Oper kann der lyrische Tenor nicht füglich seinen Bedienten für sich singen und lieben lassen) und der alte Vincenzio. Wie jedes Operntextbuch, hat auch dieses seine Lücken und neutralen Stellen, in welche der Componist mit der Vollkraft seines Talentes eintreten muß. Und die Musik der neuen Oper? Sie ist nicht leicht mit wenigen Worten zu charakterisiren. Von Anfang bis zu Ende bietet sie dem Hörer erfreuliche Anregung und entläßt ihn mit jenem reinen, harmonischen Total = Eindruck, welchen nur künstlerische Sittlichkeit und Bildung sich erzwingen. Die Novität erregt ein ungewöhnliches Interesse, mehr noch, möchte ich sagen, für den Autor, als für das Werk selbst. Denn mit vielen Seiten dieser Composition kann man nicht einverstanden sein, muß sich aber sagen: der sie gemacht hat, ist ein gewissenhafter Künstler und ein feiner, vornehmer Geist. Um es gleich kurz zu bezeichnen, was dem Werke fehlt: der echte Lustspielton, die melodiöse Frische, das leichte Blut. Zu viel künstliche und schwere Musik, überhaupt zu viel Musik. Welcher Antheil davon auf das Naturell des Componisten fällt, und welcher auf die von ihm gewählte Methode, das läßt sich kaum entscheiden, bevor nicht ein zweites Werk von Götz zur Vergleichung vorliegt. Sein musikalischer Charakter

ist edel, maßvoll, durch und durch deutsch, aber ohne Lustigkeit
und Leichtsinn, sogar von sehr mäßiger Sinnlichkeit. Seine dramatische Methode ist mit Einem Wort die Wagner'sche, und
zwar vom Stil der „Meistersinger". Der Schwerpunkt des
musikalischen Gedankens liegt im Orchester, nicht im Gesang.
Das Orchester setzt Scene für Scene mit einem charakteristischen
Motiv ein, das es als selbstständiges, zusammenhängendes Ton-
wesen entwickelt und wie ein eifriges Gespräch zwischen den verschiedenen Instrumenten ausführt. Die Singstimmen verflechten
sich darin mehr declamatorisch als melodieführend; sie verfolgen
eine überwiegend rhetorische Tendenz. Ihr Ziel geht vor Allem
auf die prägnante Ausgestaltung des Wortes, der Rede; das
Orchester malt die Stimmung dazu. Damit läßt sich allerdings
viel dramatische Wahrheit und dramatische Wirkung erreichen,
das wissen wir aus Wagner recht gut. Nur daß diese Methode
des neudeutschen „Musikdramas" die einzig richtige und die
„Oper" daneben schlechtweg undramatisch sei, ist ein böser
Irrthum. Nichts Beschränkteres, ja Komischeres als das prin-
cipielle Mißtrauen dieser Schule in die dramatische Kraft der
Gesangsmelodie! Ertönen im „Freischütz" die Themen Caspar's,
Max', Agathens, Aennchens, so hören wir nicht blos die köstlichsten
Melodien, sondern wissen zugleich unfehlbar, welche davon den
frechen Wüstling und den zärtlichen Liebhaber, welche das schwärmerische und welche das heitere Mädchen schildert. In dem
heutigen „Musikdrama" wird blos dem Orchester diese dramatische Kraft zugetraut, die Instrumente allein müßten uns da
den Charakter und die Empfindungen der vier Hauptpersonen
schildern, diese würden nur dazu declamiren, und wahrscheinlich
eine so ziemlich wie die andere. Am ungeeignetsten scheint uns
dieser Stil für die komische Oper. Sie erzielt ihre schönste
und natürlichste Wirkung, wenn die Melodieen wie leichte
Barken behend über den sanft bewegten Spiegel des Orchesters gleiten, während in Opern wie die „Meistersinger" und

großentheils auch die „Widerspenstige" das Schiff des Gesanges unbeweglich zu schaukeln scheint inmitten der von allen Seiten einstürmenden Winde und Wogen der Orchesterbegleitung. Den Vorwurf absoluter Melodielosigkeit — sie ist nahezu ein Unding — machen wir der „Widerspenstigen" so wenig wie den „Meistersingern". Die wenigen selbstständigen Gesangsmelodien in letzteren (Walther's Preislied, Pogner's Anrede, das Sextett und viele Stellen des dritten Finales) prangen bekanntlich in außerordentlicher Schönheit. Mit ihnen kann sich nichts in der „Widerspenstigen" entfernt vergleichen. Uebrigens steht die Oper von Götz entschieden über dem Verdachte, eine bloße Nachahmung zu sein. Hätte Götz nur der Mode oder eitlem Ehrgeiz zuliebe sich Wagner angeschlossen — was sich gewiß durch das Bestreben verriethe, den Meister noch zu überwagnern — so dürfte man über seine Arbeit zur motivirten Tagesordnung schreiten. Aber die „Widerspenstige" trägt alle Zeichen sowol der ehrlichen Ueberzeugung, als der künstlerischen Reife. Sie ist unter dem Einfluß der „Meistersinger" componirt, aber nicht über deren Schablone nachgepinselt. Götz weicht mit achtunggebietender Selbstständigkeit vielfach von Wagner ab. Für's Erste bringt er keine sogenannten Erinnerungs oder Leitmotive, wofür allein er schon einen musikalischen Orden verdient, denn über die „Meistersinger" und die „Nibelungen" hinaus in gleicher Consequenz fortgesetzt, führt diese Methode zum reinen Schwindel, zum mechanischen Handgriff, dessen Reiz mit jeder neuen Anwendung verblaßt und dessen lästige Bevormundung immer langweiliger wird. Götz räsonnirt mit Recht, man solle den Petruchio und die Katharina aus dem erkennen, was sie selbst singen, ohne daß das Orchester=Leitmotiv jedesmal wie ein Thürsteher annoncirt: Fräulein Katharina! Herr Petruchio! Selbst musikalische Anspielungen mit der Tendenz eines Citats bringt der Componist nur zweimal und jedesmal mit gutem Grund; das G-moll-Motiv, mit dem Petruchio als Freier aufgetreten, klingt

wider beim Einzug in sein Haus, und Katharina's „Ich möcht'
ihn fassen" bei ihrer Versöhnung mit dem Gatten. Ferner be=
nimmt sich Götz viel maßvoller und einfacher in der Verwen=
dung aller Mittel. Er liebt zwar ein complicirtes und reich=
colorirtes Orchesterspiel, aber keinen Orchesterlärm. Weder große
noch kleine Trommel, weder Becken noch Triangel, ja ursprünglich
nicht einmal Posaunen! Erst nachträglich hat der Componist
(wahrscheinlich mit Rücksicht auf das Wiener Opernhaus) Posaunen
zugesetzt in der Ouvertüre und den drei letzten Finalen. Fast
möchten wir dies bedauern, blos weil es eine That von sel=
tenem Muthe war, heutzutage eine Oper ohne Posaunen zu
schreiben. Auch läßt sich Götz von Wagner keineswegs zu über=
mäßiger Ausdehnung der einzelnen Musikstücke verführen. Die
Musik zur „Widerspenstigen" tritt durchaus würdig und be=
scheiden auf, mit nobler Gelassenheit, fest in den Contouren,
überaus sorgfältig in der Ausmalung, überall gewählt, oft
geistreich, nirgends trivial. Das ist kein geringes Lob, und so=
weit wäre der neuen Oper nur Gutes nachgesagt. Was ihr
abgeht, wurde bereits angedeutet: der frische, flotte Lustspielton,
der uns niemals· vergessen läßt, daß es sich hier um ein heiteres
Spiel handle. Die fröhliche Laune, der ungesuchte Humor,
diese beneidenswertheste Mitgift für's Leben, ist zugleich die u
entbehrlichste .für die komische Oper. Mit ihrer pathetischen
Declamation und ihrem ewig aufgeregten Orchesterspiel drückt
Götzen's Musik schwer auf die Handlung, statt wie ein leicht
einströmendes Gas sie in die Höhe zu tragen. Weder das
laute herzliche Lachen Rossini's, noch das bezaubernde Geplau=
der Auber's, noch selbst der derbe Spaß Lortzing's finden ein
Echo in dieser „Widerspenstigen". Ihr Ernst ist pathetisch, ihre
Heftigkeit tragisch, selbst ihr Scherz hat etwas Nachdenkliches,
beinahe Feierliches. Schauten wir nicht mit Augen, was auf
der Bühne vorgeht, wir vermutheten kaum, daß wir in dersel=
ben lustigen Comödie sind, welche im Original, ohne Musik,

uns unaufhörlich das herzlichste Lachen entlockt. . Allzusehr herr=
schen die langsamen Tempi, die Moll=Tonarten und die gleich=
mäßigen Rhythmen vor. Da ja Götz im Grunde immer gute
Musik bringt, so möchten wir keineswegs diese oder jene Nummer
schlechtweg aus der Oper verbannt wissen, aber es müßte ihr
eine frischere vorangehen und eine lustigere nachfolgen. Mit all
ihren Vorzügen leidet die komische Oper von Götz an dem deut=
schen Erbfehler: sie ist keine Theatermusik.

Werfen wir einen raschen Blick auf die Höhepunkte unserer
Novität. Nach einer Ouvertüre, deren schwere und wirre Leiden=
schaftlichkeit die unpassendste Ankündigung für ein Lustspiel ab=
gibt, folgt eine der melodiösesten Nummern, Lucenzio's Serenade;
ihre zarten Strophen unterbricht der Lärm des revoltirenden
Hausgesindes, welches von Katharina beschimpft, von ihrem Vater
schließlich begütigt wird; Alles mit sehr geschickter Hand gemacht,
aber theils zu trist, theils zu heroisch. Das Liebesduett zwischen
Bianca und Lucenzio beginnt mit einem zart empfundenen und
in dem E-dur-Satz („O strahlend Himmelslicht") auch eigen=
thümlichen Gesang, geräth aber bald vollständig unter Wag=
ner'sche Botmäßigkeit. Die Serenade Hortensio's und sein Duett
mit Lucenzio empfehlen sich durch natürlichen und behaglichen
Ton, gehören auch zu den wenigen Stücken mit selbstständiger
Gesangsmelodie. Diese verräth in ihrem nüchternen Rococco=
schritt bereits, daß die melodische Erfindung nicht Götzen's starke
Seite ist. Auch kündigt sich schon in dieser Scene ein zweiter
Mangel an, der Mangel an rhythmischer Abwechslung. Wie
in dem Duettsatze „Ha, was euch so fröhlich macht" der gleiche
Rhythmus von vier Viertelnoten fortpendelt, so geschieht es noch
unzähligemal im Verlauf der Oper. Petruchio tritt auf. Seine
musikalische Charakteristik hat der Componist offenbar mit be=
sonderer Sorgfalt ausgeführt, und wäre Petruchio wirklich der
Menschenfresser, den er zu spielen sich vornimmt, so fänden wir
die Charakteristik auch gelungen. Seine D-dur-Arie „Sie ist

ein Weib" stellt sich an wie zum Sängerkampf in der Wart-
burg, schwillt unter andauerndem Paukendonner zu einem furchtbaren Heroismus auf und beendet ihren Flug schließlich auf die
kühnen Worte: „Besser brechen als sich biegen" mit gänzlich
geknickten Flügeln in lauter gleichmäßigen Viertelnoten. Der
zweite Act beginnt mit der Zankscene zwischen Katharina und
Bianca. Gegen die Musik wäre nichts einzuwenden, wenn
Katharina ihrer Schwester vorwürfe, den Vater vergiftet zu
haben — die Zwischenactmusik schien wirklich auf den Todesfall
vorzubereiten — aber für den nichtigen Zank einer Gewohnheits-
keiferin klingt das doch zu tragisch. Baptista tritt mit den
beiden Freiern auf. Eine reizende Violinfigur im Orchester
beherrscht die Scene, welche nebst dem folgenden Gespräch („Wir
sind allein") zu den gelungensten, freundlichsten der Oper gehört
und, bis auf vereinzelte Wagner-Anfälle, den Conversationston
am besten trifft. Die Scene zwischen Petruchio und Katharina,
schon durch die Handlung von unvergleichlichem und unangreif-
barem Effekt, ist auch bei Götz hervorragend. Schade nur, daß
Petruchio's einleitender Monolog „Jetzt gilt's" mit seinen schneidenden Dissonanzen und wüthenden Orchesterstürmen ebenso übertrieben im Ausdruck ist, wie viele seiner noch folgenden Reden.
Aus diesem Dialog hebt sich der mehr liedmäßig geformte Es-
moll-Satz Katharina's „Ich möcht' ihn fassen" sehr ausdrucks-
voll heraus. Nach diesem schönen aber tiefernsten Satz müßte
nothwendig ein recht heiterer den Act schließen; aber Vater
Baptista tritt unbegreiflicherweise wieder in Moll auf und gibt
seinen Segen in wahren Klagetönen; eine Stelle, welche doch
entschieden zum Humor herausfordert, wo solcher vorhanden.
In gefälligster Weise kündigt sich der dritte Act an, mit einem
wohlklingenden, fließenden Ensemblesatz. Es folgt eine der hüb-
schesten Scenen der Oper: Bianca's Musik-Lection und Uebersetzung der Aeneide. Man kann die musikalische Erfindung nicht
eben bedeutend nennen, aber sie athmet Grazie und Geist, wohl-

gemerkt hier den richtigen Geist.   Alles Uebrige im dritten Acte
behandelt die Vorbereitungen zur Hochzeit und diese selbst —
eine Aufgabe, die musikalisch jedenfalls mit größerer Lebendigkeit
und Frische zu lösen war.   Selbst der harmlose Chor der Dienstleute: „Heute heißt's die Arme rühren!" geht aus E-moll
und fletscht bedrohlich die Zähne.   Das Finale enthält sehr
geistreiche Einzelheiten, bei übertrieben heroischer Haltung im
Ganzen.   Ein ungemein schöner Moment in diesem Finale ist
Katharinens Ausruf: „Der Du Dein Herz geweiht!" (E-dur.)
Wie wohlthuend wirkt hier der frische, beherzte Aufschwung in
die Sexte, von h nach gis; wir hören endlich aus voller Brust
singen! Der vierte und letzte Act beginnt mit einem aufgeregten
Moll-Chor der Dienstleute.   Dem Textbuche zufolge erwarten
sie ihre Herrschaft, nach der Musik zu schließen, den Weltunter-
gang.   Den folgenden Scenen zwischen Petruchio und Katharina
fehlt die Leichtigkeit und der Humor; die Singstimmen springen
nach „Meistersinger"-Art declamirend in den entlegensten Intervallen; das schmerzlich aufgewühlte Orchester läßt uns ernstlich
für Katharina zittern: Alles Weitere im vierten Acte ist gering,
bis auf den Monolog Katharina's.   Die Klage der jungen
Frau, deren Trotz gebrochen ist, während ihre Liebe zu Petruchio
unaufhaltsam auflodert, steht unter den Schönheiten der Oper
ganz obenan.   Freilich ist auch hier die Begleitungsfigur („Es
schweigt die Klage!") schöner und seelenvoller als der Gesang,
aber das Ganze klingt so wahr und rührend, daß es den dramatischen Beruf des Componisten laut verkündet.   Ob den
Beruf zur komischen Oper, ist eine andere Frage.   Es ist bezeichnend, daß in dieser Scene, wo der bittere Ernst des Lebens,
der Aufschrei eines wunden Herzens in die Handlung eintritt,
der Componist zuerst seine volle Kraft findet.

2.

„Die Königin von Saba.“

Oper in 4 Aufzügen von S. H. Mosenthal. Musik von Karl Goldmark
(Erste Aufführung: Wien 1875.)

„Und da die Königin vom Reich Arabien das Gerücht
Salomo's hörte, kam sie mit sehr großem Zuge gen Jerusalem,
mit Kameelen, die Würze und Gold die Menge trugen und
Edelgesteine, Salomo mit Räthseln zu versuchen. Und da sie
zu Salomo kam, redete sie mit ihm Alles, was sie im Sinne
sich hatte vorgenommen. Und der König sagte ihr Alles, was
sie fragte.“ Und nachdem die Königin vom Reich Arabien,
wie Luther die Königin von Saba nennt, oder Balkis, wie sie
in arabischen Legenden heißt, sich sattgesehen hatte an Salomo's
Reichthum und seiner Weisheit, „wandte sie sich und zog in
ihr Land mit ihren Knechten.“ Das ist Alles, was die Bibel
von der berühmten königlichen Touristin des Alterthums erzählt.
Man sieht, daß der Poet so gut wie Alles hinzuerfinden muß,
der sie zum Mittelpunkt eines Dramas erwählt. Dennoch locken
die Königin von Saba und der weise Salomo immer noch
unsere Poeten und Musiker; es spielen hier romantische Lichter
gar so verführerisch durch die biblische Ehrfurchtsdämmerung.
Gérard de Nerval behandelte den Besuch der Königin der
Sternanbeter in einer Novelle und ließ den König Salomo
darin um ihre Liebe werben. Der tragische Conflict entsteht
durch die Leidenschaft der Königin für den Baumeister des
Tempels, der schließlich von seinen Arbeitern ermordet wird.
Diese Erzählung benutzte Gounod für das Libretto seiner Oper
„La reine de Saba“, welche 1862, also dreizehn Jahre vor
Goldmark, in Paris aufgeführt wurde. An der ungünstigen
Aufnahme und dem raschen Verschwinden der Gounod'schen
Oper trug das Libretto starke Mitschuld. Zwar hatten die Text-
dichter allen erdenklichen decorativen Pomp eingefügt, unter An-
derm einen Metallguß mit Explosion des Gluthofens, welcher

die Bühne in ein Feuermeer verwandelt, aber das Publicum blieb kühl inmitten dieses „Feuerzaubers".

Mosenthal, der Dichter der Goldmark'schen Oper, verzichtete vollständig auf derlei explosive Reize und gestaltete die Handlung ungemein einfach. Im ersten Act schildert er den festlichen Einzug der Königin von Saba. Als sie vor Salomo ihr Antlitz entschleiert, stürzt ein Jüngling, Assad, in verzückter Aufregung ihr entgegen. Er hat in der Königin eine geheimnißvolle Schöne wiedererkannt, die ihn kürzlich in einer Mondnacht, aus den Fluthen steigend, mit ihrer Liebe beglückte. Die Königin verleugnet ihn: „Wahnsinniger, ich kenn' dich nicht!" Salomo beschwichtigt den allgemeinen Aufruhr mit der Hinweisung auf den nächsten Tag, welcher Assad mit Sulamith, der Tochter des Hohenpriesters, vereinigen soll. Der zweite Act spielt Nachts im Garten der Königin. Assad hat sich dahin verirrt, wird von der Königin mit glühender Zärtlichkeit umfangen und erliegt abermals ihrem Zauber. Es folgt die Vermählungsfeier im Tempel. Assad und Sulamith wechseln eben die Ringe, als plötzlich die Königin erscheint, angeblich um ein Hochzeitsgeschenk zu überreichen, in Wahrheit, um die Vermählung zu hintertreiben. Das gelingt ihr nur zu gut, denn Assad verläßt sofort seine Braut und stürzt der Königin liebeglühend zu Füßen. Diese jedoch verleugnet ihn kalt, genau wie im ersten Act. Auf die geistlichen Ermahnungen des Hohenpriesters antwortet Assad mit einer Gotteslästerung und wird als Tempelschänder von dem aufgeregten Volke hinweggeschleppt. Die Königin weiß sich in Assad's Kerker zu schleichen und bestürmt ihn unter heißen Liebesschwüren, mit ihr zu fliehen; er widersteht diesmal und weist die Versucherin mit dem Ausruf: „Du bist mein Unheil, mein Verderben!" für immer von sich. Die letzte Scene spielt in der Wüste. Assad, zur Verbannung begnadigt, will hier den ewigen Frieden finden. Da trifft ihn Sulamith, die nach dem trostlosen Ausgange ihres Hochzeitsfestes, gleich-

falls der Welt entsagt und „das Asyl der Gottgeweihten" auf-
gesucht hat. Beide liegen sich versöhnt, sterbend in den Armen.

Mosenthal war ein zu bewährter Theaterpraktiker, um
sich über die Schwächen dieses Textbuches zu täuschen. Er hat
sie vorausgesehen und dem Componisten die Dürftigkeit des
Stoffes zu bedenken gegeben. Goldmark wollte aber gerade nur
eine „Königin von Saba" componiren. Er legte wenig Gewicht auf
„Handlung", desto mehr auf „Stimmung", und in der That
überwiegt letztere so stark, daß die zweite Hälfte der Oper sich
fast in lauter simple Stimmungen, vorwiegend klagenden Tones,
zerfasert. Anfangs läßt die Handlung wenigstens die Aussicht
auf eine Steigerung offen und wird äußerlich durch Tänze und
Festlichkeiten zweckmäßig belebt. In der Tempelscene geräth die
Action zuerst in stärkere Bewegung und erreicht im zweiten Finale einen
einmaligen dramatischen Höhepunkt. Desto empfindlicher erlahmt
die Handlung im dritten und vierten Act, sie versiegt in den
Seufzern dieser verstörten, sich zu Tode klagenden Gemüther.
Die Charaktere der Oper interessiren uns nur mäßig. Am
ehesten noch die Königin, bei Mosenthal eine Art egyptischer
Messalina, deren Messalinen-Natur aber im Contrast zu den
jüdischen Tugendmustern stärker betont sein müßte. Assad ist
ihr „Marcus", ein unausgesetzt lamentirender, confuser Falter,
der immer von neuem in die Flamme taumelt, um dann jedesmal mit elendiglich verbrannten Flügeln wieder zu seiner Braut
zurückzuflattern. Diese, Sulamith, hat außer ihrer poetischen
Herkunft aus dem „Hohenlied" keine besonderen Kennzeichen.
Als Gegensatz zur Königin würde Sulamith durch eine sehr
jugendliche, anmuthige Darstellerin mehr Physiognomie gewinnen.
Der Poet dachte wahrscheinlich ein halbes Kind — etwa wie
die Tagliana —, aber der Componist brauchte eine ganze
Riesin wie Frau Wilt. Am stiefmütterlichsten ist König Salomo charakterisirt   ein Mittelding zwischen dem Weisheits-
pächter Sarastro und dem sentimentalen Onkel Bindermann im

„Tannhäuser". Er trieft von Salbung und läßt sich fortwährend ob seiner Weisheit preisen, an die wir eben glauben
müssen. Ich weiß nicht, wie er sich in Geldsachen benimmt
und ob vielleicht die Charakteristik Al-Hafis von Nathan dem
Weisen auch auf ihn paßt: „Seine Weisheit ist eben,
daß er Niemandem borgt". Gleich Salomo sind auch
der Hohepriester und Baal-Hanan in der Oper nichts weiter
als schön costümirte Baßstimmen. Wie diese Charaktere selbst,
so machen auch ihre tragischen Schicksale keinen tiefen Eindruck
auf uns. Wir sind nicht recht überzeugt von der Nothwendigkeit dieses allseitigen Verzweifelns und Sterbenmüssens. Assad
hat sich ein paarmal von einer unwiderstehlichen Kolette bezau-
bern lassen, die er schließlich als nichtsnutzig erkennt und fort-
schickt — das Unglück ist ja nicht gar so groß und unheilbar!
In früheren Zeiten, etwa bis zur „Stummen von Portici",
verlangte man in der Oper einen guten Ausgang um jeden
Preis. Man scheint sich jetzt beinahe in das andere Extrem
dieses Irrthums zu verrennen und besteht auf einem tragischen
Schluß um jeden Preis. Wo Beides ungefähr die gleiche
Wahrscheinlichkeit für sich hat, wollen wir da nicht lieber glücklich
werden ohne Verdienst, als gepeinigt sein ohne Verschulden?
Auf die Lichtseiten des Mosenthal'schen Librettos braucht man
nicht erst aufmerksam zu machen. Dasselbe enthält durchaus
nur musikalisch lösliche Stoffe, gestaltet sie in mehr als einer
Situation vortrefflich für den Effect des Componisten und spricht
eine wohlklingende gewählte Sprache.

Goldmark's Partitur ist eine achtunggebietende Arbeit, die
in einzelnen Partien ein starkes und eigenthümliches Talent verräth. Die Stärke zeigt sich in der Leidenschaftlichkeit des Ge-
fühlsausdrucks und dem Glanz der Malerei, die Eigenthümlichkeit in dem jüdisch-orientalischen Charakter der Musik. Wärme
und Leidenschaft durchdringt namentlich die Liebesscene zwischen
Assad und der Königin, dann, zu zarteren Tönen abgedämpft,

die erste Arie Sulamith's mit Chor, endlich, zu dramatischer
Lohe angefacht, die Stretta der großen Tempelscene. Gold=
mark's Stil hält ungefähr die Mitte zwischen Meyerbeer und
dem früheren Wagner („Tannhäuser"). Bei aller mittelbaren
Einwirkung Wagner's und trotz einzelner Reminiscenzen an ihn
(gleich in der Ouvertüre) gehört „Die Königin von Saba"
doch nicht zur eigentlichen Wagner=Schule. Sie ist selbstständig
erfunden und lehnt in den Ensemble=Nummern an die Archi=
tektonik der älteren Schule. Diese sich breit entfaltenden und
mächtig steigernden Vocalsätze erinnern in ihrem Bau ungefähr
an das prachtvolle Andante im zweiten Finale des „Tannhäu=
ser". Das sind Formen, welche einer früheren Epoche an=
gehören und die von dem heutigen Wagner längst geächtet sind.
Von Meyerbeer und Wagner hat Goldmark die Leidenschaftlich=
keit des Gesanges, die Masseneffecte, den Orchesterprunk, leider
auch das Uebermaß in diesen drei Dingen. Er beharrt fast
ununterbrochen auf der Höhe des Pathos und der Exaltation, und
läßt manche Schönheiten nicht zur vollen Wirkung kommen, weil
er uns keine Ruhepunkte gönnt. Selbst in untergeordneten
Momenten ist der Ton Goldmark's, wie der der hebräischen
Poesie, ein durchaus feierlicher, der, was er sagt, sofort als
etwas Wichtiges ankündigt. „Die Himmel sollen der Rede
horchen, und die Erde soll den Worten lauschen!" Das drückt
sich nicht nur in dem Pathos seines Gesanges, sondern auch in
den zahlreichen Orchester=Zwischenspielen aus, welche den Ge=
sang so häufig unterbrechen und gleichsam jede Phrase des
Sängers nachdrücklich unterstreichen. Das retardirt oft empfind=
lich den dramatischen Fortgang. In Momenten des Affects treibt
Goldmark die Leidenschaftlichkeit auf die äußerste Spitze; da ist
die Anstrengung der Singstimmen in höchster Lage, da ist der
chromatische Sturm im Orchester mit seinem Pauken= und Po=
saunendonner und den wie rasend herabfahrenden Blitzen der
Streichinstrumente kaum mehr zu überbieten. Als hervorstechendste

Eigenthümlichkeit der Goldmark'schen Musik bezeichnete ich oben ihren orientalisch = jüdischen Charakter. Er machte sich schon in Goldmark's früheren Werken (Ouvertüre zu „Sakuntala", Violin = Suite ꝛc.) mehr oder minder geltend und gab ihnen ein interessant = fremdartiges, aber künstliches Gepräge. In der „Königin von Saba", welche einen jüdischen Stoff auf eigenstem Grund und Boden vorführt, nimmt der Componist natürlich das Recht zur breitesten Entfaltung dieser Musikweise in Anspruch. Vielleicht ist es eine Einseitigkeit meines Geschmackes, aber ich gestehe, diese Art Musik nur in sehr mäßigen Dosen vertragen zu können; als Reizmittel, aber nicht als Nahrung. Mit dem Eigensinn eines geistreichen Mannes hat sich Goldmark eingenistet in diese Vorliebe für orientalische Musik, mit ihrer klagenden, winselnden Melodik, ihren übermäßigen Quarten und verminderten Sexten, ihrem unerquicklichen Schwanken zwischen Dur und Moll, ihren bleischwer fortbrummenden Bässen, über welchen sich tausend dissonirende Töne und Tönchen kreuzen. Der reichliche Gebrauch, um nicht zu sagen Mißbrauch von Vorhalten, Synkopen und Dissonanzen gehört freilich zu den Merkmalen der modernen deutschen Schule überhaupt; aber ein so anhaltendes Vergnügen an schneidenden Mißklängen wie Goldmark empfinden doch nur wenige seiner Collegen. Meine Bemühung, mich mit Goldmark'scher Musik zu befreunden, führte nicht immer zum Ziele, so sehr diese Bemühung mir durch meine persönliche Achtung und Sympathie für den Tondichter erleichtert wurde. Geist und Selbstständigkeit habe ich in Goldmark's Compositionen nie vermißt, wol aber Klarheit, natürliche Empfindung und Schönheitssinn. Wo in der „Königin von Saba" orientalische Musikweise als Totalfarbe gefordert ist, da wirkt Goldmark ebenso charakteristisch als effectvoll. Dies ist der Fall erstens bei allen religiösen Scenen der Handlung, sodann in den nationalen Tänzen. Die Balletmusik im ersten Act und der Bienentanz im dritten sind Glanzpunkte

der Oper, originell erfunden und glänzend instrumentirt. Diese
so schnell ermüdende und immer fremdartig bleibende Manier
nimmt aber in Goldmark's Oper einen zu großen Raum ein,
sie herrscht auch an manchen Stellen, wo nichts Jüdisches, sondern nur allgemein Menschliches auszusprechen ist. Wie wun-
derlich klingt das Lied ohne Worte, mit welchem Astaroth den
Assad zur Königin lockt! Das sind Klänge, mit welchen man
fromme Juden in die Synagoge, aber keinen Liebhaber zum
Rendezvous treibt.

Da sehnen wir uns denn manchmal nach einem herzhaften
Schluck klarer europäisch = abendländischer Melodie. Durch „Lalla
Rookh", „Feramors" und „Aïda" sind wir mit orientalischer
Opernmusik übersättigt; insbesondere der Vortritt der überall
verbreiteten und beliebten „Aïda" ist ein Nachtheil für die „Königin von Saba". „Aïda" scheint mir die äußerste Grenze
zu bezeichnen, bis zu welcher ein Operncomponist mit orientalischen Musikweisen gehen kann, ohne die Schönheit und All-
gemeingiltigkeit seines Werkes zu schädigen. Verdi verfährt aber,
trotzdem seine Oper für Kairo componirt war, viel maßvoller
als Goldmark, und selbst wo er mit voller Absicht orientalisirt,
klingt seine Musik ungleich natürlicher, heller und wohllautender.
Sie ist schöner. Das Hauptgewicht der Goldmark'schen Composition liegt in der Harmonisirung und Instrumentation. Hierin
ist Goldmark meistens geistreich oder doch pikant, häufig auch
unnatürlich und überladen. Harmonie und Instrumentirung
überwuchern allzusehr die Melodie. Wir wünschten mehr selbstständig schöne, europäisch harmonisirte und ruhig accompagnirte
Melodieen. Sie fehlen nicht ganz; Assad's „Magische Töne!"
im zweiten Acte und die kurze G-dur-Cantilene der Königin
(„Was du flüchtig nur besessen") sind reizende Lichtblicke. Nun
gibt es auf Erden keinen Componisten, der nicht gerade gegen
den Vorwurf unzureichender Melodie auf's heftigste protestirt.
Er weist sofort auf zwei oder drei wirklich melodische Sätze hin,

welche für eine ganze Oper quantitativ keine Melodie sind; dann auf vielseitenlanges tactmäßiges Singen, welches qualitativ keine ist. Mit Worten ist darüber schwer zu streiten; eher wird man sich durch Vergleiche klar werden. „Aida" bietet zu mehr als Einer Scene der Goldmark'schen Oper dramatisch ganz analoge, fast identische Seitenstücke; ich erinnere nur an das Duett zwischen dem gefangenen Rhadames und Amneris, welche den Geliebten zu retten versucht.

Zwei Gefahren, vor denen Goldmark zu warnen wäre, sind einmal die übermäßigen Längen, welche trotz aller nach der Generalprobe gemachten colossalen Kürzungen dem Werke noch immer schaden; sodann der geringe Wechsel im Tempo und Rhythmus. Die langsamen Tempi herrschen auffallend vor, desgleichen der Vierviertel-Tact mit gleichmäßigem Rhythmus von Viertel- und halben Noten. Das Tempo der Musikstücke ist allerdings zum größten Theile durch das Textbuch bedingt, nicht so der Rhythmus und die Tactart. Ich erinnere an zwei sehr glückliche Momente, deren Effect auf dem ausnahmsweise belebteren Rhythmus beruht; das Hauptmotiv der Stretta im zweiten Finale und der zweite Theil (E-dur) des Einzug-ballets, wo der Wechsel von je vier Achtelnoten und zwei Vier-telnoten im Baß, obendrein durch die kleine Trommel markirt, von erquickender Wirkung ist.

Goldmark's „Königin von Saba" ist für ein Erstlingswerk so reif und effectvoll, daß man von den nächsten Opern des Componisten gewiß Erfreuliches erwarten darf. Die „Königin von Saba" hat in Wien und bald nachher auch in vielen an-deren Städten Deutschlands und Italiens außerordentlich ge-fallen.

3.

„Die Folkunger."

Große Oper von Mosenthal, Musik von Kretschmer.
(Aufgeführt in Wien 1876.)

Der Held der neuen Oper, Prinz Magnus Laduslas, ist eine historische Person. Sohn König Erik's und Nachkomme Birger-Jarl's, des Gründers von Stockholm, gehört er zum Geschlechte der Folkunger, das 1250 auf den schwedischen Thron gelangte. Zum Mönch erzogen, wurde Magnus nach dem Tode seines Bruders, gegen die Intrigue einer mit den Dänen conspirirenden Partei, vom Landvolke auf den Thron erhoben. Zum Dank dafür begünstigte er das Volk, das ihm den Namen Laduslas „Scheunenschloß" gab. Er liegt in der Riddarsholm-Kirche neben seiner Gattin begraben. So weit reicht die historische Grundlage, auf welcher Mosenthal eine durchaus freie Erfindung als Handlung der „Folkunger" aufbaut.

Bei den bescheidenen poetischen Ansprüchen, die man heutzutage an deutsche Textbücher zu stellen sich gewöhnt hat, müssen Mosenthal's „Folkunger" als eine der geschicktesten und wirksamsten Arbeiten dieser Art bezeichnet werden. Die Exposition spannt die Erwartung des Zuschauers auf glücklichste Weise, der dramatische Verlauf entwickelt sich, ohne gewagte Sprünge und lästige Stockungen, klar und verständlich. Die Situationen heben sich in wohlberechneten Contrasten von einander ab und arbeiten dem Componisten größtentheils günstig in die Hände. Mit Ausnahme der Exposition erinnern allerdings die Hauptscenen der „Folkunger" an ähnliche in bekannten Opern, auch holen sie ihre Effecte zum Theil von Außen herein. Ave Maria der Mönche, Hirtengesang hinter der Scene, Ungewitter und Lawinensturz, ländliches Ballet, Festzug, Verschwörungschor, Krönungsmarsch, Orgelklänge — wahrlich, der Dichter müßte denjenigen fordern, der mehr fordern wollte. Genug, daß hier in einer zusammenhängenden Handlung eine Reihe effectvoller Bilder

aufgerollt ist und — was so selten zutrifft — musikalische
Empfindung die ganze Diction durchdringt.

Der Componist der „Folkunger", Herr Edmund Kretschmer, Organist an der katholischen Hofkirche in Dresden, hat
mit dieser seiner ersten Oper bereits sehr günstige Erfolge errungen. Auf zahlreichen deutschen Bühnen mit großem Beifall
aufgeführt, durften die „Folkunger" immerhin den Anspruch erheben, auch in Wien bekannt zu werden. Trotz der vielen
praktischen Vorzüge dieser Composition, denen wir sogleich gerecht
werden wollen, hätten wir ihr, offen gestanden, doch nimmermehr eine solche Carrière prophezeit. Letztere erklären wir uns
nur aus dem erschreckenden Mangel an brauchbaren deutschen
Opern-Novitäten und dem dankbaren Entgegenkommen eines
musikalisch ausgehungerten Publicums, nebenbei aus der bekannten
Vorliebe der Deutschen für eine gewisse spießbürgerlich-liedertafel-
mäßige Gemüthlichkeit, welche selbst in Aufgaben großen Stils
ihre Liebhaber findet. Herr Kretschmer offenbart sich in den
„Folkungern" als ein tüchtiger, gewandter Musiker, mit einer in
allen Theater-Effecten sicheren Hand und einem ehrlichen, weichen
Gemüth. Aber was er nicht besitzt, das ist ein starkes Talent.
Es fehlt ihm die erste Gabe eines solchen, ausgesprochene
Persönlichkeit und schöpferische Kraft oder, wie man gewöhnlich
sagt, Originalität und Erfindung. Wir wüßten aus seiner
Oper nicht eine einzige Nummer zu nennen, die uns durch die
Eigenart musikalischen oder dramatischen Geistes gefesselt hätte.
„Wenn ich ein Buch lese, so will ich mit Jemandem zu thun
haben," pflegte Grillparzer zu sagen, und der Zuhörer einer
neuen großen Oper darf wol ein ähnliches Verlangen hegen.
Wir wollen einer Individualität gegenüberstehen, wie sie selbst
aus den oberflächlicheren Werken von Donizetti, Verdi, Auber,
Adam, ja Strauß und Offenbach zu uns spricht. Die „Folkunger" sind eine achtbare, gewandte Arbeit ohne einen Funken
von Genialität. Der Componist der „Folkunger" schwankt fort-

während zwischen Wagner, Meyerbeer, Weber und Marschner,
ja bei manchen Effectstellen (Schluß der „Bannerweihe", Allegro
des Liebesduetts 2c.) drückt er auch Bellini und Donizetti die
Hand. Wir wollen nicht sagen, daß er entlehne, aber er erinnert. Directe Reminiscenzen wären uns fast willkommener als
diese Melodien, bei denen, wie auf stark abgegriffenen Münzen,
gar kein Gepräge mehr zu erkennen ist. „Weß' ist das Bild?"
Ich weiß es nicht; aber ich weiß, daß ich Kretschmer's Bilder
schon hundertmal gesehen zu haben glaube. Es geschieht nicht
selten, daß ein begabter junger Componist sich einen Lieblings-
Tondichter zum Vorbild erwählt, ihn nachahmt und dann später
von dessen Einfluß sich losmacht. Das ist der bessere, hoff-
nungsreichere Fall gegenüber der schwankenden Unselbstständigkeit,
welche von den verschiedensten Meistern bald dies, bald jenes
anempfindet und auf diese Weise nie zu einer Eigenart, zu einem
individuellen Sonder-Ausdruck gelangt.

Vergebens forschen wir nach irgend einem Element in den
„Folkungern", das wir als Herrn Kretschmer eigenthümlich her-
ausheben könnten; wir finden keines, es wäre denn jene vierstimmige Männergesang-Vereins-Sentimentalität, welche übrigens
auch mehr national als individuell auftritt. Wo Kretschmer in
Chören und größeren Ensembles sich diesem Liedertafelstil nähern,
durch üppigen Zusammenklang der Stimmen wirken kann, da
wird ihm und auch uns am wohlsten. Die Sologesänge stehen
an Werth beträchtlich unter den Chorsätzen und werden am
langweiligsten, wo sie in dem längst Gemeingut gewordenen
Tannhäuser-Stil sich bewegen. Dahin gehört das Meiste aus
dem ersten und dem vierten Act; da will bei Kretschmer nichts
Originelles keimen und nichts echt Dramatisches aufkommen,
desto mehr sentimentale Phrasen. Man höre gleich Anfangs
das Arioso des Abtes Ansgar: „Auf dieser Höh', in diesen
Schlünden" — wird da nicht die schreckliche Erhabenheit des
„ewigen Eises" zur sächsischen Schweiz abgeplättet? Gibt es

etwas Banaleres, als die Melodie der „Bannerweihe" in B-dur,
des Festchors „Heil Mariä!", des Liebesduetts im vierten Act
u. s. f.? Kann man zwischen dem „Tannhäuser-Marsch" und
dem „Propheten-Marsch" kläglicher auf die Erde sitzen, als es
Kretschmer mit seinem Krönungsmarsch im dritten Act passirt?
Selbst die wirksamsten, durch Wohlklang und effectvolle Steigerung hervorragenden Stücke der Oper, wie die Finale des
zweiten und dritten Actes, bergen in ihren prächtig aufgebauschten
Hüllen doch nur einen dürftigen musikalischen Kern. Das Beste
findet sich, wie gesagt, in den abgerundeten, älterer Opernform
angehörigen, Chorsätzen. „Der Brauttanz von Falun", der
F-dur-Chor: „Sprich, bist du Erik's Sohn?", das Ensemble:
„Lebewohl!" — sämmtlich im zweiten Act — sind sehr hübsche
Musikstücke und unseres Erachtens die gelungensten in der ganzen
Oper. Sie dienen uns zugleich als erwünschte Beispiele für
des Componisten Vorzüge: Sinn für Wohlklang und Form,
gute Stimmführung, geschickte Berechnung des Theater-Effects.
Auch in der Ausdehnung der einzelnen Musikstücke hält sich
Kretschmer, mit wenigen Ausnahmen, maßvoll. Freilich hat
Capellmeister Gericke einige hundert Tacte aus der Oper her-
ausgestrichen (möge er ebenso viel Jahre leben!), aber der
Componist, ein Muster liebenswürdiger Bescheidenheit, erhob
nicht die leiseste Einwendung dagegen. Diese, Herrn Kretschmer
als Menschen zierende Eigenschaft verfehlt auch nicht des Einflusses auf seine Musik: er sucht nicht sich größer zu strecken,
als er gewachsen ist, und verschmäht es, sich mittelst erquälter
Bizarrerien für ein Genie auszugeben. Wagner folgt er nur
bis zu dem mittleren Niveau des Dialogs im „Tannhäuser"
und „Lohengrin". Den gewaltthätigen Neuerungen des jüngsten
Wagner-Stils bleibt er fern — freilich, dazu gehören Mittel.
Höchst anerkennenswerth, ja für eine Erstlingsoper überraschend,
ist seine sichere Handhabung der musikalischen Technik, insbesondere der Instrumentirung. Gleichwol darf hier nicht verschwie-

gen bleiben, daß auch in dieser geschickten, stellenweise brillanten
Orcheftrirung sich Neues oder Originelles gar nicht vorfindet.
Kretschmer instrumentirt eben, wie die effectvollsten Opern-Componisten der Jetztzeit ähnliche Situationen instrumentirt haben.
Da kann es dann   t fehlen, daß man seinen Orchester-Effecten
das Aeußerliche oft an   rkt, zum Beispiel in den zahlreichen
„dankbaren" Soli der Clari   tte, des Englisch-Horns, des Cellos
u. f. f. Die langweilige Violi   iguration zu der Liebstrophe
„Keine Thräne" im Anfange des z   iten Actes stammt direct
von der Romanze Raoul's in den „Hu   notten", und vor der
„Bannerweihe" kommt sogar ein Lüftchen   om Manzanillobaum
in Gestalt eines Geigen-Unisonos auf der G-   aite herangeweht.
Die beiden mittleren Acte sind weitaus die b   en; hier walten
bie großen Ensembles vor. Der erste Act wir   matt und un-
bebeutend; ein starkes dramatisches Talent hätte   aus der ersten
Scene zwischen Magnus und Patrik etwas Bedeu   endes schaffen
müssen, das der ganzen Oper wie eine Fackel   oranleuchtete.
Noch schwächer ist, zu schwerem Nachtheil des   anzen, der
vierte Act, eine monotone Fläche, deren Hügel, die A   Mariens
und das Gebet Magnus', zugleich Höhenpunkte m   kalischer
Langweile bezeichnen. Ueberdies ist der wichtigste We   bepunkt,
das Lied der Amme, in welches Magnus schließlich ei   mmt,
vergriffen. Hieher gehörte ein echtes, melodiös einbrin   liches
Volkslied von größter Einfachheit und größter Schönheit,   icht
aber eine lahme Melodie, die, mit künstlichen Orchester-Ri   r-
nellen aufgeputzt, in ein banales Opern-Unisono ausmündet.

    Die „Folkunger" erfreuten sich in Wien einer freundliche
Aufnahme. Sei dieser jüngste Succeß unserem Hofoperntheater
und Herrn Kretschmer von Herzen gegönnt. Mögen sie beide
noch viele ebenso lohnende Erfolge erringen — mit besseren
Opern.

4.

„Das goldene Kreuz."

Komische Oper von Ignaz Brüll. (Aufgeführt in Wien 1876.)

Kaum war der Schlußchor der „Folkunger" verhallt (— für immer verhallt —), so feierte schon eine zweite deutsche Novität ihren Einzug in Wien. „Das goldene Kreuz" von Ignaz Brüll. „Das goldene Kreuz" hat, gleich den „Folkungern" von Kretschmer schnell die Runde über alle deutschen Bühnen gemacht. Die Carrière der „Folkunger" und des „Goldenen Kreuzes" — beides Erstlingswerke, welchen selbst persönliche Vorliebe einen hohen Rang nicht einräumen wird — ist uns ein neuer Beweis, daß es mit der vielbejammerten Zurücksetzung deutscher Opern-Componisten im Vaterlande keineswegs so schlimm steht. Das alte Klagelied von der „blinden Bevorzugung aller ausländischen Musik" in Deutschland muß doch wol verstummen angesichts solcher Thatsachen. Nicht um einen Stein auf diese durchwegs ehrenwerthen Partituren zu werfen, sondern um ihn abzuwälzen von dem verlästerten deutschen Publicum, gestehen wir ehrlich, daß wir, ganz absehend von Bedeutenderem, in Einem Acte von Bizet's „Carmen" mehr Talent und Geist wahrzunehmen glauben, als in den „Folkungern" und dem „Goldenen Kreuz" zusammengenommen. Und doch hat außer Wien unseres Wissens keine deutsche Stadt von „Carmen" Notiz genommen. Wir bezweifeln nicht, daß Brüll und Kretschmer auch wieder manchen Vortheil haben vor dem Franzosen, den wesentlichsten vor Allem: am Leben zu sein, während Bizet todt ist und nicht weiter fortschreiten kann.

Unser allezeit hilfreicher Mosenthal, poetischer Nährvater aller bedrängten Opern-Componisten, hat Herrn Brüll das Libretto geliefert. Es erinnert uns an den schönen lateinischen Wahrspruch: „Beatus, cui Deus obtulit, parca quod satis est manu". Auch Mosenthal verabreichte seinem musikalischen

Freunde „mit sparsamer Hand das Nothwendige" zur Composition einer Oper, kein Körnchen darüber. Den Stoff entnahm
er einem französischen Vaudeville von Dumanoir, das in den
Dreißiger Jahren an der Porte Saint-Martin, später auch
unter Carl (der den Invaliden spielte) im Theater an der
Wien gegeben worden. Es hält schwer, „Das goldene Kreuz"
unter die feststehenden Kategorien von Opern einzureihen; der
Form nach eine „Opéra comique" im französischen Sinne,
kann es doch kaum eine komische Oper heißen. „Das goldene
Kreuz" ist ein ländliches Rührstück, um das zeitweilig einige
heitere Lüftchen spielen. Der junge Wirth Nicolas wird zur
Großen Armee conscribirt und soll, gerade an seinem Hochzeits-
tage, nach Rußland abmarschiren. Seine Schwester Christine
verspricht demjenigen ihre Hand, welcher freiwillig als Ersatz-
mann für Nicolas eintreten würde. Keiner von ihren ländlichen Verehrern findet sich bereit dazu, wol aber ein junger
Edelmann, Gontran, welcher unbemerkt Zeuge des ganzen
Vorgangs gewesen. Er stellt sich für Nicolas beim Re-
giment und beauftragt den Sergeanten Bombardon, für ihn das
Pfand des Verlöbnisses, Christinen's goldenes Kreuz, in Empfang zu nehmen. Mit dem Abmarsch der Truppen schließt
der erste Act. Der zweite spielt drei Jahre später und führt
uns in die glückliche Häuslichkeit des Ehepaares Nicolas und
Therese. Bei ihnen weilt der inzwischen zum Hauptmann avan-
cirte Gontran, der, im russischen Feldzug verwundet, unter der
Pflege der beiden Frauen eben genesen ist. Christine liebt ihren
Schützling und weiß sich von ihm geliebt; aber dem unbekannten
Stellvertreter ihres Bruders, der ja täglich mit seinem goldenen
Kreuz auftauchen kann, will sie die Treue nicht brechen. Das
Erscheinen des zum Krüppel geschossenen Bombardon, der dem
todtgeglaubten Gontran das goldene Kreuz auf dem Schlacht-
felde abgenommen, löst endlich alle Schwierigkeiten, und wie der
erste, so schließt auch der zweite Act mit einer Hochzeit.

Herrn Brüll ist es gelungen, zu diesem einfach, aber ge=
schickt gebauten Libretto eine entsprechend anspruchslose Musik
zu schreiben. „Anspruchslos“ nennen wir seine Composition im
lobenden Sinne. Der Componist hält den Ton der Spieloper
fest und versteigt sich nirgends (oder doch nur ganz vorüber=
gehend, wie in dem Liebesduett) in das hochgespannte Pathos
oder die grelle Instrumentirung der Großen Oper. Wer, gleich
uns, so oft mit Schrecken erleben muß, wie Componisten leichter
Singspiele, ja lustiger Vorstadt=Operetten sich zu der Posau=
nensprache des „Propheten“ oder „Tannhäuser“ aufblasen; wer
in jeder neuen Musikalien=Sendung Lieder antrifft, welche das
einfachste lyrische Gedicht in Cayenne=Pfeffer sieden und
eigentlich Clavier=Etüden mit zufälliger Begleitung einer Men=
schenstimme sind — der muß die Rückkehr zu natürlicher
Empfindung und melodiösem Ausdrucke mit Freude begrüßen.
„Das goldene Kreuz“ weiß nichts von Verdi und Meyerbeer,
war auch nicht in Bayreuth.

Brüll schreibt fließend und sangbar, in dem Chor von
Christinen’s Verehrern und den ersten Couplets des Bombardon
verräth er ein hübsches Talent für maßvolle Komik, in dem
ersten Finale (der weitaus besten Nummer) ein munteres Herz
und einen offenen Blick für das theatralisch Wirksame. Die
Vortheile der Franzosen hat er sich wol hinter’s Ohr ge=
schrieben, wie dies namentlich seine Behandlung der Romanzen=
form und vieles Einzelne (Glöckchenchor im ersten Act ꝛc.) dar=
thut. Zum Glück stechen diese Anklänge doch nirgends grell
ab von dem vorwiegend deutschen Stil des „Goldenen Kreuzes“,
welches an Schubert, Lortzing und Kreutzer anknüpft. Das
sind, unseres Erachtens, für die deutsche komische Oper die er=
sprießlichsten Anknüpfungspunkte und der richtigste Boden. An
etwas anknüpfen heißt aber zugleich, den Faden eigener Erfin=
dung vom Ausgangspunkte weiterführen. Sich auf den rich=
tigen Boden stellen, reicht in der Kunst nicht hin; man muß

von da höher hinauf bauen. In diesem Betracht hätten wir
von Herrn Brüll mehr und Größeres gewünscht. Er stellt sich
nicht sowol auf die Schultern seiner Vorgänger, als daß er
ihnen auf den Fersen folgt. Für einen jungen, modernen Componisten verräth Herr Brüll häufig einen befremdenden Rococcogeschmack. Dinge wie die beiden Duette zwischen Therese und
Colas im ersten und zweiten Acte, wie der Quartettsatz „Sie
wankt“, der Chor „Gute Nacht“, klingen doch stark vor-Lortzingisch,
manche Stelle streift gar an Dittersdorf und Weigl. Es ist
und bleibt rühmlich, wenn ein moderner Componist im Singspiel zu den schlichten, prahllosen Tugenden der Alten zurückkehrt; damit allein ist's aber nicht gethan, das Wichtigste bleibt
immer: im Alten neu zu sein. Und hier steckt der schwache
Punkt von Brüll's Composition; es fehlt ihr, bis auf einzelne
glückliche Ausnahmen, der Stempel der Originalität, die schöpferische Kraft und Eigenart. Melodieen wie die (obendrein so
wichtige) Phrase: „Nehmt hin das Kreuz“, der Schlußsatz des
Duetts zwischen Gontran und Bombardon, des Letzteren Couplets
im zweiten Acte, die Hauptstellen des Liebesduetts („Dir gehör ich“ und „Welche Wonne, welch' Entzücken!“) — wie oft
glauben wir das Alles schon gehört zu haben! Der hervorstechendste Charakterzug von Brüll's Musik scheint uns eine
gewisse bequeme Gemüthlichkeit. Man durfte von einem jungen
Manne etwas mehr Feuer und Lebendigkeit erwarten. Sein
lauterer Sinn für Wohlklang und Symmetrie bezeugt die echt
musikalische Natur Brüll's; allein dieser Wohlklang entbehrt
häufig der geistigen Beseelung, diese Symmetrie, welche nach
zwei oder vier Tacten uns stets die folgenden zwei oder vier
errathen läßt, des Reizes der Zufälligkeit. Der Hörer will in
der Oper nicht blos musikalisch beschwichtigt, er will auch durch
neue Schönheiten oder schöne Neuheiten überrascht und entzückt
werden. Einen kräftigern Aufschwung erschwerte vielleicht, aber
verhinderte nicht die friedlich idyllische Handlung. Man kann

auch auf dem Dorfe originell sein und neue Ideen haben im Wirthshaus „zur Mühle". Indessen der Componist ist jung und das „goldene Kreuz" das erste, das er sich auf den heißen Brettern des Theaters erworben. Hoffen wir, daß Brüll's Talent recht bald zu seiner freundlichen Anmuth auch jenes Maß von Kraft und Selbstständigkeit hinzugewinne, ohne welche heute ein Operncomponist wol die Achtung, aber nimmermehr die Liebe und Hingebung des Publicums erringen kann. Der ausgebreitete, ungewöhnliche Erfolg der Oper ist bekannt. —

<hr />

5.
„Der Landfriede."
Oper in drei Acten von Ignaz Brüll. (Wien, 1877.)

Als nach dem Erfolg des „Goldenen Kreuzes" der Componist seinen Textdichter um ein neues Libretto anging, da hatte Mosenthal's feiner Opern-Spürsinn längst in dem „Landfrieden" von Bauernfeld einen dankbaren Musikstoff herausgewittert. Der Schauplatz: Augsburg im sechzehnten Jahrhundert, mit seinem reichen, ehrsamen Bürgerstande und den Resten eines wüsten Raubritterthums daneben; die sympathische Gestalt des Kaisers Max, des idealen „letzten Ritters", gegenüber den komischen letzten Rittern vom Stegreif, Bofesen und Kapaun, dazwischen liebliche Mädchengesichter und stürmische Liebhaber, endlich Situationen von prädestinirtem Operneffect, wie die Jagd, die Erstürmung der Bofesenburg, das glänzende Kaiserfest! Manches freilich, was dem Lustspiel die feinere geistige Würze verlieh, mußte wegfallen; so die individuelleren Charakterzüge des Kaisers und die von echt Bauernfeld'scher Ironie gebeizten Reden des Hofnarren Kunz von der Rosen. Im Uebrigen ist Mosenthal dem Bauernfeld'schen Original Scene für Scene, häufig Wort für Wort treu gefolgt, so treu, daß die Angabe des Theaterzettels: „Frei nach Bauernfeld", uns

befremdet. Auch wissen wir nicht, warum Mosenthal die Be-
zeichnung „komische Oper" vermieden hat, welche seinem „Land=
frieden" so gewiß zukommt, als der Bauernfeld'sche ein Lust=
spiel ist. Nicht nur stehen die komischen Figuren in hellster
Beleuchtung, auch die ernsten Scenen sind bei Bauernfeld und
Mosenthal, fern von tragischem Pathos, in einem mittleren
Conversationston gehalten, den allerdings Brüll's Musik im
zweiten Acte stellenweise mit der Leidenschaftlichkeit der Großen
Oper versetzt. Schade nur, daß Mosenthal sich eine wirksame
Aenderung entgehen ließ, welche dem Operndichter erlaubt und
leicht auszuführen war; wir meinen, er hätte die beiden köst=
lichen Figuren, Bosesen und Kapaun, welche bei Bauernfeld mit
dem zweiten Acte verschwinden, am Schlusse des dritten noch
einmal bringen sollen zur Belebung und Abrundung des Bildes.
Mosenthal's Verdienst liegt übrigens keineswegs blos in der
glücklichen Entdeckung des Stoffes, sondern auch in dessen äußerst
geschicktem Umguß in die musikalische Form.

So vereinigt denn unsere Opern=Novität drei österreichische,
drei Wiener Namen guten Klanges: Bauernfeld, Mosen=
thal und Brüll. Bauernfeld, der Senior des deutschen Lust=
spiels, welcher mit jugendlicher Rüstigkeit der Vorstellung folgte,
war in den Zwischenacten Gegenstand lebhafter, beglückwünschen=
der Aufmerksamkeit. Daß Mosenthal fehlte, hat gar Vie   den
Abend schmerzlich getrübt. Genau ein Jahr zuvor am 4.   tober
1876 hatte er sich noch, bald auf der Bühne, bald im P   quet,
an der ersten Aufführung seines „Goldenen Kreuzes" e   ut,
um dann nur zu schnell in jenen einzigen Landfrieden einzu   en,
dem „zu trauen ist" *). Der Jüngste von den Dreien   er

---

*) In Mosenthal verloren wir den gewandtesten und fruchtba
deutschen Operndichter. Wenn man Mosenthal als Libretto=Dichter   e
und da den „deutschen Scribe" nannte, so war das Lob jedenfalls   u
hoch gegriffen; weder qualitativ noch quantitativ erreicht er den fra   =
zösischen Librettisten, der neben zahlreichen anderen Theaterstücken   ach

könnte den Jahren nach Mosenthal's Sohn und Bauernfeld's Enkel sein — ist Ignaz Brüll, der rasch in ganz Deutschland

---

undzwanzig große Opern und fünfundneunzig komische Opern geliefert hat, worunter Muster-Librettos, wie die „Weiße Frau", „Stumme von Portici" und viele andere. Freilich hatte unser Mosenthal auch nicht das Glück, Mitarbeiter wie Boieldieu, Meyerbeer, Halévy, Auber zu finden, die seine Textbücher zu höchsten Ehren gehoben hätten. Das vorzüglichste Libretto, das Mosenthal geschrieben, sind „Die lustigen Weiber von Windsor", die mit Otto Nicolai's Musik eine Zierde des deutschen Repertoires bilden. Die komische Oper der Deutschen hat diesem Libretto wenig an die Seite zu stellen. Auch unter. den zahlreichen folgenden Textbüchern von Mosenthal findet sich manches Gute; die meistens übermäßige Einfachheit der Handlung unterscheidet ihn auch wieder von Scribe, den Meister des verwickelten Intriguenspiels. Eines jedoch hatte Mosenthal mit Scribe gemein: was er schrieb, war musikalisch. Mosenthal hatte ebensowenig Musik gelernt, als Scribe, keiner von Beiden spielte ein Instrument; aber das musikalische Talent steckte in ihnen. Mosenthal's klangvolle Verse kamen dem Componisten auf halbem Wege entgegen, der geschickte Aufbau seiner großen Ensembles und Finales reizte zu effectvoller musikalischer Erfindung. Ich erinnere an seine „Judith", „Königin von Saba", „Folkunger" — im heiteren Fache an die „Lustigen Weiber" und „Das goldene Kreuz". So viel man ihnen auch ausstellen mochte, das Eine sollte man nie vergessen, daß Mosenthal der einzige namhafte Bühnendichter in Deutschland war, der überhaupt Operntexte schrieb. Er und immer nur er hat auf diesem unentbehrlichen und trotzdem in Deutschland so verödeten Gebiete producirt, fruchtbar und erfolgreich producirt. Den „Nährvater der deutschen Opern-Componisten" haben wir jüngst Mosenthal scherzhaft genannt; seine Pflegekinder werden die Wahrheit dieses Wortes jetzt einsehen und — hungern. Aber nicht blos sein poetisches, auch sein abministratives Talent kam vielfach der Musik zu statten; sein Auftreten war oft entscheidend in der Direction der „Gesellschaft der Musikfreunde", der er mit dem idealen Eifer des Liebhabers angehörte. Hier waren Mosenthal's Ansichten und Vorschläge durchaus nicht ideologische Schwärmereien eines Poeten, vielmehr praktisch und sachgemäß, stets erfüllt vom „bon sens", den er auch in lebhaft hinfließender Rede wol zu vertheidigen wußte. Es gab seit Jahren kaum eine für Wien wichtige musikalische Angelegenheit, welche ich nicht mit Mosenthal mit Nutzen und Vergnügen durchgesprochen hätte. Mit Nie-

beliebt gewordene Componist des „Goldenen Kreuzes". Wie
eine geharnischte Patrouille mit dem österreichischen Wappen auf
dem Schild escortirten diese drei Namen das neue Werk zu
einem sicheren einheimischen Erfolg, zugleich der einheimischen
Kritik eine gewisse wohlwollende Zurückhaltung zuwinkend. Es
sind übrigens nicht blos patriotische Empfindungen, sondern ge-
wichtigere Gründe artistischer Natur, welche Brüll's „Landfrieden" empfehlen. Für's erste die regelmäßig beklagte und
trotzdem unverrückt festsitzende Armuth an brauchbaren deutschen
Opern-Novitäten, namentlich heiterer Gattung. Seit Lortzing's
Opern, dann Flotow's „Martha" (1847) und Nicolai's „Lustigen Weibern" (1849), also seit nahezu dreißig Jahren haben
eigentlich nur zwei komische Opern deutscher Herkunft eine allge-
meinere und lebhaftere Theilnahme gefunden: „Die Widerspenstige" von Hermann Götz und Brüll's „Goldenes Kreuz".
Ein außerordentliches Armuthszeugniß für unsere musikalische
Productivität, ist das zugleich eine Mahnung, unsere Anforderungen in so schwerer Zeit nicht allzu hoch zu spannen. Das
Publicum kommt dieser Mahnung gern und freiwillig nach.
Daß Brüll's „Goldenes Kreuz" sich binnen Jahresfrist die
meisten deutschen Bühnen eroberte und dieselben deutschen Bühnen
bereits den „Landfrieden" ungesehen, ungehört, gleichsam noch
auf dem Halme angekauft haben, gehört zu den größten Erfolgen, deren ein Anfänger sich rühmen kann. Zu dem Mangel
an Novitäten überhaupt trat noch ein zweiter Factor von Ge-

---

mandem verkehrte es sich leichter und angenehmer. Alle Pflegestätten ge-
selliger Bildung und edler Kunstliebe in Wien werden Mosenthal schmerzlich vermissen. Er wird uns Allen lange abgehen, überall abgehen, der
immer liebenswürdig heitere, herzliche, erfrischende Mensch! Die Welt
geht unbekümmert ihren Gang weiter, das wissen wir, und verkündet,
daß Niemand unersetzlich sei. Schade nur, daß das Gegentheil wahr
ist: kein Mensch, der uns wohlthat und den wir liebten, kann ersetzt werden. Es kommen nur immer andere.

wicht: das Bedürfniß nach einer einfach melodiösen, leicht auf=
zunehmenden und leicht auszuführenden Musik. Ohne diese im
Publicum längst gährende Reaction gegen überwürzte, lärmende,
endlose Opernmusik hätte die schüchterne Liebenswürdigkeit des
„Goldenen Kreuzes" wenigstens nicht in diesem Grade und in
solcher Ausdehnung gewirkt. Succèss oblige. Herr Brüll that
wohl daran, die Wirkung seiner ersten Oper nicht auskühlen,
sondern rasch eine zweite, größere ihr folgen zu lassen. Sein
„Landfriede" trägt im Großen und Ganzen dieselbe musikalische
Physiognomie und behauptet dasselbe Niveau wie die Partitur
vom „Goldenen Kreuz" — es dürfte ihm demnach eine gleiche
Carrière bevorstehen, in Norddeutschland zumal, wo man die
deutsche Biederkeit musikalisch gern in breitspurig gemächlichen
Melodien, gleichmäßigen Rhythmen einhergehen sieht und eine
gewisse Bequemlichkeit des Scherzes wie der Sentimentalität der
südlichen Lebendigkeit vorzieht. Wie seinerzeit am „Goldenen
Kreuz", müssen wir auch an dem „Landfrieden" den durchwegs
deutschen Charakter der Musik loben, welche sich an Schubert,
Weber, Kreutzer und Lortzing anlehnt, stellenweise auch den
modernen „deutschen" Ton streift, den Wagner in den „Meister=
singern" so charakteristisch angeschlagen. In Brüll haben wir
ein bescheidenes, aber anmuthiges und echt musikalisch geartetes
Talent, dem mancher glückliche Treffer im Gebiete des Gemüthlich=
Naiven, des Heiteren und Leicht=Sentimentalen gelingt. Er
geht seinem Stoffe immer gradewegs, ohne mysteriöse Umschweife
entgegen und findet für jede Situation den richtigen, wenn auch
selten einen tiefen, oder zündenden Ausdruck. Brüll's musi=
kalische Erfindung fließt etwas spärlich und meistens aus ab=
geleiteten Quellen, dennoch muthet sie uns freundlich an durch
einen jetzt so selten gewordenen Zug von Ehrlichkeit und Naivetät.
Diese ungesuchte Naivetät hat freilich auch ihre Schwächen, ihre
Gefahren: sie ist nicht genug wählerisch. Neben manchem hüb=
schen Gedanken machen sich im „Landfrieden" auch wieder alltäg=

liche, abgeleierte Melodien breit, die man heutzutage Anstand
nehmen sollte, niederzuschreiben. Wir geben dem Componisten
zu bedenken, daß er jetzt einen Namen, einen rasch erworbenen
Namen zu verlieren hat.

Ob der „Landfriede" einen merklichen Fortschritt bedeute
gegen das „Goldene Kreuz"? Ja und Nein. In technischer
Hinsicht, besonders in der Bewältigung größerer Formen, gewiß;
das Strophenlied und die Romanze, im „Goldenen Kreuz" noch
vorherrschend, treten im „Landfrieden" gegen die ausgeführte
Scenenform und breitern Ensembles zurück. Ob hingegen die
reinmusikalische Erfindung im „Landfrieden" reicher, kräftiger,
origineller geworden sei, bleibe dahingestellt. Wir wüßten keine
Nummer im „Landfrieden", die an frischer, runder Wirkung
das Walzer=Finale im „Goldenen Kreuz" erreichte. Auch von
der komischen Ader Brüll's hätten wir nach manchen glücklichen
Ansätzen in seiner ersten Oper uns mehr versprochen, als er
in der zweiten gehalten hat, wo sich ihm doch in Bofesen und
Kapaun ein ungleich dankbarerer, ja beneidenswerther Stoff dar=
bot. Diese beiden Figuren würden ohne die komische Maske
und das drastische Spiel der Darsteller schwerlich komisch wirken;
die Grandezza Bofesen's neigt sich bei Brüll viel mehr zum
Tragisch=Pathetischen, als zum Komischen, und Kapaun's Humor
behilft sich mit einigen Brosamen von Lortzing's Tisch. In den
komischen und heiteren Scenen bewegt sich Brüll's Musik ganz
eigen bedächtig und schwerflüssig, es will nichts recht vorwärts.
Letzterer Vorwurf trifft in gewissem Grade auch die übrigen
Partien der Partitur; es fehlt der Oper der rasche Fluß, die
dramatische Schlagkraft. Der Componist geräth nicht in's Feuer
und verräth immer gleich Lust zum Ausruhen. Musikalisch be=
trachtet, liegt die Schuld zumeist an dem Vorwalten der geraden
Tactarten, der langsamen oder gemäßigten Tempi, vor Allem
aber in dem monotonen, gleichförmig fortpendelnden Rhythmus.
Der Componist sollte in solchen Nummern das dürre Skelett

des Tactschlages wenigstens mit dem blühenden Fleisch rhyth=
mischer Mannichfalt bekleiden. Wo durch seine gleichförmigen
rhythmischen Abschnitte am Ende einer Gesangsphrase Lücken ent=
stehen, macht sich Brüll das Ausfüllen derselben gar zu leicht,
indem er entweder nur ein kleines Schwänzchen von vier Sechs=
zehntelnoten einschiebt oder bestenfalls eine schnelle Geigenscala
herauf oder herunter. Diese Monotonie von Tact und Rhyth=
mus, die immer vorauszusehende regelmäßige Periodisirung von
zwei zu zwei und vier zu vier Tacten, die unfreie, fast immer
an dem metrischen Schema der Verse klebende Rhythmik des
Gesanges wirken im Verlaufe der Oper recht abspannend. Der
Rhythmus ist die schwache Seite der meisten neueren Opern=
componisten Deutschlands, und doch liegt vornehmlich in ihm
das Geheimniß des dramatischen Lebens und die aufhelfende
Kraft selbst für eine melodisch unbedeutende Erfindung.

Der Totaleindruck der neuen Oper war in Wien über=
wiegend günstig. Das Zusammenwirken der Handlung, der
trefflichen Darstellung, der historisch treuen, prachtvollen Costüme
mit der trotz ihrer Schwächen doch freundlich ansprechenden Musik
erzielte in Wien ein Resultat, das in der allseitig ausge=
tauschten Versicherung: man habe sich gut unterhalten, seinen
entsprechenden Ausdruck findet.

~~~~~~~

6.

„Die Makkabäer.“

Oper in drei Acten von Mosenthal, Musik von Rubinstein.
(Aufgeführt in Wien 1878.)

Otto Ludwig's mächtige Tragödie „Die Makkabäer“ durfte
füglich die Aufmerksamkeit unserer Operndichter und Compo=
nisten erregen. Scenen wie die Zertrümmerung des Götzen=
bildes durch Judah, wie der Siegesgesang der glaubensstarken
Leah, wie endlich der Opfertod der Jünglinge im Feuerofen

schienen wie prädestinirt für mächtige Opernwirkung. Ein Hauptfehler des Stückes, daß es zwei Helden hat (Leah und Judah), die einander das Interesse des Zuschauers wegschnappen, verträgt sich immerhin mit der leichteren dramatischen Observanz der Oper. Zwei gewandte und vom Orient einträchtig angeheimelte Theaterpraktiker brauchten nur zuzugreifen — und sie griffen zu. Mosenthal hält sich möglichst genau an Otto Ludwig's Trauerspiel, dessen Handlung als bekannt vorausgesetzt werden darf. Er drängt lediglich die fünf Acte des Originals in die für den Operncomponisten günstigere dreitheilige Form zusammen und läßt einzelne vermittelnde Scenen und Nebenfiguren fallen. Hingegen führt er selbstständig eine neue Person in die Handlung ein: die Königstochter Kleopatra, welche den abtrünnigen Makkabäer Eleazar liebt. Darin folgte Mosenthal seinem richtigen Theaterblick: er konnte eine Oper nicht gänzlich ohne Liebesverhältniß lassen und bedurfte eines heiteren Lichtpunktes, einer glänzenden Frauengestalt als Gegenstück zu all den Jammerscenen und hebräischen Klageweibern.

Weniger als über die Vorzüge scheinen sich der Componist und sein Textdichter über die bedenklichen Seiten ihres Opernstoffes klar geworden zu sein. Von speciellen Mißständen der Makkabäer=Tragödie noch abgesehen, ist das ganze Stoffgebiet des Alten Testaments dem modernen Theater nicht günstig. Im recitirenden Drama unternimmt es heutzutage nur sehr selten ein Dichter, biblische Stoffe zu behandeln. Geschieht dies einmal ausnahmsweise und von einem auserwählten Poeten wie Otto Ludwig, so läßt man sich das auserwählte Volk im Drama eben gefallen. Auch da nicht ohne Opposition; denn wie Laube in seiner „Geschichte des Burgtheaters" erzählt, hatten Ludwig's „Makkabäer" bald den Spitznamen „Die Synagoge im Burgtheater". In der Musik aber sind wir mit biblischen Stoffen reichlich, fast überreich versehen: das Alte Testament insbesondere liefert die Handlung der meisten Oratorien

Für diese Stoffe hat sich allmälig auch eine Art conventioneller
Musik herausgebildet, welche den Hauptschatz ihrer Phraseologie
aus Mendelssohn schöpft. Kann man es den Musikfreunden
verargen, welche von Kindheit auf im Oratorium Israel
klagen hören, wenn sie in der Oper damit verschont sein
möchten? Was ist eine „Synagoge im Burgtheater" gegen
eine im Opernhause? Eine gesprochene Synagoge gegen eine
gesungene? Das gesprochene Wort kann schnell abthun, was
das gesungene weit ausbreiten und zähe festhalten muß; das
Klagen und Beten, acut im Drama, wird in der Oper
chronisch und epidemisch. Neuester Zeit hat man sich überdies
auch in der Oper durch „Aida", die „Königin von Saba"
und dergleichen gegen die exotischen Reize orientalischer Melodik
abgestumpft. In Rubinstein's „Makkabäern" kommt man
aus dem Unglück der Juden fast gar nicht heraus. Die edle,
aber ganz undramatische Tugend des passiven Erduldens wirkt
hier nicht tragisch, sondern peinlich. Aus der klagenden, ver-
zagenden Menge hebt sich zwar die heldenmüthige Gestalt Judah's empor, der gleich anfangs versichert, er sei „der Mann
des Betens nicht"; trotzdem leistet er in diesem Fach ein
Uebriges. Was vollends seine Landsleute im Verlaufe der
drei Acte zusammenbeten, jammern, segnen und fluchen, das ist
kaum nachzuerzählen.

Rubinstein's Oper nimmt einen guten Anlauf, befriedigt
und interessirt dann stellenweise, wirkt aber als Ganzes überaus ermüdend, ja niederdrückend. Um gleich mit der Hauptsache herauszurücken: Rubinstein's Erfindungskraft —, welche
sich in manchen seiner früheren Compositionen frisch und üppig
gezeigt, hat ihn diesmal stark im Stich gelassen. Nach seinen
zwei ersten Opern hatten wir etwas ganz Anderes erwartet.
Allerdings vermochten auch jene beiden („Die Kinder der Haide"
und „Feramors") sich nirgends zu behaupten; sie waren zu
ungleich in ihren Bestandtheilen, Prächtiges stand dicht neben

Mittelmäßigem, und der Erbfehler aller Rubinstein'schen Production: das allmälige Herabsinken, das schleuderische Fertig-
machen eines mit Schwung und Liebe begonnenen Werkes,
brachten auch sie um den Erfolg. Schlimm für eine Sonate
oder Sinfonie, viel schlimmer jedoch für eine Oper, wenn ihre
zweite Hälfte mit schwerer Hand das Feuer wieder erstickt, das
die erste so hübsch angezündet. Immerhin sprühte diese erste
Hälfte in „Feramors" und den „Kindern der Haide" die glänzendsten Funken von Rubinstein's Talent. Stücke wie das erste
Finale und der Lichtertanz in „Feramors", wie das erste
Zigeuner-Duett, das Hochzeitslied und die Ballade Isbrana's
in den „Kindern der Haide" wird nicht leicht Jemand Rubinstein nachmachen. In Rubinstein's dritter Oper: „Die Makkabäer", herrscht ein einheitlicherer Stil und gleichmäßigerer
Werth; allein es ist dies leider eine Gleichmäßigkeit im Unbe-
deutenden, eine Einheit im Mangel. An Stelle der blendenden
Lichter und tiefen Schatten ist ein wohltemperirtes Grau in
Grau getreten. Den früheren Rubinstein charakterisirte ein un-
gestüm sorgloses Temperament, eine drängende, wenngleich nicht
nachhaltende Energie, ein stark äußerliches, aber im Aeußer-
lichen starkes Talent. Wie sein Clavierspiel, so trug auch seine
Composition vorzugsweise den Charakter physischer Kraft und
Erregtheit. In den „Makkabäern" erscheint uns der russische
Löwe auffallend zahm und müde, als wäre er seit den „Kindern der Haide" siebzig Jahre alt geworden. Der Grund-
charakter seiner „Makkabäer"-Musik ließe sich kurz bezeichnen
als verwässerter Mendelssohn. Man nehme die „Athalia"
oder einen der Psalmen von Mendelssohn, schwäche durch bequeme Motiv-Wiederholungen und Opernphrasen ihr Pathos
und durch eine verworren brummende oder roh lärmende Instrumentation ihren Klangzauber, so gewinnt man eine ungefähre
Vorstellung von Rubinstein's „Makkabäern". „O, so besonnen
sein, das kostet wenig Besinnen!" sagt Judah bei Otto Lud-

wig. Die „Makkabäer" verrathen den gebildeten und routinirten
Componisten — den originellen oder genialen nimmermehr.
Nur zwei Musikstücke in der Oper klingen originell, so daß
man sie als „rubinsteinisch" erkennen dürfte: der erste Hirten-
Chor „Tönet, Schalmeien", und Leah's Siegesgesang im zweiten Acte. Ersterer erhält durch die consequent festgehaltene
übermäßige Quarte (des e in B-dur) jene exotisch orientalische
Färbung, die man in jedem rumänischen Tanzliede (Hora)
finden kann. Leah's Melodie: „Schlaget die Pauke" verräth
gleichfalls den nationalen, orientalisch-slavischen Ursprung; sie
soll einem kleinrussischen Volksliede entnommen sein. Mit Ausnahme dieser beiden Stücke könnte alles Uebrige ebensogut von
einem andern Componisten als von Rubinstein herrühren. Wir
haffen die Reminiscenzenjagd, diesen kleinlich dilettantischen
Sport, vielleicht haben wir darum in den „Makkabäern" auch
so wenig aufgestöbert, was an Rubinstein erinnert.

Einer Begegnung, welcher der Componist der „Makkabäer"
ängstlich ausweicht, ist Richard Wagner. Man kann ihm darin
nur Recht geben. Fürs erste würde es einem Tondichter, der
sich eigenhändigen Ruhm geschaffen, übel anstehen, wenn er die
Handschrift eines Andern nachmachen wollte; es käme fast einer
Abdication gleich. Der neu-wagnerische Stil ist überdies ein
so höchst persönlicher, daß thatsächlich seine jüngeren Nachahmer,
mit ihren langen Haaren und kurzen Melodieen, daran zu
Schanden werden. Sodann sind Wagner's spätere Werke wol
interessante Ausnahmserscheinungen, nicht aber Prototypen eines
allgemein giltigen, auf naturgemäßem Fortschritt fußenden Kunst-
gesetzes. Rubinstein theilt mit uns die Ueberzeugung, daß ein
begabter Componist in dem bisherigen Opernstil, das heißt ohne
die in's Orchester verlegte unendliche Melodie und ohne die
Wasserscheu vor Chören und Ensembles, noch Schönes, Neues,
Ergreifendes schaffen könne. Er weiß sehr wohl, daß man die
größten Errungenschaften der Musik nicht fortzuwerfen brauche,

um dramatisch zu componiren. In diesem Sinne ist Rubinstein's Oper, als ein beredter Protest gegen musikalische Irr-
lehren, von Werth und Bedeutung. Freilich kommt es hier
wie überall darauf an, ob dem Componisten auf seinem rechten
Wege auch was Rechtes eingefallen sei. Diese etwas prosaisch
klingende Frage können wir leider nicht mit einem herzhaften
Ja beantworten. Die „Makkabäer" leiden entschieden an musikalischer Ideenarmuth. Man wische selbst ihren prunkendsten
Stücken die Theaterschminke von den Wangen, das heißt, man
spiele sie im Clavierauszug, und sehe zu, was übrig bleibt.
Auf die Dauer läßt sich das auch im Theater nicht verbergen,
und so geschah es, daß uns im dritten Act der gar nicht zur
„Nibelungen"-Verwandtschaft gehörigen „Makkabäer" zuMuthe
wurde, wie nach den langen Monologen des Wotan. Fast
waren wir auf dem Punkt, einzuräumen, daß eine vierstimmige
Langweile sich von einer einstimmig gesungenen eigentlich nur
durch die Façon unterscheide.

Wie Rubinstein fast überall gut beginnt, so thut er es
auch in den „Makkabäern". Die Chöre, namentlich der Hirten
und der heidnischen Priester („Pallas Athene"), wirken effectvoll durch klangvollen Vocalsatz und geschickte Steigerung. Die
Solopartien stehen schon im ersten Acte bedenklich zurück; Leah's
Traum wird mit gewöhnlichen Theatermitteln bestritten, wie ihre
Unterredung mit Eleazar und Jojakim. Judah's Hymnus mit
Harfenbegleitung, der doch für die ganze Oper von Bedeutung
werden soll, behilft sich mit unbedeutenden, verbrauchten Phrasen
und dreht sich fast immer um ein und denselben Ton herum.
Dieses melodische Festkleben in einem kleinen Intervallenkreis,
dann das Wiederholen derselben Phrase, theils unverändert,
theils sequenzartig auf höherer oder tieferer Stufe, endlich das
Vor- oder Alleinherrschen viertactiger Rhythmen geht als con-
sequente Manier durch die ganze Oper. Desgleichen das trübe,
dicke, man möchte fast sagen schmutzige Colorit der Instrumen-

tirung. Der zweite Act beginnt im Feldlager Judah's. Die Juden, im Kriege gegen die Syrier, wollen, getreu ihrem Religionsgesetz, am Sabbath nicht kämpfen und lassen sich psalmensingend von dem Feinde ohne Gegenwehr niedermetzeln. „So untergeh'n? so elend lächerlich?" ruft ihnen Judah in Ludwig's Tragödie zu. Kein Wunder, wenn uns im neunzehnten Jahrhundert dieser Untergang einer kriegführenden Armee einen ähnlichen Ausruf entlockt. Es gibt Denk- und Empfindungsweisen längst entschwundener Zeiten und fremder Völker, in welche wir uns heute nicht mehr unbefangen hineindenken können, geschweige denn sie als Motive tragischen Ausgangs mitfühlen. Dahin gehört der freiwillige Opfertod eines Heeres von bewaffneten Betbrüdern, die sich abschlachten lassen, weil es gerade Samstag ist. Es erinnert uns an ein anderes, uns ebenso unverständlich gewordenes Trauerspiel-Motiv, auf welchem Hebbel seine poetisch vollendete und dennoch theatralisch unmögliche Tragödie „Gyges und sein Ring" aufbaut. Weil Rhodope von einem Manne nackt gesehen worden ist, gibt sie sich den Tod; sie und auch ihr Gemahl müssen deßhalb sterben. Wer begreift heute diese entsetzliche Nothwendigkeit? Weit eher glauben wir dem alten Holtei, welcher meinte, das Unglück der Rhodope sei eigentlich ein Lustspiel-Motiv. Und die jüdische Armee in den „Makkabäern"? Es gehört eben die dichterische Kraft und Autorität eines Hebbel oder Ludwig dazu, um solchen Anachronismen die Weihe des Tragischen zu erhalten und den Zuschauern die ernsthafte Stimmung. Die Oper, die uns gleichsam fertige Ereignisse al fresco vor Augen stellt und auf die Bloßlegung des feinen psychologischen Geäders verzichten muß, steigert das Bedenkliche solcher Situationen auf's Aeußerste. Nun verwandelt sich mit fast erschreckender Plötzlichkeit das blutige Schlachtfeld in das Prunkgemach der Kleopatra, welche sich von ihren Sklavinnen einen Liebeshymnus vorsingen läßt, in welchen sie später einstimmt.

Eine matte Melodie, die, auf as hoch einsetzend, stets kraftlos herabsinkt und hierauf in den engen Kreis von ges, f, es gebannt bleibt. Frostig und conventionell ist auch das folgende Liebesduett zwischen Kleopatra und Eleazar mit der an's Komische streifenden Lection in der griechischen Mythologie. In solchen Aufgaben verräth sich bei Rubinstein regelmäßig der Mangel an Seele, an wahrer inniger Empfindung, wie wir dies schon in „Feramors" und den „Kindern der Haide" wahrnehmen konnten. Ein neuer Decorationswechsel führt uns wieder mitten in die jüdischen Volksscenen. Ein monotoner, von ein und derselben Note nicht loskommender Chor: „Heil Leah!" führt zu der großen Scene Leah's („Schlaget die Pauken"), dem musikalischen und dramatischen Höhepunkt des Ganzen. Damit würde der Act zu seinem Vortheil schließen; die nachfolgende Scene zwischen Leah und Noëmi, von musikalisch ganz unbedeutender Erfindung, schwächt den Eindruck nur ab. Der dritte Act, abermals ein Abfall nach dem vorhergehenden, führt uns auf einen Platz vor Jerusalem, wo das Volk, von Hungersnoth, Krieg und Pest niedergestreckt, klagt und betet. Wir hören wieder die bekannten orientalischen Unisono-Melodieen mit ihren geschleiften Achteln und jammernden Triolen. („Zu dir, zu dir" 2c.) Judah, der Retter, erscheint, singt meistens auf Einem Ton und betet: „Was, Herr, befiehlst du deinem Knecht!" Sein Allegrosatz: „Welch ein Strahl!" klingt ebenso gewöhnlich, phrasenhaft, wie das nachfolgende Andante: „O Gott sei Preis!" Auf diese lange, ermüdende Scene folgt ein ebenso langes und ermüdendes Duett zwischen Judah und Noëmi. Es fristet sich mit alltäglichen Melodiewendungen von dem „Röslein von Saaron" bis zur „Sonne von Jericho" kraftlos fort, wo es, in lauter gleichen Viertelnoten einhermarschirend, den Höhepunkt der Gewöhnlichkeit und Bequemlichkeit erreicht. Die Scene verwandelt sich in das Zelt des Königs Antiochus, der wie eine tollgewordene Hummel herumrast, drei

unschuldige Knaben im Feuerofen verbrennen läßt und dann —
freiwillig Judah das Feld räumt und nach Hause marschirt.
Schon bei Otto Ludwig ist dieser Charakter unverständlich, in
der Oper wird er drollig. Der Componist scheint sein Werk
ohne sonderliche Lust und Eingebung zu Ende gebracht zu
haben; er wird immer müder und ermüdender, der Hörer folgt
ihm nicht mehr. Es nützt ihm nichts, die Bezeichnung „ekstatisch“ über eine Melodie Leah's zu setzen, die an sich lahm
und leblos ist („Treu unserm Gott“) und die doch, als Todesgesang von den drei Jünglingen aufgenommen, das ganze Werk
verklärend krönen sollte. Daß Leah, welche, angesichts des gräßlichen Martertodes ihrer Kinder leblos hingesunken, sich nach
einer Weile wieder erhebt und noch an die 150 Tacte lang
singt, ist ein anderer schwerer Mißgriff des Componisten. Man
hat für die Wiener Aufführung einige wohlthätige Kürzungen
vorgenommen, aber im Interesse des Werkes noch immer zu
wenig. Lange bevor die psalmensingenden Jünglinge in den
glühenden Ofen gesteckt sind, verschmachten die Zuhörer an dem
langsamen Feuer der Langweile.

Auf die Aufführung der „Makkabäer“ war von Seite der
Direction des Hofoperntheaters alle Sorgfalt verwendet worden.
Der stark beschäftigte Chor und das Orchester leisteten unter
Rubinstein's persönlicher Leitung ihr Bestes, die Solosänger
wetteiferten in redlicher Bemühung. Der Erfolg der ersten
„Makkabäer“-Vorstellung ließ äußerlich nichts zu wünschen
übrig. Es war vorauszusehen, daß Rubinstein, der schon als
Wunderkind hier Bewunderte und seither zunehmend Gefeierte,
mit Ehren werde überhäuft werden. Seine blendende Clavier-
Virtuosität genießt in unseren Concertsälen, seine Persönlichkeit
in allen Wiener Salons einen förmlichen Cultus. So wurden
denn auch die „Makkabäer“ bei ihrer ersten, von Rubinstein
dirigirten Aufführung mit Enthusiasmus oder doch mit allen
äußeren Behelfen des Enthusiasmus aufgenommen. Ob die

weiteren Vorstellungen derselbe Erfolg bevorsteht? Wir wagen
es nicht, die vielen Prophezeiungen, die wir in den „Makkabäern" zu hören bekamen, noch um eine weitere zu vermehren *).

---

*) Rubinstein's „Makkabäer" brachten es in Wien mit Mühe zur
dritten Aufführung und wurden nach dieser zurückgelegt.

VI.

Grillparzer und die Musik.

I.

Wer sich je tiefer mit Grillparzer eingelassen hat, dem mußte das besonders innige Verhältniß des Dichters zur Musik auffallen. Dieses Verhältniß, das heißt die Musik als wichtiger Factor in Grillparzer's Entwicklung und die Musik als ein Gebiet seiner geistigen Kraft, scheint mir den Versuch einer zusammenfassenden Darstellung zu verdienen. Es gibt keinen zweiten großen Dichter, der sich so liebevoll und ernstlich mit der Musik befaßt, so tiefe Blicke in ihr Wesen gethan hätte, wie Grillparzer. Nur für J. J. Rousseau, dessen fleißige Musik=Schriftstellerei übrigens abseits lag von seinem poetischen Talente, läßt sich mit gewissem Vorbehalt eine Ausnahme machen. Ich weiß keinen Poeten, der eine solche Fülle tiefer und eigenthümlicher Gedanken über Musik und musikalische Kunstwerke aus seinem Innersten geschöpft und mit solcher Klarheit ausgesprochen hätte wie Grillparzer. Sowol in dem tiefen Goldglanz seiner Verse, wie in dem scharfen Tageslicht seiner Prosa weiß Grillparzer jede musikalische Erscheinung in ihrem letzten Grunde rein darzustellen. Ernst, wie er Alles getrieben hat, trieb er auch die

Musik, die er als tüchtiger Pianist und A vista-Leser, als aufmerksamer Concert- und Opernbesucher bis in sein hohes Alter pflegte, wo zunehmende Taubheit ihm nur mehr das Lesen von Compositionen gestattete. Zeitlebens blieb ihm die Musik eine treue, verständnißvolle Freundin; allen bedeutenden Erscheinungen derselben folgte er mit Aufmerksamkeit und gab sich Rechenschaft darüber in längeren Aufsätzen oder lakonischen Epigrammen. Das Besondere daran ist, daß er nicht blos in seinen allgemeinen Aussprüchen über Musik — wo ja auch der nichtmusikalische Poet als ein Seher von Gottes Gnaden so oft das Richtige trifft — sondern in seinen Urtheilen über einzelne bestimmte Tondichter oder Compositionen immer den guten Musiker verräth, den musikalisch Hörenden und Verstehenden, dessen Sinn auf das concret Künstlerische und keineswegs auf poetische Allgemeinheiten gerichtet ist.

Das unterscheidet Grillparzer's musikalische Aussprüche und Schilderungen von jenen der meisten Dichter, insbesondere von jenen Goethe's. Es hat zwar hie und da einem biographischen Goethe-Virtuosen gefallen, den größten Dichter auch als ein musikalisches Phänomen darzustellen; ich entsinne mich sogar einer eigenen Monographie, welche mit Bienenfleiß den musikalischen Honig aus Goethe's sämmtlichen Werken, Briefen und Gesprächen zusammentrug, um dem ungläubigen Leser zu offenbaren, was Goethen die Musik und was er ihr gewesen. In Wahrheit liefert aber solche Anstrengung durch ihr ungemein spärliches Resultat nur den Beweis, welch' verhältnißmäßig schwache Rolle die Musik in Goethe's Leben gespielt und umgekehrt Goethe in der Musik. Eine so allumfassende Natur wie Goethe konnte natürlich nicht unberührt bleiben von der Tonkunst. Es ist aber bezeichnend, daß Goethe's Interesse an derselben erst im späteren Alter auftaucht und weit mehr nach theoretischer und naturwissenschaftlicher Richtung sich äußert, als in eigentlicher Musikliebe. Er correspondirt 1808 mit Zelter eifrig über den „Mollbegriff" und die kleine Terz, die für ihn ein ähnliches Interesse hatte, wie der Zwischenknochen oder irgend ein Beweisstück für seine Farbenlehre. Biographisch bleibt es hochwichtig und bewunderungswerth, daß der Vierundsiebzigjährige noch das Bedürfniß empfand, sich „theoretisch dem Harmonischen zu nähern" und sich selbst ein tabellarisches Schema zur Tonlehre zu entwerfen. Außer diesem physikalisch-theoretischen hatte Goethe auch ein geschichtliches Interesse an der Tonkunst und benützte den sporadischen Verkehr mit Fachmusikern, wie Keyser, Zelter, zuletzt Mendelssohn, um sich über musikhistorische Entwicklung belehren zu lassen. Alles das ist aber weit verschieden von einem lebendigen Genießen und Betreiben der Musik als Kunst. Dem unmittelbaren Eindruck der Musik stand Goethe allerdings offen bei günstiger Stimmung und Gelegenheit, zumal in höherem Alter, wo ihn weiche Rührung leicht übermannte (Marienbad). Aber es blieb doch meistens nur der allgemeine Stimmungseindruck, also das Elementarische der Musik, was ihn bewegte, nicht der künstlerische Charakter der bestimmten Composition, über den wir bei Goethe fast nie etwas erfahren. Urtheile über einzelne Tondichter oder Compositionen finden wir in dem ganzen großen Bereich von Goethe's Werken höchst selten; nicht einmal eingehendere Bemerkungen über die unter seiner eigenen Leitung in Weimar aufgeführten Opern. Goethe's lange Lebenszeit umschließt die ganze Thätigkeit Mozart's und Beethovens(!) und noch die Anfänge Felix Mendelssohn's dazu — er hat aber keinem großen Tondichter so viel Interesse gewidmet, wie der kleinen Terz. Alle auf die musikalische Hochstellung Goethe's gerichteten Versuche versagen eigentlich vor Goethe's eigenem Geständniß an Zelter (1820): „Und so verwandle ich Ton- und Gehörloser, obgleich Guthörender, jeden großen Genuß in Begriff und Wort. Ich weiß recht gut, daß mir deßhalb ein Drittel des Lebens fehlt; aber man muß sich einzurichten wissen". Ein tiefgreifender Unterschied zwischen der Musikauffassung Goethe's und Grillparzer's verräth sich schon in diesem Satze. Goethe mußte der Musik überall Begriffe und Worte unterlegen, um diesen „großen Genuß" sich wirklich anzueignen; Grillparzer hingegen genießt die Musik streng musikalisch und will ihr Gebiet rein gehalten wissen von poeti= scher Gleichniß= und Auslegekunst. Er spricht, wo er Musika= lisches zu schildern oder zu beurtheilen hat, als vollkommener Musiker. Den Anspruch, als Musiker zu gelten, machte er nicht, aber er hatte ihn. Im Archiv der Gesellschaft der Musikfreunde befindet sich ein Heft mit Beispielen, die Grill= parzer während des Unterrichtes bei dem Hoforganisten Sechter ausgearbeitet: Uebungen im bezifferten Baß, in der Harmonie und Modulation, endlich eine Seite einfachen Contrapunkts, Alles von Grillparzer's Hand, hie und da mit kleinen Be= merkungen, worunter häufig ein laconisches „Miserabel"! Grill= parzer's würdige Freundin und Pflegerin, Fräulein Kathi Fröhlich, zeigte mir drei Stücke von Grillparzer's Composi= tion, von ihm mit feiner, deutlicher Notenschrift aufgesetzt. Das erste die Horaz'sche Ode „Integer vitae, scelerisque purus", für eine tiefere Stimme mit Clavierbegleitung in D-dur, recht einfach und würdig durchcomponirt. Am Schlusse steht: „F. Grillparzer fecit". Er sang es oft für sich in der Dämmerung am Clavier. Das zweite Lied ist Heine's „Du schönes Schiffermädchen" (G-dur, seltsamerweise im Vierviertel= Tact, für Bariton), durchcomponirt ohne Vor= und Nachspiel, von anspruchsloser Melodie und streng symmetrischem Perioden= bau, an Haydn = Mozart'sche Weise mahnend. Heinrich Heine, componirt von Grillparzer — gewiß ein seltenes Curiosum! Endlich ein Gesangstück für Baß und Clavier= begleitung, ohne Titel („Kampf ist das Leben, immerwährender Streit"), ein leidenschaftlich bewegtes Allegro in As-moll, das bei den Schlußworten: „Nimmer wird Frieden, bis die Seele

entwich", sich im As-dur-Accord besänftigt. Auch dieses kurze
Gesangstück hat weder Vor- noch Nachspiel. Wir wollen diesen
Compositionen nur biographischen Werth vindiciren, nicht einen
von der Person des Autors unabhängigen. Mancher Einfalts-
pinsel componirt gewiß Originelleres. Aber für Grillparzer's
musikalische Bildung und edles musikalisches Bedürfniß sprechen
diese Compositionen. Ihre schlichte Correctheit beweist, daß der
große Dichter die Musik nicht blos begeistert anzusingen, sondern
sie selbst künstlerisch zu handhaben wußte. Seine Aussprüche
über Musik gewinnen nur dadurch an Bedeutung. Was Grillparzer über Tonkunst und Tonkünstler gedacht, das findet sich
zerstreut, mitunter recht versteckt in den zehn Bänden der Cotta'-
schen Gesammt-Ausgabe. Wie diese nach Grillparzer's Tod
erschienene Gesammt-Ausgabe uns überhaupt erst in den Stand
gesetzt hat, den ganzen Dichter, noch mehr aber den ganzen
Menschen kennen zu lernen, so öffnet sie uns auch zuerst den
Einblick in sein musikalisches Denken und Empfinden. Die
köstlichen Goldkörner, die ich aus Grillparzer's Schacht zu
Tage förderte, möchte ich gern mit anderen Freunden der Musik
theilen. Ich habe kein weiteres Verdienst dabei, als die
Mühe des Suchens und Ordnens; dafür darf ich mich aber
eines kleinen Glücksfalles rühmen: einige in der Gesammt-
Ausgabe nicht vorkommende kleinere Aufsätze in der Musik,
eine Art Tagebuchblätter von Grillparzer's Hand, wurden mir
von der Eigenthümerin, Fräulein K. Fröhlich, zur Durchsicht
und theilweisen Benützung mitgetheilt. Sie ergänzen und beleuchten das Bild Grillparzer's, des Musikers. Man wird
aus den folgenden Blättern ersehen, daß, was immer Grillparzer in Versen oder Prosa über Musik äußerte, nicht isolirt
abspringende Geistesfunken sind (wie wir sie brillant genug sogar bei dem nichtmusikalischen Heine finden), sondern Strahlen
einer einheitlichen unverrückbaren Kunstanschauung.

Grillparzer war musikalisch von Haus aus. Zwar hatte

er, der Mann der Einsamkeit und des strengen Ernstes, vom
Mütterchen keine „Frohnatur" geerbt, wol aber die Lust am
Musiciren. „Meine Mutter," erzählt er, „war eine herzens=
gute Frau und lebte und webte in der Musik, die sie mit
Leidenschaft liebte und trieb." Sie ertheilte Grillparzer den
ersten Clavier = Unterricht gewiß mit bestem Willen, aber ohne
Einsicht und mit ungeduldiger Heftigkeit. Ehe er noch „den
vollkommenen Gebrauch seiner Gliedmaßen hatte", mußte der
kleine Franz an's Clavier, und da ihm die Mutter bei jedem
verfehlten Ton die Hand von den Tasten riß, so duldete er
Höllenqualen. Es ist dies einer von den unzähligen Fällen,
wo durch verfrühten und überstrengen Clavier = Unterricht selbst
musikalisch begabten Kindern ein wahrer Haß gegen das In=
strument, oft für Jahre, eingeimpft wird. Auf den mütterlichen
Unterricht während der Sommerfrische folgte in der Stadt ein
eigener Claviermeister für Franz: der Böhme Johann Mede=
ritsch, genannt Gallus, eines der vielen schattenhaft durch
die Musikgeschichte huschenden „Genies", deren Namen Jeder=
mann und deren Compositionen Niemand kennt. Grillparzer
nennt ihn „einen ausgezeichneten Contrapunktisten, der aber
durch Leichtsinn und Faulheit gehindert worden, seine Kunst zur
Geltung zu bringen". Clavierstunden gab er widerwillig, um
nicht gerade zu verhungern, und sein Unterricht mit Grillparzer
war eine Reihe von Kinderpossen. „Wir krochen," erzählt
dieser, „mehr unter dem Clavier herum, als daß wir darauf
gespielt hätten." In der zweiten Hälfte der Stunde und
darüber hinaus phantasirte Mederitsch auf dem Clavier, um
die Mutter seines Schülers zu begütigen. Kein Zweifel, daß
dieses freie Improvisiren und Fugiren des hier in seinem Ele=
mente schwimmenden Phantasten auf den jungen Grillparzer
anregend und befruchtend gewirkt hat, mehr als er selbst ver=
muthete. Es hat ohne Zweifel Grillparzer's spätere Lust und
Fertigkeit im Phantasiren gezeitigt. Seine Abneigung gegen

das Clavierspiel nahm, in Folge dieser verrückten Unterrichts-
Methoden, von Jahr zu Jahr zu, ohne deßhalb eine Abneigung
gegen die Musik zu sein. Denn als sein zweiter Bruder, um
sich dem verhaßten Clavierspiel zu entziehen, Lust zur Violine
vorgab, auch einen Geigenmeister erhielt, nahm Franz bei jeder
Gelegenheit die Violine zur Hand, übte Scalen und Beispiele
und spielte endlich mit dem Meister leichte Duetten, ohne je die
geringste Anweisung erhalten zu haben. Der alte Violinlehrer
erkannte in Franz ein großes Talent und beschwor die Eltern,
ihn fortfahren zu lassen. Allein man nahm dem Knaben die
Geige aus der Hand und entließ den Meister. Die verweigerte
Violine machte dem jungen Grillparzer das Clavier noch ver-
haßter. Bei einer Soirée in Grillparzer's Elternhause sollten
die beiden Söhne vor den Gästen sich auf dem Clavier produciren. Grillparzer's Bruder, Camillo, spielte mit allgemeinem
Beifall, aber Franz selbst war nirgends zu finden. Er hatte
sich in das Bett des Bedienten verkrochen und kam erst nach
beendigter Soirée aus seinem Verstecke wieder hervor. Der
Vater brach in heftigen Zorn aus und machte den Musik-
Lectionen für immer ein rasches Ende. Grillparzer aber hat,
entmuthigt, durch sieben oder acht Jahre kein Clavier berührt.

Was trieb ihn, dem man die Musik so gründlich verleidet
hatte, dennoch wieder freiwillig in ihre Arme? Grillparzer
erzählt, daß seine trübe Stimmung — durch die zunehmende
Krankheit seines Vaters, die erschütterten Vermögensverhältnisse
u. s. w. — ihn eine Ableitung in der Musik suchen ließ.
„Das Clavier war geöffnet, aber ich hatte Alles vergessen,
selbst die Noten waren mir fremd geworden. Da kam mir zu
statten, daß mein erster Claviermeister Gallus, als er mich in
halb kindischer Tändelei bezifferten Baß spielen ließ, mir eine
Kenntniß der Grund-Accorde beigebracht hatte. Ich ergötzte
mich an dem Zusammenklang der Töne, die Accorde löften sich

in Bewegungen auf, und diese bildeten sich zu einfachen Melodien." Grillparzer spielte fortan ohne Noten aus dem Kopfe
und erlangte darin eine solche Fertigkeit, daß er stundenlang
phantasiren konnte. In jener Zeit (es war in Grillparzer's
siebzehntem oder achtzehntem Lebensjahr) setzte er auch Lieder;
eines darunter, Goethe's „König von Thule", mußte er seinem
Vater immer wieder spielen und vorsingen. — Grillparzer's
Unterricht im Contrapunkt fällt in eine viel spätere Zeit.
„Die Entwickelungen und Fortschreitungen (bemerkt er darüber)
wurden nun richtiger, aber das Inspirirte ging mir verloren."

Die Liebe zur Geige, zu der „verweigerten Geige", der
verhaßte Clavier = Unterricht, die eigenthümlich formlos = poetische
Gestalt, in welcher die lange vernachlässigte Musik ihn wieder
gewann, als Improvisation und Phantasie — das Alles höre
ich deutlich nachklingen in Grillparzer's unsäglich rührender
Erzählung: „Der arme Spielmann". Wer auch nichts Anderes von Grillparzer kennte, als dieses Meisterstück in der
Kunst anscheinend kunstlosen Erzählens, der weiß, daß er es
mit einem großen Dichter zu thun hat. Aber nur ein großer
Dichter, der zugleich in die Tiefen des musikalischen
Geheimnißlebens eindrang und sich darin sicher wie zu Hause
fühlt, konnte den alten Geiger verstehen und ihn so schildern,
daß wir nicht blos seine rührende Geschichte zu schauen, sondern
sein Spiel zu hören glauben. Grillparzer sucht den alten
Spielmann in seiner ärmlichen, entlegenen Wohnung auf. Ein
langgezogener Violinton schlägt an sein Ohr. „Ich stand stille.
Ein leiser, aber bestimmt gegriffener Ton schwoll bis zur Heftigkeit, senkte sich, verklang, um gleich darauf wieder bis zum
lautesten Gellen emporzusteigen, und zwar immer derselbe Ton
mit einer Art genußreichem Daraufberuhen wiederholt. Endlich
kam ein Intervall. Es war die Quarte. Hatte der Spieler
sich vorher an dem Klange des einzelnen Tones geweidet, so
war nun das gleichsam wollüstige Schmecken dieses harmonischen

Verhältnisses noch ungleich fühlbarer. Sprungweise gegriffen,
zugleich gestrichen, auch die dazwischen liegende Stufenreihe
höchst holperig verbunden, die Terz markirt, wiederholt. Die
Quinte darangefügt, einmal mit zitterndem Klang, wie ein
stilles Weinen, ausgehalten, verhallend, dann in wirbelnder
Schnelligkeit ewig wiederholt, immer diese selben Verhältnisse,
die nämlichen Töne. Und das nannte der alte Mann Phantasiren!" Wie ist das Alles gehört, musikalisch gehört und
empfunden! Ebenso dünkt mich die folgende Schilderung aus
dem „armen Spielmann" bewunderungswürdig, nicht blos als
Leistung des Poeten, sondern zugleich des Musikers. Grillparzer läßt den zutraulich gewordenen alten Geiger also klagen:
„Sie spielen den Wolfgang Amadeus Mozart und den Sebastian
Bach, aber den lieben Gott spielt Keiner. Die ewige Wohlthat
und Gnade des Tones und Klanges, seine wunderthätige
Uebereinstimmung mit dem durstigen, zerlechzenden Ohr, daß
— fuhr er leiser und schamroth fort — der dritte Ton zu-
sammenstimmt mit dem ersten und der fünfte desgleichen, und
die Nota sensibilis hinaufsteigt wie eine erfüllte Hoffnung, die
Dissonanz herabgebeugt wird als wissentliche Bosheit oder ver-
messener Stolz und die Wunder der Bindung und Umkehrung,
wodurch auch die Secunde zur Gnade gelangt in den Schoß
des Wohlklanges. Mir hat das Alles, obwohl viel später, ein
Musiker erklärt. Und, wovon ich aber nichts verstehe, die fuga
und das punctum contra punctum und der canon a duo,
a tre und so fort, ein ganzes Himmelsgebäude, eines in's
andere greifend, ohne Mörtel verbunden und gehalten von
Gottes Hand. Davon will Niemand etwas wissen bis auf
Wenige. Vielmehr stören sie dieses Ein- und Ausathmen der
Seelen durch Hinzufügung allenfalls auch zu sprechender Worte,
wie die Kinder Gottes sich verbanden mit den Töchtern der
Erde; daß es hübsch angreife und eingreife in ein schwieliges
Gemüth. Herr," schloß er endlich, halb erschöpft, „die Rede

22*

ist dem Menschen nothwendig wie Speise, man sollte aber auch den Trank rein erhalten, der da kommt von Gott." Wir kennen diese, hier in die Sprache des armen Spielmanns herab= gebeugte Anschauung als Grillparzers eigene; oft hören wir ihn selbst in seinen Aphorismen und Tageblättern dieselbe Melodie singen, die er hier einem geringeren Instrumente in den Mund legt.

II.

In Bezug auf sein musikalisches Leben läßt uns Grill= parzer's autobiographisches Fragment leider bald im Stiche. Aber wir brauchen nur seine Werke aufzuschlagen, da läuft uns der klingende Faden, der sich durch sein ganzes Leben spinnt, von selbst durch die Finger. Hat doch die Tonkunst dem jungen Dichter zuerst die Zunge gelöst: ein längeres Gedicht „An die Musik" in reimlosen Versen ist das Erste, was von Grillparzer in die Oeffentlichkeit kam. („Sei mir gegrüßt, o Königin! Mit der strahlenden Herrscherstirne, mit dem lieblich tönenden Munde!") Diese Jugendarbeit, mit späteren verwandten Gedichten Grillparzer's nicht zu vergleichen, webt doch schon manch glänzenden, neuen Gedanken in den alten Stoff: wie die Musik den Menschen von der Wiege bis zum Grabe begleitet in allen bedeutsamen Lebensmomenten. Noch ein zweites, kürzeres Gedicht richtet Grillparzer „An die Ton= kunst" und preist sie darin als „die freieste, einzig freie" unter den Künsten. Das Wort lasse sich fangen, die Gestalt deuten — „Aber du sprichst höhere Sprachen, die kein Häscher= chor versteht — Ungreifbar durch ihre Wachen, gehst du wie ein Cherub geht." In diesem schönen Gleichniß regt sich schon der Grundgedanke von Grillparzer's musikalischer Aesthetik: die Selbstverständlichkeit und Selbstherrlichkeit aller echten Musik. Wir werden dieses Glaubensbekenntniß in den verschiedensten Wendungen, in Versen und in Prosa bei Grillparzer wieder= kehren sehen.

Von Grillparzer's Gedichten sind sehr wenige componirt worden, sie locken auch heute noch selten einen Tondichter. Grillparzer's Poesie schreitet zu gedankenschwer, zu wenig spielend und klingend, um eigentlich musikalisch heißen zu können. Rein liedmäßige Lyrik im Sinne Goethe's oder Heine's, aus welcher schon die Melodienknospe guckt, finden wir bei Grillparzer äußerst selten. Selbst in seinen Liebesliedern und Stimmungsgedichten nimmt die Empfindung im Weiterströmen gern bildliche und reflectirte Elemente auf, welche den Componisten leicht abschrecken oder doch abkühlen. Und doch war der Dichter selbst so musikalisch! Er stellte eben ganz andere, fast entgegengesetzte Forderungen an die Musik und an die Poesie: in dieser sollte der Gedanke, in jener die schöne Sinnlichkeit vorherrschen. Härten, wie er sie in manchen seiner Gedichte, dem Gedanken zulieb, stehen ließ, hätte Grillparzer in einem Musikstück schwerlich vertragen. Als Musikkundiger stand er indessen bei den Wiener Tonkünstlern in großem Respect und hat ihnen auch willig manche poetische Handreichung gewährt. Weigl, der Componist der „Schweizerfamilie", wünschte einen Operntext „Sappho" von Grillparzer, und gab ihm damit die Anregung zu der Tragödie gleichen Namens. Für Beethoven schrieb Grillparzer den Operntext „Melusina", für Franz Schubert zwei Gedichte: „Ständchen" („Zögernd, stille") und „Mirjam's Siegesgesang", für Franz Lachner die Cantate „Weihgesang"*). Von neueren Componisten hat meines Wissens der einzige Mendelssohn-Bartholdy ein Grillparzer'sches

---

*) Diese Cantate, zur feierlichen Eröffnung des neuen Musikvereinsaales „unter den Tuchlauben" in Wien bestimmt, wurde daselbst in einem Festconcerte am 4. November 1831 aufgeführt. Das Gedicht, dessen Anfangsstrophen in meiner „Geschichte des Wiener Concertwesens" abgedruckt sind, findet sich nicht in der Gesammt-Ausgabe von Grillparzer's Werken, eine Unterlassung, für welche die Herausgeber, meines Erachtens, keinen Tadel verdienen.

Gedicht componirt. Es ist das so fröhlich aufjubelnde Lied in
G-dur op. 8 Nr. 3, welches bei Grillparzer „Italien" über-
schrieben ist und mit den Worten beginnt: „Schöner und
schöner schmückt sich die Welt". Seltsamer Weise hat Mendelssohn's Verleger den Titel „Sehnsucht" darüber gesetzt und den
Text durch Hoffmann von Fallersleben umändern lassen:
„Grüner und grüner Matten und Feld". Der ursprüngliche,
wahre Dichter des so populären Mendelssohn'schen Liedes —
Grillparzer — blieb ungenannt und unbekannt.

Außerdem ist mir aus neuester Zeit nur der frühverstorbene,
melodienreiche Engelsberg (Eduard Schön) bekannt, der
(zum Grillparzer=Jubiläum) ein Grillparzer'sches Gedicht:
„Als ich noch jung war", für Männerchor gesetzt hat. Grillparzer dichtete nur selten für Musik, aber gern von und über
Musik. Mozart, Beethoven, Schubert feierte er in
Gedichten, auf die wir noch zurückkommen.

Aber nicht blos schaffende, auch reproducirende Tonkünstler
von geistigem Adel wecken in ihm ein poetisches Echo. Obenan
stehen in dieser Gruppe die Gedichte an Jenny Lind und
Clara Wieck. Die mit Grauen gemischte Bewunderung,
die Paganini's Spiel ihm einflößt, entfesselt er in der prachtvollen Apostrophe an den bekanntlich von unheimlichen Gerüchten
umschwirrten Geiger: „Du wärst ein Mörder nicht? Selbst-
mörder du! — Was öffnest du des Busens stilles Haus —
Und jagst sie aus, die unverhüllte Seele — Und wirfst sie
hin, den Gaffern eine Lust?" Die späteren Erscheinungen
einer ihm widerwärtigen überreizten Romantik entlocken ihm
manchen satyrischen Vers. Köstlich ist sein „Chor der Wiener
Musiker beim Berlioz=Fest 1846", dessen Schneide sich
weniger gegen den französischen Componisten, als gegen dessen
ihm überall nachschleppende Bewunderungs=Clique kehrt. („Und
fehlt uns etwa das Talent — Genie lacht der Gemeinheit —
D'rum Nullen, schaart so viel ihr könnt — Euch um die

fremde Einheit!") Von den in der Gesammt=Ausgabe ohne
Namensüberschrift erscheinenden boshaften Epigrammen war
eines auf Dr. Alfred Becher*), das andere auf Richard
Wagner**) gemünzt. Zu den sinnigsten und rührendsten
Gedichten Grillparzer's gehört das „Am Grabe Mozart's
des Sohnes" (1844). Er ruft diesem ohne Erfolge früh
verstorbenen Componisten nach: „Daß Keiner doch dein Wirken
messe — Der nicht der Sehnsucht Stachel kennt — Du warst
die trauernde Cypresse — An deines Vaters Monument."
Ueberraschend, vielleicht gar befremdend, wird Manchen Grill=
parzer's Gedicht über das Stabat mater von Rossini er=
scheinen, worin er Partei nimmt für diese Composition gegen
das kühle kritische Verhalten des Wiener Publicums. Es
schmerzte ihn, daß die Wiener der blühenden Schönheit dieser
Musik sich nicht unbefangen hingeben, sich nicht „einen Augen=
blick selbst vergessen wollten in des Genusses Glück". Er sieht
schon die scharfe Verstandesrichtung Norddeutschlands, „die kalte
Nebelnacht" auch über sein Oesterreich hereinbrechen und schließt
mit der bitteren Klage:

> Ein's aber ging verloren, Ein's,
> Der Unschuld Glück, o Oesterreich, dein's!

Von den großen Wiener Tondichtern haben Beethoven und
Schubert persönlich mit Grillparzer verkehrt. Die Indivi=

---

*)

> Dein Quartett klang, als ob Einer,
> Der da hackt in dumpfen Schlägen,
> Mit drei Weibern, welche sägen,
> Eine Klafter Holz verkleiner'!

**) Man sagt, du verachtest die Melodie,
> Schon das Wort erfüllt dich mit Schauer:
> So ging's auch dem Fuchs, dem enthaltsamen Vieh,
> Der fand die Trauben sauer.

dualität Schubert's hat der Dichter in einem kurzen Gedicht zu zeichnen versucht, das zwar die Bedeutung Schubert's nicht entfernt erschöpft, aber doch zwei charakteristische Züge: die gesunde Originalität seines Talents und seine um Lob und Tadel unbekümmerte Behaglichkeit, geistvoll auffängt. („Schubert heiß' ich, Schubert bin ich — Und als solchen geb' ich mich" u. s. w.) Außer diesen Versen besitzen wir keinen einzigen Ausspruch Grillparzer's über Franz Schubert. Weder in der Selbstbiographie noch in den Tagebuchblättern Grillparzer's ist der Name Schubert genannt. Ebensowenig weiß uns Kreißle's fleißig zusammengestellte Schubert=Biographie etwas über das persönliche Verhältniß der beiden Männer zu sagen. Hoffen wir, daß die von Joseph Weilen zu erwartende Biographie Grillparzer's diese und andere Lücken unserer Kenntniß aus= füllen werde. Ich selbst habe leider nie das Glück gehabt, mit Grillparzer zu sprechen — eine unüberwindliche schüchterne Ehrfurcht vor dem kränklichen, menschenscheuen Dichter hielt mich zu meinem Schaden von jedem Versuche zurück, seine Einsamkeit zu stören.

Am wichtigsten ist uns jedenfalls Grillparzer's Verhältniß zu Beethoven, persönlich wie künstlerisch. In ersterer Hin= sicht hat Grillparzer selbst in einem eigenen Aufsatz das Wich= tigste zusammengefaßt. Schon in seinen Knabenjahren hatte er Beethoven (zugleich mit Cherubini und Abbé Vogler) in einer Abendgesellschaft bei seinem Onkel Sonnleithner gesehen; in Heiligenstadt wohnte die Familie Grillparzer mit Beethoven in demselben Hause. Hier wiederholte Beethoven den in seiner Biographie etwas häufig vorkommenden Auftritt: er schlug wüthend das Clavier zu, als er eines Tages bemerkte, daß Frau Grill= parzer auf dem gemeinsamen Gange (nicht etwa an seiner Thür) seinem Spiele zuhörte, und berührte das Instrument den ganzen Sommer hindurch nie wieder. Persönlich bekannt mit Beethoven wurde Grillparzer erst, nachdem er mit seinen vier ersten Tra=

gödien erfolgreich die Oeffentlichkeit betreten hatte. Da äußerte
Beethoven den Wunsch, Grillparzer möchte für ihn einen Opern=
text dichten, und ließ durch den Grafen Moritz Dietrichstein
deßhalb bei dem Dichter anfragen. „Diese Anfrage", erzählt
Grillparzer, „setzte mich in nicht geringe Verlegenheit. Einmal
lag mir der Gedanke, je ein Opernbuch zu schreiben, an sich
schon fern genug, dann zweifelte ich, ob Beethoven, der unter=
dessen völlig gehörlos geworden war, und dessen letzte Composi=
tionen, unbeschadet ihres hohen Werthes, einen Charakter von
Herbigkeit angenommen hatten, der mir mit der Behandlung der
Singstimmen in Widerspruch zu stehen schien — ich zweifelte,
sage ich, ob Beethoven noch im Stande sei, eine Oper zu com=
poniren. Der Gedanke aber, einem großen Manne vielleicht
Gelegenheit zu einem, für jeden Fall höchst interessanten Werke
zu geben, überwog alle Rücksichten und ich willigte ein." Die
Bereitwilligkeit, womit Grillparzer, trotz seiner sehr gegründe=
ten Bedenken, Beethoven's Wunsch erfüllte und sogar bemüht
war, in dem Opernbuch „Melusina" „sich den Eigenthümlich=
keiten von Beethoven's letzter Richtung möglichst anzupassen" —
sie beweist besser als alle Betheuerungen, wie sehr Grillparzer
Beethoven verehrte. Seine Ahnung von der Fruchtlosigkeit die=
ser Arbeit ist trotzdem in Erfüllung gegangen: Beethoven hat
von Grillparzer's „Melusina" nicht Eine Note componirt, ob=
gleich er dem Dichter wiederholt versicherte, er habe die Oper
fertig (in seinem Kopf wahrscheinlich). Es ist eine neue und
wie mir scheint sehr scharfblickende Bemerkung Grillparzer's,
daß es doch Weber's Erfolge gewesen sein dürften, die
in Beethoven den Gedanken hervorriefen, selbst wieder eine Oper
zu schreiben. „Er hatte sich aber", fügt Grillparzer hinzu,
„so sehr an einen ungebundenen Flug der Phantasie gewöhnt,
daß kein Opernbuch der Welt im Stande gewesen wäre, seine
Ergüsse in gegebene Schranken festzuhalten." So verblieb denn
in der That das Libretto unberührt auf Beethoven's Tisch und

hat erst nach deſſen Tode einen Componiſten in der Perſon
Conradin Kreutzer's gewonnen. Beſtimmung und Schickſal der
Grillparzer'ſchen „Meluſina" finden ſpäter eine Analogie in der
von Emanuel Geibel für Mendelsſohn gedichteten „Lore-
ley". Hier wie dort ſchreibt ein hochgefeierter Poet ganz aus-
nahmsweiſe einen Operntext für den größten ſeiner muſikaliſchen
Zeitgenoſſen. Was erwartete man nicht Alles von dem Zu-
ſammenarbeiten Beethoven's mit Grillparzer, Mendelsſohn's mit
Emanuel Geibel! In beiden Fällen kam es zu keinem Re-
ſultat. An den verwaiſten Webſtuhl des muſikaliſchen Genies
ſetzte ſich das weltläufige Talent — dort Conradin Kreutzer,
hier Max Bruch — die Welt hat aber wenig Notiz genommen von ihrem Geſpinnſt. Noch an eine dritte, faſt an's
Komiſche ſtreifende Analogie könnte man hier erinnern: an den
Opertext, den Rubinſtein von Friedrich Hebbel beſtellte,
empfing — und als gänzlich unbrauchbar liegen laſſen mußte.

Grillparzer erzählt uns weiter von einem Beſuch bei Beethoven auf dem Lande, von deſſen Hausweſen oder — Unweſen
in der Stadt. Endlich, wie er durch Schindler von Beethoven's
täglich zu erwartender Auflöſung benachrichtigt und gebeten wird,
eine Grabrede für die Leichenfeier zu verfaſſen. Grillparzer
war umſomehr erſchüttert, als er kaum etwas von der Krankheit Beethoven's wußte, ſuchte jedoch ſeine Gedanken zu ordnen
und begann am nächſten Morgen die Rede niederzuſchreiben.
„Ich war", erzählt er, „in die zweite Hälfte gekommen, als
Schindler wieder eintrat, um das Beſtellte abzuholen, denn
Beethoven ſei eben geſtorben. Da that es einen ſtarken Fall in
meinem Innern, die Thränen ſtürzten mir aus den Augen, und
wie es mir auch bei ſonſtigen Arbeiten ging, wenn wirkliche
Rührung mich übermannte, ich habe die Rede nicht in jener
Prägnanz vollenden können, in der ſie begonnen war." Man
kennt dieſe von der ganzen Größe des Moments gehobene, zu-
gleich von perſönlichem Antheil leiſe durchzitterte Grabrede,

welche Anschütz auf dem Währinger Friedhofe sprach. Einen
abschließenden Nachtrag zu diesen „Erinnerungen" beginnt Grillparzer mit den Worten: „Ich habe Beethoven eigentlich geliebt". Dieser schlichte Satz hat für meine Empfindung etwas
unsäglich Rührendes. Wie charakteristisch ist dieses „eigentlich"
für Grillparzer! An der Stelle, wo es vielleicht jeden Andern
zu starkem, feurigem Ausdruck hingerissen hätte, begnügt sich
Grillparzer mit „eigentlich". Wie immer will er die ganze
Wahrheit sagen, aber auch nicht mehr als die Wahrheit. Daß
er Beethoven liebte, hat er bewiesen; nicht Viele dürften zu
jener Zeit behaupten, sie hätten Beethoven „eigentlich geliebt".
Bewundert und geehrt haben sie ihn, aber auch gefürchtet und
gemieden. Er wäre sonst nicht so vereinsamt gestorben.

　　Grillparzer hat nicht blos den Menschen Beethoven, er hat
auch den Tondichter „eigentlich geliebt". Wir wissen von seiner
nächsten Umgebung, wie gern und viel er Beethoven spielte, mit
Ausschluß der letzten Werke. In vielen seiner Aussprüche über
Beethoven deutet er allerdings nachdrücklich auf die Schatten
dieses mächtigen Lichtkörpers, Schatten, die ihm und seinen
Zeitgenossen dunkler erscheinen mußten, als uns Nachgeborenen.
Der Uebereifer, mit welchem Beethoven nach seinem Tode auf
Unkosten Mozart's gepriesen wurde, noch mehr das spätere
fanatische Emporheben der letzten Werke Beethoven's über alle
seine früheren Tondichtungen reizte Grillparzer zur Opposition.
Wie Grillparzer von sich selbst bekennt (und Mancher von uns
ja ganz gleich an sich erlebt), er fühlte sich sofort zu kritischer
Schärfe aufgestachelt und wieder umgekehrt zu vertheidigender
Sympathie für irgend ein unbillig verkleinertes oder angefeinde-
tes Talent, so ruft er denn auch den „Beethovomanen" zu:

> Ich sähe, glaubt ihr, auf Beethoven schief?
> Als ob zu meinem Ohr nicht seine Zauber reichten?
> Mir graut nur vor dem Wörtlein: tief,
> Vor Allem aus dem Mund der Seichten.

Ein längeres Gedicht von Grillparzer, wahrscheinlich bald nach Beethoven's Tod geschrieben, malt dessen Ankunft im Elysium. Nach einem grandiosen Eingange, der an den Sturm einer Beethoven'schen Introduction erinnert („Aufwärts! Aufwärts! — Kreis an Kreis — Welt an Welt, vom Schwunge heiß!"), folgt die Schilderung des Elysiums, wie ein freundliches, vielleicht etwas altmodisches Rondo. Bach, Händel, Haydn begrüßen unseren verewigten Meister, sogar Cimarosa und Paisiello; „da theilt plötzlich sich die Menge, und der Glanz wird doppelt Glanz: Mozart kommt im Siegeskranz." Und hier, mit dem Eintritte Mozart's, enthält auch Grillparzer's Poesie wieder doppelten Glanz; sie läßt Mozart die prachtvollen Worte zu Beethoven sprechen:

> Wer auch Richter über dir?
> Starke Könige der Seelen,
> Lassen wir vom Volk uns wählen,
> Doch, gewählt, gebieten wir.

Auch die großen Dichter nahen sich, Shakspeare, Klopstock, Dante, Tasso — denn „gleich den Besten" sei Beethoven geehrt. Daß eine große Persönlichkeit wie Beethoven auch wagen dürfe, was Anderen nicht zusteht, hat Grillparzer stets bekannt: „Es ist dein, was du genommen — Und dein Wagen ist dein Werth." Er fürchtete blos, mit richtiger Vorahnung, daß die nachfolgenden Componisten den meteorgleichen Flug Beethoven's für eine ihnen jetzt eröffnete Bahn ansehen würden. In einem kürzeren Gedichte: „Wanderscene", schildert Grillparzer einen kühnen Mann, der einsam durch's Dickicht dringt, einen Strom durchschwimmt, Abgründe überspringt — „als Sieger steht er schon am Ziel, nur hat er keinen Weg gebahnt — Der Mann mich an Beethoven mahnt".

In den eingangs erwähnten ungedruckten Tagebuchblättern Grillparzer's findet sich ein kleiner Aufsatz, worin der Dichter sich klar zu werden sucht über „die nachtheiligen Wirlungen Beethoven's auf die Kunstwelt, ungeachtet seines hohen, nicht genug zu schätzenden Werthes." Er bringt diese „Nachtheile" unter vier (heute doch großentheils antiquirte) Gesichtspunkte, deren prägnantester lautet: „Durch Beethoven's überlyrische Sprünge erweitert sich der Begriff von Ordnung und Zusammenhang eines musikalischen Stückes so sehr, daß er am Ende für alles Zusammenfassen zu lose sein wird."

Schon aus Grillparzer's Urtheilen über Beethoven leuchtet wie ein verdecktes Licht seine unbegrenzte Verehrung für Mozart. Von allen Tondichtern besaß und behielt Mozart Grillparzer's höchste Bewunderung und Liebe. Schon in seine Jugend spielten Mozart's Opern mit dem Humor des Zufalls hinein. Eines der frühesten Bücher, die der Knabe las, war das Textbuch der „Zauberflöte". Ein Stubenmädchen seiner Mutter besaß es und bewahrte es als heiligen Besitz. Sie hatte nämlich als Kind einen Affen in der „Zauberflöte" gespielt und betrachtete jenes Ereigniß als den Glanzpunkt ihres Lebens. Außer ihrem Gebetbuche besaß sie kein anderes, als diesen Operntext. „Auf dem Schoße des Mädchens sitzend", erzählt Grillparzer, „las ich mit ihm abwechselnd die wunderlichen Dinge, von denen wir Beide nicht zweifelten, daß es das Höchste sei, zu dem sich der menschliche Geist aufschwingen könne." Seine erste Liebe — eine geheime Liebe aus der Ferne — hing mit der „Hochzeit des Figaro" zusammen. Es war die Sängerin des Cherubin, welche „in der doppelten Verklärung der herrlichen Musik und ihrer eigenen jugendlichen Schönheit" sich seiner ganzen Einbildungskraft bemächtigte. An sie ist eines der ersten und leidenschaftlich-schönsten Gedichte Grillparzer's (1812) gerichtet. Daß „Don Juan" ihm das Hohelied aller Opernmusik war, braucht kaum gesagt zu werden. Eine ungedruckte Bemerkung von Grillparzer's Hand (aus jenen musikalischen Tagebuch-Notizen) würdigt mit gerechter Einsicht auch das Ver=

dienst des Libretto=Dichters mit folgenden Worten: „Wenn
der Text zum „Don Juan" von Mozart unmittelbar, wie wir
nicht zweifeln, aus Molière's „Festin de Pierre" gegangen
ist, so kann man der Kunst des Bearbeiters, seiner Kenntniß
dessen, was zur Oper gehört, und tiefer Einsicht in das Wesen
der Musik nicht genug Gerechtigkeit widerfahren lassen. Die
Bearbeitung ist ein Muster für alle ähnlichen."

Mozart und kein Anderer mußte Grillparzer's musikali=
sches Ideal sein, nur Mozart'sche Musik stimmte vollkommen zu
des Dichters reinem Schönheitssinn, zu seinem Cultus classischer
Form und edler Anmuth, endlich zu seinen Ueberzeugungen
von der aus sinnlicher Schönheit aufquellenden Kraft der Ton=
kunst. Einen vollkommeneren poetischen Ausdruck hat die Ver=
ehrung für Mozart weder früher noch später gefunden, als
in Grillparzer's Gedicht: „Zur Enthüllung des Mozart=Denk=
mals in Salzburg" (1842). Darin ist jeder Vers eine Perle,
und sollte das Ganze eingerahmt, als musikalischer Haussegen,
in dem Arbeitszimmer jedes Musikers hängen. „Nennt ihr ihn
groß?" — fragt Grillparzer —

> Nennt ihr ihn groß? Er war es durch die Grenze:
> Was er gethan und was er sich versagt,
> Wiegt gleich schwer in der Wage seines Ruhms:
> Weil er nie mehr gewollt, als Menschen sollen,
> Tönt auch ein Maß aus Allem, was er schuf.
> Und lieber schien er kleiner, als er war,
> Als sich zum Ungethümen anzuschwellen.
> Das Reich der Kunst ist eine zweite Welt,
> Doch wesenhaft und wirklich wie die erste,
> Und alles Wirkliche gehorcht dem Maß.
> Deß seid gedenk, und mahne dieser Tag
> Die Zeit, die Größ'res will und Klein'res nur vermag.

III.

Wenden wir uns zu Grillparzer's ästhetischer Anschauung
vom Wesen und Inhalt der Musik im Allgemeinen. Sie fußte,

um es kurz zu fassen, auf dem Princip der eingeborenen, nur eigenem Gesetze folgenden Schönheit des musikalischen Gedankens und seiner Entwicklung. Solche Schönheit dürfe der geistigen Beseelung nicht ermangeln und schließe das Charakteristische nicht aus; doch müsse die Musik nicht einseitig auf Letzteres ausgehen und ihren Gehalt in poetischer Bedeutsamkeit suchen. Was Grillparzer in der modernen Richtung irrthümlich erschien und ihm antipathisch war, ist eben die Bettelei bei den Schwesterkünsten, das Anrufen eines fremden, nichtmusikalischen, blos poetischen Interesses. „Die Stärke braucht, und nicht die Schwächen!" ruft er den modernen Componisten zu, „sonst wird die Kunst ihr Höchstes nie. Gelängs der Tonkunst je zu sprechen — wär' sie verpfuschte Poesie". Grillparzer wollte die Grenzen der einzelnen Künste, Poesie, Malerei, Musik, rein gehalten wissen und erklärt den oft gebrauchten Satz: die Musik ist eine Poesie in Tönen, für ebenso unwahr, als es der entgegengesetzte sein würde: die Poesie ist eine Musik in Worten. „Der Unterschied dieser beiden Künste liegt nicht blos in ihren Mitteln, er liegt in den ersten Gründen ihres Wesens." In den eingangs erwähnten ungedruckten Tagebuchblättern Grillparzer's findet sich ein längerer Artikel über Weber's „Freischütz", worin Grillparzer ausführlicher als sonst seine Ideen über die Aufgabe der Musik und ihr Verhältniß zur Dichtung ausführt. Ich theile den merkwürdigen Aufsatz hier (mit einigen nothwendig gewordenen Kürzungen) zum erstenmale mit:

„Der Freischütz." Oper von Maria Weber. Der Tonsetzer gehört offenbar ein wenig in die Classe Derjenigen, die den Unterschied zwischen Poesie und Musik, zwischen Worten und Tönen verkennen. Die Musik hat keine Worte, das heißt willkürliche Zeichen, die eine Bedeutung erst durch das erhalten, was man damit bezeichnet. Der Ton ist, nebstdem, daß er ein Zeichen sein kann, auch noch eine Sache.

Eine Reihe von Tönen gefällt, sowie eine gewisse Form in den plastischen Künsten, ohne daß man noch eine bestimmte Vorstellung damit verbunden hätte; ein Mißton mißfällt, wie das Häßliche in der Plastik, schon rein physisch, ohne weitere Verstandesbeziehung. Wenn die Wirkung der Worte auf den Verstand und erst durch diesen auf das Gefühl geschieht, indeß die Sinne dabei eine nur dienende Rolle spielen, so wirkt die bildende und die Tonkunst unmittelbar auf die Sinne, durch diese auf das Gefühl, und der Verstand nimmt erst in letzter Instanz an dem Gesammt-Eindrucke Theil. Diese Betrachtung hat auch in der bildenden Kunst die größten Kenner (worunter man blos Mengs, Lessing und Goethe zu nennen braucht) dahin geführt, die Schönheit der Form als unerläßliches, ja als höchstes Gesetz für sie aufzustellen. Was von der bildenden Kunst gilt, gilt in noch viel höherem Grade von der Musik. Ihre erste unmittelbare Wirkung ist der Sinn- und Nervenreiz . . . Schreitet man in der Betrachtung der Töne und ihrer Verbindungen weiter fort, so zeigt sich bald eine neue Seite, welche die zu einer schönen Kunst nothwendige Verbindung mit dem Verstande wirklich herstellt und eine Musik als Kunst möglich macht. Nebstdem nämlich, daß die Töne an sich gefallen oder mißfallen, lehrt uns auch das Bewußtsein, daß durch sie besondere Gemüthszustände erweckt werden, zu deren Bezeichnung sie denn auch gebraucht werden können. Freude und Wehmuth, Sehnsucht und Liebe haben ihre Töne . . . Doch darf man zweierlei nicht vergessen. Erstens: daß diese Bezeichnung keine genau bestimmte, wie durch Begriffe und Worte ist; zweitens: daß die ursprüngliche, rein sinnliche Natur der Töne durch keine später hinzukommende Erweiterung der Bedeutung ganz aufgehoben werden kann . . ., daß daher bei der ziemlich vagen Bezeichnungsfähigkeit der Musik der nur entfernt wirkende Verstand nicht fähig ist, durch seine Billigung unangenehme Eindrücke auszugleichen, welche die Sinne mit überwiegender Gewalt empfangen haben. Was erstens die Bezeichnungsfähigkeit der Musik betrifft, so bin ich erbötig, bei jeder beliebigen Opern-Arie Mozart's, des unstreitig größten aller Tonsetzer, die Worte durchaus, ja sogar den Modus der Empfindung zu ändern, ohne daß Jemand, der das Musikstück nun zum erstenmal hört, daran ein Arges haben und es weniger bewundern soll. Oder noch schlagender: Man nehme die charakteristischeste Sinfonie Beethoven's und lasse von zehn geistreichen, in der Poesie und Musik erfahrenen Männern einen passenden Text daruntersetzen und erstaune dann, was für Verschiedenheiten sich da zeigen werden. Ja vielmehr ist eben dies das unterscheidende Kenn-zeichen der Musik vor allen Künsten, daß in ihr Sinfonien, Sonaten, Concerte möglich sind, Kunstwerke nämlich, die, ohne etwas Genau-Bestimmtes zu bezeichnen, rein durch ihre innere Construction und die sie begleitenden dunklen Gefühle ge-fallen. Gerade diese dunklen Gefühle sind das eigentliche Gebiet der Musik. Hierin muß ihr die Poesie nachstehen ... Alles, was höher geht und tiefer, als Worte gehen können, das gehört der Musik an, da ist sie unerreicht. In allem Andern steht sie ihren Schwesterkünsten nach ... Es folgt daraus, daß die Musik vor Allem streben soll, das zu erreichen, was ihr er-reichbar ist ..., daß, so wie der Dichter ein Thor ist, der in seinen Versen den Musiker im Klang erreichen will, ebenso der Musiker ein Verrückter ist, der mit seinen Tönen dem Dichter an Bestimmtheit des Ausdruckes es gleichthun will; daß Mozart der größte Tonsetzer ist und Karl Maria Weber — nicht der größte."

Der Aufsatz bricht hier unvollendet ab. Ohne Zweifel hätte Grillparzer in Fortsetzung desselben das glänzende Talent Weber's und dessen auch im Reinmusikalischen so blühende reiche Erfindung anerkannt. Nur die herrschende einseitige Ueber-schätzung des charakteristischen Elements im „Freischütz" mag in Grillparzer die Opposition und damit das Bedürfniß geweckt haben, sich über diese Erscheinung theoretisch klar zu werden. Ich halte es für unmöglich, daß ein Dichter wie Grillparzer, oder sagen wir ein Musiker wie Grillparzer, gleichviel, sich dem Zauber des „Freischütz" verschließen konnte. Weit begreiflicher ist, daß Weber's „Euryanthe" ihm mißfiel und daß er in dieser Abneigung mit Beethoven zusammentraf. (X. 21.) In „Euryanthe" erblickte Grillparzer bereits jene Uebertreibung des charakteristischen Ausdruckes, welche ihm als ein das gesunde Werk der Musik benagender Wurm erschien und dessen schließlichen Sieg über das musikalisch Schöne er fürchtend voraussah. „Unsinnig" nennt es Grillparzer, „die Musik bei der Oper zur bloßen Sklavin der Poesie zu machen", und fährt weiter fort: „Wäre die Musik in der Oper nur da, um das noch einmal auszudrücken, was der Dichter schon ausgedrückt hat, dann laßt mir die Töne weg . . . Wer deine Kraft kennt, Melodie! die du, ohne der Worterklärung eines Begriffes zu bedürfen, unmittelbar aus dem Himmel, durch die Brust wieder zum Himmel zurückziehst, wer deine Kraft kennt, wird die Musik nicht zur Nachtreterin der Poesie machen: er mag der letzteren den Vorrang geben (und ich glaube, sie verdient ihn auch, wie ihn das Mannesalter verdient vor der Kindheit), aber er wird auch der ersteren ihr eigenes, unabhängiges Reich zugestehen, beide wie Geschwister betrachten, und nicht wie Herrn und Knecht oder auch nur wie Vormund und Mündel." Als Grundsatz will er festgehalten wissen: „Keine Oper soll vom Gesichtspunkte der Poesie betrachtet werden — von diesem aus ist jede dramatisch = musikalische Composition Unsinn —, sondern vom Gesichtspunkte der Musik." Grillparzer macht keine Ausnahme für seine „Melusina"; er ist weit entfernt von der Prätension, dieses Operntextbuch für ein dramatisches Gedicht von selbstständigem Werth auszugeben, obwol es in seiner Behandlung des Phantastischen wie in zahlreichen einzelnen Stellen den großen Dichter verräth *). Noch in mehreren seiner ästhetischen Fragmente behandelt er dasselbe Thema, stets in gleichem Sinne und in derselben klaren, scharfbegrenzten Sprache. Nur ein, speciell die Operncomposition betreffendes Fragment möge hier noch Platz finden:

„Es wird", schreibt Grillparzer, „keinem Operncompositeur leichter sein, genau auf die Worte des Textes zu setzen, als dem, der seine Musik mechanisch zusammensetzt; da hingegen der, dessen Musik ein organisches Leben, eine in sich selbst gegründete Nothwendigkeit hat, leicht mit den Worten in Collision kommt. Jedes eigentlich melodische Thema hat nämlich sein inneres Gesetz der Bildung und Entwicklung, das dem eigentlich musikalischen Genie heilig und unantastbar ist und das er den Worten zu Gefallen nicht aufgeben kann. Der musikalische Prosaist kann überall anfangen und überall aufhören, weil Stücke und Theile sich leicht versetzen und anders ordnen lassen; wer aber Sinn für ein Ganzes hat, kann es nur entweder ganz geben oder ganz bleiben lassen. Das soll nicht der Vernachlässigung des Textes das Wort reden, sondern sie nur in einzelnen Fällen entschuldigen, ja rechtfertigen. Daher ist Rossini's

---

*) In Manchem lehnt sich freilich Grillparzer's Libretto an ältere Opern-Traditionen. So in der ziemlich reichlichen Einführung gesprochener Prosa, dann in der typischen Figur des naseweisen Dieners Troll, den er als eine Art Leporello dem Ritter Raimund mitgibt. Merkwürdig ist die Aehnlichkeit einer Situation mit der ersten Venusberg-Scene in Wagner's „Tannhäuser". Raimund liegt zu Melusina's Füßen in deren glänzendem Feenpalast, von singenden und tanzenden Nymphen umgeben. Er sehnt sich fort auf die Erde, Melusina begreift nicht diese Sehnsucht: „Ich habe Dich mit Allem umgeben, was das Dasein reizend und selig macht. Freuden, die deine Erde nur in weiten Abständen aufkeimen läßt, liegen, ein ununterbrochener Kranz, schwellend zu deinen Füßen. Unendlich ist meine Liebe. Was kann Dir fehlen?" Raimund (nach einem kurzen Stillschweigen): „Und wenn ich Thätigkeit sagte?"

kindisches Getändel doch mehr werth, als Mosel's prosaische Verstandesnachäffung, welche das Wesen der Musik zerreißt, um den hohlen Worten des Dichters nachzustottern*); daher kann man Mozarten häufig Verstöße gegen den Text vorwerfen, Glucken nie; daher ist das so gepriesene Charakteristische der Musik häufig ein sehr negatives Verdienst, das sich meistens darauf beschränkt, daß die Freude durch Nicht=Traurigkeit, der Schmerz durch Nicht=Lustigkeit, die Milde durch Nicht=Härte, der Zorn durch Nicht=Milde, die Liebe durch Flöten und die Verzweiflung durch Trompeten und Pauken mit Contrabässen ausgedrückt wird. Der Situation muß der Tonsetzer treu bleiben, den Worten nicht; wenn er bessere in seiner Musik findet, so mag er immer die des Textes übergehen." Klingt nicht Vieles in diesen, vor Decennien geschriebenen Aphorismen wie eine Polemik gegen Wagner's Theorien und den Walküren= stil? Einen tiefen Blick in die Natur des Publicums wirft Grillparzer mit dem Ausspruch: „Die von einer Oper eine rein dramatische Wirkung fordern, sind gewöhnlich Jene, die dagegen auch von einem dramatischen Gedicht eine musikalische Wirkung begehren, d. i. Wirkung mit blinder Gewalt."

Wir haben Grillparzer noch als Musik=Kritiker kennen zu lernen. Für die Oeffentlichkeit hat er dieses Talent niemals ausgeübt, aber seinen Reise=Tagebüchern vertraute Grillparzer Bemerkungen über Musik=Productionen und Opernvorstellungen an, welche sein feines, scharfes, von Anderer Meinung stets un-

---

*) Es ist der durch seine Bearbeitung Händel'scher Oratorien etwas in Verruf gekommene k. k. Hofsekretär Ignaz Edler von Mosel ge- meint, welcher übrigens als musikalischer Schriftsteller um die damaligen Wiener Verhältnisse sich manches Verdienst schuf. In einem musikalisch= dramatischen Versuch „Salem" strebte Mosel nach der möglichsten Con- gruenz von Wort und Ton, von Dichtung und Composition, eine Art Vorläufer von Richard Wagner, freilich ein talent= und erfolgloser.

abhängiges Urtheil glänzend darthun. In Italien gab es
damals, wie jetzt, nichts Außerordentliches zu hören; Grill=
parzer's Reise = Tagebuch beschränkt sich auf die unbarmherzige
Kritik einer einzigen elenden Opernvorstellung in Rom: Pacini's
„Isabella". Desto beredter schildert er den tiefen Eindruck,
den die Kirchenmusik in der Sixtina während der Charwoche
auf ihn macht. Ergiebigeren Musikstoff bietet ihm Paris.
In der Opéra comique hört er Dalayrac's einactige Oper:
„Die beiden Savoyarden". Diese haben, nach Grillparzer, „zu
gleicher Zeit mit den Haarzöpfen zu gefallen aufgehört. Zugleich
die niederträchtigste Vorstellung. Die beiden Menschen spielten,
als ob sie aus Wien von Düport's kleiner Oper verschrieben
wären, und sangen, wie die Dienstmägde bei der Wäsche. Die
Männer muß man aus den Billeteuren und Feuerwächtern
recrutirt haben. Von einem solchen Chor hat man keine Idee.
Sie trafen nie auf den Tactstreich zusammen und thaten, als
wenn in einer komischen Oper die Musik ein Spaß wäre."
Man sieht, Grillparzer wäre als Musik = Referent kaum sehr
beliebt geworden bei Sängern und Opern=Directoren. Günstiger
spricht er schon über die komische Oper desselben Abends,
„Sarah", von Grisar. „Die Chöre gingen viel besser, jedoch
die schwierigeren Stellen ohne Genauigkeit. Das Orchester oft
ausgezeichnet, immer gut. Vorzüglich Hörner und Violinen."
Hier wie in allen musikalischen Berichten spricht Grillparzer mit
dem Interesse und der Sicherheit des Fachmannes. Er geht
stets auf musikalisches Detail ein und vergißt über den Solo=
sängern nie die Leistungen des Chors und Orchesters. Eine
zweite Eigenthümlichkeit, die Grillparzer's Opernbesprechungen
auszeichnet, liegt darin, daß er, der Dramatiker, von dem Spiel=
talent der Sänger unbeirrt, stets ihren Gesang in erster, ihren
dramatischen Ausdruck erst in zweiter Linie schätzt und beur=
theilt. Der Musiker in ihm ist unbestechlich, freilich oft auch
unbarmherzig. In der Großen Oper sind ihm namentlich die

Männer „unangenehm". Sie sind, „was man dramatische
Sänger nennt, das heißt schlechte. Sie verstehen sich ziemlich
vortrefflich darauf, die Winkelpoesie eines erbärmlichen Opern-
buches geltend zu machen, sind aber nicht im Stande, die musikalischen Intentionen einer guten Composition in's Leben zu
bringen. Aus einem Chor herauszuschreien oder die Lichter auf
finstere Violin-Hintergründe aufzusetzen, dazu sind sie ganz die
Leute; die Cantilene mag aber besorgen, wer Lust hat." Sogar
der berühmte Tenor Nourrit behagt ihm nicht; seine kurze
Charakteristik lautet: „Hohe Halsstimme, ohne eigentlichen Klang,
nur wirksam, wenn er schreit." In den „Hugenotten" „wirkt
der Bassist Sardou allein musikalisch, alle Anderen sind
singende Comödianten". Den Levasseur (Marcell) lobt
Grillparzer als vorzüglichen Darsteller. „Aber es klingt bei
Allen, als ob man ein Violinstück auf einer Bratsche spielte
— rauh, unangenehm, klanglos. Ich glaube, wenn Einer
falsch sänge, man würde es nicht sehr merken. Es sind so
Communtöne." Freundlicher urtheilt er über die Sängerinnen,
insbesondere die Falcon (Valentine), die er, mit Ausnahme
der Pasta, den Besten an die Seite stellt. „Ihr Gesang thut
dem Spiel, ihr Spiel dem Gesang nirgends Eintrag." Entzückt und erstaunt ist Grillparzer eigentlich nur über das Ausstattungswesen in der Großen Oper. Halévy's „Jüdin" ist
ihm als Composition „ohne Interesse". „Aber", ruft er aus,
„welche äußere Ausstattung! Die Decorationen Wirklichkeiten,
aber nein: Bilder. Bilder, von deren Wirkung man bei uns
keine Vorstellung hat. Hier zum ersten Male in meinem Leben
habe ich ein theatralisches Arrangement gesehen." Die Musik
der „Hugenotten" beginnt für ihn eigentlich erst mit dem Duett im
dritten Act (Valentine und Marcell), von da an „werden die
Situationen von der Musik auf's Hinreißendste unterstützt". In
London entzückt ihn die Malibran. Grillparzer hört sie in einer
Oper von Balfe, die er mit den zwei Worten „langweilig und

bunt" charakterisirt. Aber „die Malibran vortrefflicher als
jemals, besonders in dem Walzer, der das Ganze höchst unschicklich schließt, den sie aber mit einer Birtuosität sang, die
Alles hinter sich läßt. Dieser leichte Wechsel von hohen und
tiefen Tönen in dem schnellsten Zeitmaße, diese völlig ausgebildeten Pralltriller, dieser vollendete Geschmack im Uebergehen zu
der wiederkehrenden Anfangsmelodie, dieses Aufjubeln, diese tiefe
Empfindung!" In dem Londoner Tagebuche finden sich noch
Urtheile über die Grisi, Tamburini, Rubini, Ole Bul, Mo-
scheles — treffende Bemerkungen, die ein Musik-Kritiker von
Fach nicht ohne Brotneid lesen kann, die man aber in dem
Buche selbst nachschlagen möge. Ich muß meinem Aufsatze ein
Ziel setzen, umsomehr, als ich schließlich noch das Interessanteste
mitzutheilen habe: eine Wiener Opernkritik, die der Leser
nirgends nachschlagen kann, weil sie nirgends gedruckt ist. Es
enthalten nämlich jene mehrfach erwähnten musikalischen Tage-
blätter Grillparzer's einen Aufsatz: „Aufführung der Oper
„Robert der Teufel" im Theater am Kärntnerthor". Darin
wird diese Hoftheater-Vorstellung mit der früheren Aufführung
derselben Oper im Josephstädter Theater verglichen. Mit Hinweglassung einiger für uns unwesentlichen Stellen lautet Grillparzer's Kritik wie folgt: „Was nun vor Allem den Hebel des
Ganzen, die Rolle des Bertram, betrifft, so hat mich Herr
Staudigl doppelt überrascht. Einmal hinsichtlich des Spieles.
Wenn ich mir Pöck's classische Ruhe, seine edle Haltung vor
die Augen brachte, wie er, ohne die Linie des Schönen zu ver-
letzen, doch alle die schauerlichen Wirkungen seiner Rolle hervorbringt und sich dadurch zum leuchtenden Mittelpunkte des Ganzen
machte, so mußte ich für jeden Nachahmer verzweifeln. Die
Art, wie Staudigl seine Rolle auffaßte, gehört zwar einer niedern
Region an; es ist die Art, wie das böse Princip gewöhnlich
dargestellt zu werden pflegt. Anfangs war er sichtlich befangen
und unscheinbar, später hob er sich aber und gab der Beschwö-

rungs = Arie ein Relief, das sie in Pöck's Darstellung nicht
hatte. Die zweite Ueberraschung oder vielmehr Täuschung war
sein Gesang. Wenn Niemand in Deutschland Staudigl's Sarastro
oder Orovist erreichen wird, so dürfte dafür in halb Europa
kein Gegenbild zu Pöck's metallreicher, einschmeichelnder Seelen=
stimme gefunden werden. Es gibt edle Naturen in der Kunst=
welt wie in der sittlichen. Man kann sie durch Bemühung
theilweise überbieten, im Ganzen aber nie erreichen. Hier war
Staudigl von vornherein im Nachtheile, farb= und klanglos....
Er schadete sich noch dadurch, daß er, um den Umfang seiner
Stimme geltend zu machen, tiefe Töne hineinzog, an denen die
Tiefe bemerklicher war, als der Ton. Das Duett im dritten
Act (Binder und Staudigl) sank beinahe bis zur Unbedeutend=
heit. Die Sänger wurden zwar hervorgerufen, sie fanden aber
wol in ihrer eigenen Brust minder günstige Richter....
Breiting (Robert) vereinigt manches Gute mit so viel Aben=
teuerlichem in Spiel und Gesang, daß man sich in Verlegenheit
gesetzt findet. Seine Stimme ist die Stimme vier oder fünf
verschiedener Menschen, von denen der Eine übel singt, der
Andere gut. Wenn es ihm gelingt, mit zusammengefaßter Kehle
diese gewaltigen Töne zu bändigen, so geräth Manches recht
vorzüglich.... Der Chor scheint in neuester Zeit vorzüglich
die Stärke zum Hauptaugenmerk gemacht zu haben, ohne zu
bedenken, daß nicht alle Zuhörer mit den Ohren der Menge
hören. Was das Nonnenballet betrifft, so sehen wir im Joseph=
städter Theater Tänzer, die Alles können, nur nicht tanzen.
Die Idee des Ballets schien mir aber dort viel richtiger auf=
gefaßt. Alle Bewegungen haben dort eine Beziehung auf den
Zweck, Robert zur Ergreifung des Zweiges anzulocken. Im
Kärntnerthor=Theater aber erscheinen die Tänzerinnen, führen
Nummer für Nummer vier oder fünf Erste auf, wobei sie die
Beine von sich strecken und sich um den Gang der Handlung
nicht im mindesten bekümmern. Und all das so reizlos, so un=

verführerisch, daß man glaubt, Robert ergreife nur den Zweig, um ihrer los zu werden."

Meine Aufgabe war, zu zeigen, was für ein herrlicher Musiker in Grillparzer steckte. Daß die Lösung dieser Aufgabe eine leichte und lohnende gewesen, indem sie meistens mit Grillparzer's eigenen Worten geschehen mußte, wird mir Mancher vielleicht vorwerfen. Je kleiner mein Verdienst, desto größer war meine Freude bei dieser Arbeit, unter welche ich Grillparzer's goldenen Spruch setzen darf:

Glücklich der Mensch, der fremde Größe fühlt
Und sie durch Liebe macht zu seiner eigenen.
Denn groß zu sein ist Wenigen vergönnt.

Pierer'sche Hofbuchdruckerei. Stephan Geibel & Co. in Altenburg.

Lightning Source UK Ltd.
Milton Keynes UK
UKHW022226140219
337291UK00006B/286/P